Inge Groess

rororo

rororo

Krimiunterhaltung vom Feinsten. Felicitas Mayall entwickelt eine spannende Handlung, und die Menschen, die darin verstrickt sind, wirken lebensnah und authentisch.

Felicitas Mayall begann ihre Karriere als Journalistin bei der *Süddeutschen Zeitung*. Inzwischen lebt sie als freie Autorin in Prien am Chiemsee. Aus der erfolgreichen Krimiserie um die Münchner Kommissarin Laura Gottberg sind außerdem erschienen: «Die Löwin aus Cinque Terre» (rororo 24044), «Wie Krähen im Nebel» (rororo 23845) und «Wolfstod» (rororo 24440).

Felicitas Mayall

Nacht der Stachelschweine

Laura Gottbergs erster Fall

Rowohlt Taschenbuch Verlag

14. Auflage 2010

Veröffentlicht im Rowohlt Taschenbuch Verlag,
Reinbek bei Hamburg, Oktober 2004
Copyright © 2003 by Kindler Verlag GmbH, Berlin
Umschlaggestaltung any.way, Cathrin Günther
(Foto: Toni Anzenberger / Anzenberger)
Gesetzt aus der Berthold Bembo
bei Pinkuin Satz und Datentechnik, Berlin
Druck und Bindung CPI – Clausen & Bosse, Leck
Printed in Germany
ISBN 978 3 499 23615 0

In Dankbarkeit meinem Freund Eliseo Cabani, der mir Italien zeigte, Irene Rumler, die mich ermutigte, meinen Söhnen Daniel und Johannes, die mich stets anfeuerten, und meiner Lektorin Ulrike Kloepfer.

Wie man Flammen, die zur Neige gehen,
ein letztes Mal noch flackern sieht,
so glüht mein Herz noch auf –
dann kommt der Tod.

Die Welt geh unter, mir ist nur gelegen
an dem, was mehr Genuss und Lust erteilet;
denn, muss ich Erde sein, ich war ja Erde.

Torquato Tasso

Der Wald war ein Dschungel. Jedenfalls kam er Giuseppe Rana so vor, obwohl er ihn seit seiner Kindheit genau kannte. Brombeerranken, Efeu und andere Kletterpflanzen versperrten den Weg, verhakten sich in seinem Pullover, wanden sich um seine Beine. Immer wieder musste er anhalten, die stacheligen Äste lösen, behutsam allerdings, denn er durfte keinen Lärm machen. Lärm war gefährlich. Er könnte gehört werden. Man konnte immer gehört werden – überall. Auch das kannte er seit seiner Kindheit. Giuseppe Rana kroch langsam voran, folgte dem kaum sichtbaren Pfad der Stachelschweine, zuckte zusammen, als ein Vogel mit harten Flügelschlägen knapp einen Meter vor ihm aufflatterte, erstickte, kehlige Schreckensschreie ausstoßend.

Nur ein Fasan. Ist ja nur ein Fasan, beruhigte er sich und robbte weiter. Mondlicht drang durch das dichte Laub der Steineichen und Edelkastanien. Winzige helle Speere, die den Dschungel in Streifen schnitten, hier einen Ast sichtbar machten, dort ein paar Blätter.

Giuseppe achtete kaum darauf, als sein Arm von Dornen zerkratzt wurde. Er hatte es eilig, musste noch einmal sehen, was er am Abend zuvor gesehen hatte. Musste sicher sein, dass es da war. Er war sich nicht immer sicher. Manchmal träumte er seltsame Dinge, obwohl er wach war. Niemand wusste davon. Nur die Mutter vielleicht. Oft sah sie ihn so seltsam an und schüttelte dann den Kopf. Er hasste es, wenn sie ihn so ansah.

Als er endlich das ausgewaschene Bachbett erreichte, ging sein Atem schneller, und er richtete sich auf. Nur ein paar Tümpel waren von dem mächtigen Fluss zurückgeblieben, der im Frühjahr das Erdreich weggerissen hatte. Lange her. Seit zwei Monaten war kaum ein Tropfen Regen gefallen.

Giuseppe bewegte sich langsamer. Hier musste es sein. Zwischen den kräftigen Wurzeln, die das Wasser im Frühjahr bloßgelegt hatte. Feuchter Sand knirschte unter seinen Stiefeln. Er beugte sich ein wenig nach vorn, um mit den Augen einem Mondstrahl folgen zu können, der seinen Weg bis in die schwarze Höhlung hinter den Wurzeln gefunden hatte, zuckte zurück. Es war da! Giuseppe schloss die Augen und schluckte schwer. Seine Kehle war trocken, schmerzte. Ganz langsam sank er wieder zu Boden, kniete endlich im Sand und flüsterte Worte vor sich hin, deren Sinn er selbst nicht verstand. Dann, ganz langsam, öffnete er wieder seine Augen und starrte auf das Gesicht, das von dem einsamen Mondstrahl beleuchtet wurde. Ein sehr weißes Gesicht. Die Frau, der es gehörte, starrte ihn ebenfalls an. Aber eigentlich starrte sie an ihm vorbei.

Erschrocken drehte er sich um. Hinter ihm gab es nur die schwarze Wand des Waldes. Wohin starrte sie nur? Vorsichtig kroch er näher an die Wurzelhöhle heran. Nichts rührte sich. So war es auch gestern Abend – oder war es vorgestern gewesen? Giuseppe wusste es nicht, aber das kannte er auch. Er hatte kein Gefühl für Zeit.

Jetzt war er so nah bei der stillen Frau, dass er sie berühren konnte. Er hatte noch nie eine Frau berührt. Und da war dieses Verlangen in ihm, das von seinen Lenden aufstieg, wenn er Frauen sah. Daher starrte er sie immerzu an, die Frauen. Viele wurden böse, wenn er das tat. Schrien ihn an und beschwerten sich bei seiner Mutter. Deshalb machte er es nur noch heimlich.

Jetzt hob er seine rechte Hand und näherte sie der Frau. Ihr Körper lag seltsam steif da, halb auf der Seite. Sie hatte Hosen an und eine helle Bluse, das konnte er jetzt deutlich erkennen. Sie schrie ihn nicht an, als er seine Hand auf ihr Bein legte. Wieder ging sein Atem schneller. Er zwängte sich zwischen den Wurzeln hindurch, befühlte ihre Hüften, fiel auf sie. Ihr Kopf kippte zur Seite, und im selben Augenblick spürte er die Kälte, die von ihr ausging, feuchte, eisige Kälte. Sein Körper erstarrte vor Entsetzen, denn auch diese Kälte kannte er. Von toten Rindern und Schafen. Er wollte von ihr weg, doch sein Pullover hatte sich in einer Wurzel verfangen, eine andere zerkratzte sein Gesicht. Und während er heftig zerrte, streiften seine Hände ihre Brüste. Da blieb er liegen, tastete verstohlen über dieses weiche kalte Fleisch und hielt es fest, Schweiß lief über seine Schläfen. So verharrte er ein paar Minuten, bewegungslos wie die Frau unter ihm, und spürte das Pochen seines Geschlechts.

Erst das Schniefen und Quieken der Stachelschweine weckte ihn aus seiner seligen Erstarrung. Sie mussten ganz nah sein, suhlten sich vermutlich im feuchten Sand. Und dann nahm er wahr, dass der Morgen dämmerte, riss sich los – von der stillen Frau und den schwarzen Wurzeln –, taumelte aus der Höhle, durchs Bachbett und stürzte sich wieder in den Dschungel aus Dornen und Büschen. Die Stachelschweine stoben davon, und ihre Schreckenslaute, die dem Weinen kleiner Kinder glichen, begleiteten ihn auf seiner Flucht.

Später, als die Sonne aufging und er die Felder in der Nähe des Hofs seiner Mutter erreicht hatte, setzte er sich auf einen riesigen harten Erdbrocken und stützte den Kopf in die Hände. Er wusste nicht, was mit der Frau passiert war. Wusste nicht, ob es etwas mit ihm zu tun hatte.

Vielleicht war es einer dieser Träume, die er hatte. Denn jetzt fiel ihm ein, dass er die Frau schon vorher gesehen hatte. Sie war eine jener Frauen, die seit einer Woche im Wald und in den Feldern herumliefen. Meistens ganz früh am Morgen und immer allein. Er hatte sie beobachtet, diese Frauen. Heimlich, wie er es immer tat. Es waren Fremde. Sie hatten seltsame Dinge getan – die Arme zum Himmel gestreckt, den Boden berührt oder die Rinde der Bäume. Ab und zu hoben sie etwas auf – eine Feder, einen Stein oder die Borsten eines Stachelschweins.

Giuseppe wiegte seinen Körper hin und her und begann leise zu singen.

Die Abbadia ragte hoch über die Felder und Wäldchen der Crete, jener weiten hügeligen Landschaft südlich von Siena. Zwei lang gestreckte Wohntrakte bildeten einen rechten Winkel, die Kirche klebte an dem westlichen Flügel, als gehörte sie nicht recht dazu. Einen Turm gab es nicht mehr. Irgendwann hatte es einen dritten Trakt gegeben, doch der war wohl in den Kriegswirren, die seit der Renaissance die Toskana heimgesucht hatten, zerstört worden. Nur ein paar Mauerreste, Säulen, die ein Gewölbe ahnen ließen, waren übrig geblieben. Brombeersträucher überwucherten den ehemaligen Klostergarten, ockerfarbener Putz löste sich in großen Stücken von den Wänden, und an der Südseite lebten unzählige Vipern in den Ritzen der schiefen, niedrigen Mauer, die das alte Kloster umschloss.

Gleich hinter den Gebäuden fiel der Hügel nach Norden steil ab. Macchia, Pinien und Brombeeren wuchsen wild durcheinander und bildeten einen natürlichen Schutzwall. Auf der anderen, der offenen Seite des Anwesens erstreckte sich eine flache Hochebene, die mit Wein bepflanzt war und bis zu den fernen Hügeln im Süden reichte.

Verschlafene Katzen schlenderten über den rechteckigen Innenhof zwischen den Gebäuden, blieben hin und wieder mit zuckenden Schwanzspitzen stehen, warfen sich unvermutet auf den Rücken und wanden sich im feinen Sand. Wildtauben saßen auf den blassroten Dachziegeln, gurrten mit geblähten Kröpfen im ersten Morgenlicht.

Eine Frau trat aus der Tür des südlichen Gebäudetrakts, gleich neben der einzigen öffentlichen Telefonzelle im Umkreis von zwanzig Kilometern. Ihr graues Haar fiel in wirren Strähnen bis auf die Schultern. Das hellblaue Jeanshemd und die weiten hellen Hosen waren zerknittert wie ein Schlafanzug. Sie schloss die Augen zu schmalen Schlitzen, als bereite das erste Tageslicht ihr Schmerzen, fuhr sich mit der Hand übers Gesicht und atmete tief ein. Dann richtete sie sich sehr gerade auf und ging schnell ums Haus herum zu der Mauer aus flachen Steinen, hockte sich mit gekreuzten Beinen auf eine breite Felsplatte und suchte mit ihren Augen die Hügel und Täler ab.

Katharina Sternheim war nicht mehr jung, doch ihre Augen besaßen die Klarheit und Lebhaftigkeit eines Mädchens. Nach einer Weile senkte sie den Kopf und stieß einen tiefen Seufzer aus.

Ich hätte nicht herkommen dürfen, dachte sie. Ich habe gewusst, dass dieser Ort gefährliche Kräfte besitzt. Warum habe ich nicht auf meine Erfahrung gehört? Ich bin verantwortlich für diese Gruppe, und ich kann nichts tun. Es geschieht einfach – genau wie beim letzten Mal. Es zerreißt die Menschen und mich auch. Ich kann es einfach nicht steuern.

Ihr Gesicht, das eben noch jung und glatt ausgesehen hatte, verfiel plötzlich. Sie fühlte sich alt und müde. Eine unbestimmte Angst stieg von ihrem Magen auf, breitete sich in ihrem ganzen Körper aus, ließ ihre Hände zittern.

Carolin, die jüngste der Selbsterfahrungsgruppe, war nicht von ihrem Abendspaziergang zurückgekehrt. Katharina wusste, dass die Studentin gefährdet war, bedroht von Wut und Angst, von Depression und Panik. Wie sollte sie als Therapeutin diese Kräfte in der Hand behalten – nach nur einer Woche? Sie hatte Carolin noch nie zuvor gesehen. War von den Gefühlsausbrüchen der jungen Frau regelrecht überrollt worden. Vielleicht war es ein Fehler, so intensiv mit den Menschen zu arbeiten. Vielleicht war all das ein Irrtum. Niemand konnte wissen, welche Ungeheuer in den Menschen schlummerten, und sie, Katharina, erlaubte es diesen Ungeheuern ans Tageslicht zu kriechen, öffnete ihnen auch noch die Tür.

Bisher, dachte sie, habe ich sie einigermaßen bändigen können, diese Ungeheuer. Aber vielleicht habe ich keine Kraft mehr? Vielleicht habe ich zu viele Abgründe gesehen? Entsetzt dachte sie an die Möglichkeit, dass Carolin sich umgebracht haben könnte. Wie sollte sie selbst, Katharina, das ertragen? Wie die Gruppe durch so eine Katastrophe führen? Die anderen würden ihr die Verantwortung zuschieben. Sie war die Therapeutin. Das Vertrauen wäre zerstört. Es könnte sogar das Ende ihrer beruflichen Möglichkeiten bedeuten.

Katharinas Schultern sanken nach vorn. Sie krümmte sich, stöhnte erneut auf. Warum nur hatte sie keinen zweiten Therapeuten mitgenommen? Warum war sie nicht in der Lage, mit anderen zusammenzuarbeiten? Sie hatte es ein paar Mal versucht, aber es hatte nie geklappt. Warum nur? War sie selbstherrlich? Fand sie ihre Methode so einmalig, dass sie glaubte, niemand könne es ihr gleichtun? Immer hatte es Konflikte gegeben. Die anderen waren zu oberflächlich, sahen nie die tiefere Dimension, die sie selbst beinahe körperlich spüren konnte. Es ging nicht, ging einfach nicht!

Katharina hielt ihr Gesicht der Sonne entgegen, die rot hinter den Hügeln aufstieg. Immer hatte die aufgehende Sonne ihr Kraft gegeben, deshalb schickte sie ihre Klienten jeden Morgen bei Sonnenaufgang hinaus. Der neue Tag bedeutete neues Leben, Kraft, kosmische Energie. Das brauchten sie alle. Jeden Morgen wurde die Erde neu geboren und mit ihr jedes menschliche Wesen. Und vor allem all jene, die weder ihren Körper noch ihre Seele spüren konnten. Und das waren nach Katharinas Erfahrung die meisten Menschen.

Welch tiefe Befriedigung, wenn der Glanz kosmischer Energien sich in den Gesichtern ihrer Klienten widerspiegelte. Wenn sie Dinge zu denken und zu tun wagten, die sie nie zuvor geahnt hatten. Sie empfand sich als Lehrmeisterin, nicht so sehr als Therapeutin. Sie lehrte, dass abgespaltenes Böses das Gute, unbewusster Hass die Liebe verhindert. Erst wenn die schwarzen Vögel in jedem Herzen freigelassen wurden, konnten die Schmetterlinge des Lebens zu tanzen beginnen. Aber die schwarzen Vögel mussten gebändigt werden und fortfliegen. Und in diesem Augenblick, angesichts dieses wunderbaren neuen Tages, zweifelte Katharina daran, dass sie die Kraft hatte, die schwarzen Vögel einzufangen, die seit Tagen die Abbadia bevölkerten. Es waren zu viele. Einige schienen aus den Mauern selbst zu kommen, als hätten sie nur darauf gewartet, gerufen zu werden.

Katharina schüttelte leicht den Kopf. Sie brauchte dringend eine Supervision. Doch damit würde sie noch eine Weile warten müssen. Die Selbsterfahrungsgruppe dauerte weitere zehn lange Tage. Plötzlich graute ihr davor. Über drei der Klienten schien sie keine Macht zu haben. Carolin gehörte dazu, dann dieser Rolf Berger, der ständig in Tränen ausbrach und heftige Aggressionen in ihr auslöste. Auch Susanne war ein Problem, kommentierte in den Sitzungen stets die anderen und spielte sich selbst als Therapeutin auf. Über sich selbst sprach sie fast nie, beobachtete nur die anderen, voyeuristisch, mit einem beinahe gierigen Gesichtsausdruck. Etwas ging in der Gruppe vor, das Katharina nicht benennen konnte, und dieses Etwas machte ihr Angst.

Wieder schüttelte sie den Kopf und sah Hilfe suchend zur Sonne hinüber. Vielleicht war Carolin eine Nacht draußen geblieben, um die Stille zu erleben. Vielleicht hatte sie den Mond beobachtet und die Tiere belauscht. Vielleicht würde sie gleich vom Tal heraufkommen und sich mit ihnen an den Frühstückstisch auf der großen Veranda setzen.

Aber Carolin kam nicht. Eine Stunde später kehrte Katharina zu den anderen zurück, die unruhig und verloren an der langen Tafel saßen, Milchkaffee aus großen Tassen schlürften und ihr erwartungsvoll entgegensahen.

«Wir müssen nach ihr suchen!», sagte Katharina leise. «Ich denke, dass sie hier in der Nähe ist.»

Die anderen nickten. Rolf Berger, ein großer magerer Mann Mitte dreißig, dessen Gesicht seltsam weich und unkonturiert wirkte, sprang als Erster auf.

«Wir müssen uns verteilen!» Seine Stimme klang heiser.

«Mein Gott!», murmelte Rosa Perl. Sie war neben Katharina die Älteste in der Gruppe. Etwas über fünfzig, sehr groß, dünn, knochig. «Ich hatte einen fürchterlichen

Traum. Lauter schwarze Särge habe ich gesehen, und ich selbst lag auch in einem. Dieses Bett mit den vier Säulen und dieser schwarze Schrank in meinem Zimmer … ich kann da nicht mehr schlafen. Für mich sind das alles Särge …!»

Katharina legte Rosa eine Hand auf den Arm.

«Ist gut, Rosa. Darüber reden wir später. Du musst nicht in diesem Zimmer bleiben.»

Sie versammelten sich im weiten Hof, der inzwischen in sanftem Sonnenlicht lag, und schwärmten in unterschiedliche Richtungen aus, durchkämmten den winzigen Friedhof der Mönche, der wie alle verlassenen Plätze von Brombeeren erobert worden war, das verfallene Bauernhaus im Westen der Abbadia, die nahen Wäldchen und das ausgewaschene Bachbett im Tal.

Es war Rosa, die gegen zehn Uhr den leblosen Körper der jungen Frau in der Wurzelhöhle entdeckte. Sie war den Stiefelabdrücken im feuchten Sand gefolgt. Mit klopfendem Herzen und dunklen Ahnungen. Als sie die Tote erspähte, erschrak sie, fühlte aber gleichzeitig eine merkwürdige Erleichterung, fast so etwas wie einen leisen Triumph. Vielleicht waren ihre Albträume Vorboten dieses Todes gewesen und nicht ihres eigenen, den sie so sehr fürchtete und der sich wie ein schwarzer Mantel um sie zu schließen schien, seit sie in der Abbadia wohnte.

Ehe sie Carolin berührte, fasste sie an die Narbe über ihrer linken Brust. Den Tod, der in ihr selbst lauerte, würde sie vertreiben. Sie wollte alles tun, was sie sich bisher versagt hatte. Alles!

Erst danach wurde sie von dem Schock erfasst. Sie kniete im Sand, hielt die Hand der jungen Frau und begann mit ihr zu reden, als wäre sie noch am Leben.

«Du kannst nicht einfach so weggehen, Carolin! Das Leben ist viel zu wichtig, verstehst du? Du musst durchhalten! Schau mich an, ich halte auch durch!» In heftigem Schluchzen brach sich ihre Verzweiflung Bahn, schüttelte ihren hageren Körper. «Ich hätte es dir früher sagen sollen, meine Kleine! Aber ich hab es selbst nicht gewusst! Es tut mir so Leid, verstehst du?»

Rosa kniete lang neben der Toten, erwachte nur langsam aus diesem seltsamen Zustand zwischen Traum und Wirklichkeit. Erst als sie Katharina rufen hörte, fasste sie sich, stand noch einen Augenblick benommen da, begriff dann, was geschehen war, und schrie.

Commissario Angelo Guerrini von der Questura in Siena hätte beinahe das unscheinbare Schild übersehen, das an der Straße zwischen Buonconvento und Montalcino den Weg zur Abbadia anzeigte. Er bremste scharf, bog dann nach rechts ab und folgte mit seinem dunkelblauen Lancia dem schmalen Feldweg. Er fuhr sehr langsam, genoss die Landschaft. Kleine Wäldchen aus Edelkastanien, Pinien und Steineichen, weite Hügel, bereits abgeerntet, hin und wieder ein Bauernhof. Ein Teil der Felder war schon wieder gepflügt, und die riesigen Erdbrocken dörrten in der Sonne vor sich hin.

Guerrini ließ das Seitenfenster herunter, um die Geräusche und Gerüche hereinzulassen. Eine Schar Hühner nahm mitten auf dem Weg ein Sandbad, flüchtete gackernd und flügelschlagend vor seinem Wagen. Ein Hund zerrte an seiner Kette, bellte halb erstickt. Eine Frau spähte durch die grünen Plastikschnüre eines Fliegenvorhangs. Guerrini nahm den Duft eines Feigenbaums wahr, dann Rosmarin und Piniennadeln.

Er war froh, seinem engen, dunklen Büro in der Questura entkommen zu sein, der Hitze und dem Gedränge in den Gassen von Siena, die um diese Jahreszeit von Urlaubern überquollen.

Manchmal, dachte er, manchmal sind auch deutsche Touristen ganz nützlich. Und er lächelte über seine eigene Boshaftigkeit, denn immerhin handelte es sich bei seinem Ausflug um eine tote deutsche Touristin.

Aus dem Anruf der Carabinieri von Montalcino war er nicht ganz klug geworden. Es ging um eine Gruppe Deutscher, die in dem ehemaligen Kloster wohnten. Was sie dort machten, wussten die Kollegen auch nicht. Nur dass eine junge Frau tot in einem Bachbett gefunden wurde und dass es nicht nach einem natürlichen Tod aussah. Die Kollegen hatten Verständigungsschwierigkeiten. Er selbst würde sie auch haben. Über sein bisschen Englisch war er nie hinausgekommen.

Guerrini warf einen schnellen Blick auf die Uhr am Armaturenbrett. Halb eins. Mittagshitze. Zikadengeschnarr. Als die Klostergebäude plötzlich vor ihm auf einem Hügel auftauchten, hielt er an. Seltsam, dass er hier noch nie gewesen war. Dabei kannte er fast jeden Winkel der südlichen Toskana und des Latiums. In seiner Freizeit fuhr er gerne die unzähligen kleinen Nebenstraßen ab – mit dem Auto oder mit dem Fahrrad –, er bewunderte und liebte die Schönheit dieses Landes, das trotz der Achtlosigkeit seiner Bewohner noch immer nicht völlig zerstört war.

Zumindest dort nicht, wo kein Geld zu holen ist, dachte er grimmig. Das hier war so ein Ort. Wie es die Deutschen wohl hierher verschlagen hatte? Es konnten keine gewöhnlichen Touristen sein – hier gab es nichts. Keine Kneipen, keine Restaurants, kein Dorf – nur

Felder, Wäldchen, Weinberge und diese weite Landschaft.

Langsam fuhr Angelo Guerrini weiter. Schon von weitem sah er mehrere Polizeifahrzeuge, die unter einer Piniengruppe an der Kreuzung von vier Feldwegen abgestellt waren. Er parkte halb auf einem Acker, stieg aus und runzelte leicht die Stirn, als ein junger Carabiniere zu seiner Begrüßung strammstand.

«Commissario Guerrini?», fragte der junge Mann – in militärischem Tonfall.

Guerrini verzog das Gesicht und nickte.

«Lassen Sie das bitte in Zukunft!», sagte er.

«Was?»

«Na, diesen militärischen Quatsch!»

Der junge Mann starrte ihn mit halb offenem Mund an, hob dann wieder die Hand zur Mütze, ließ sie aber auf Kinnhöhe sinken, legte den Arm auf den Rücken, wie ein Kellner in besseren Restaurants, und murmelte: «Jawohl, Commissario!»

Guerrini musterte ihn mit einem Lächeln in den Augenwinkeln. Der Junge litt offensichtlich in seiner schwarzen Uniform mit den schicken roten Streifen an den Hosenbeinen. Schweiß tropfte unter dem Rand seiner ebenfalls schwarzen Mütze hervor. Aber er hatte es trotz der Hitze nicht gewagt, seine Jacke auszuziehen. Guerrini war sich der Komik der Situation sehr bewusst. Er, der ranghöhere Commissario, trug nur ein dunkelblaues T-Shirt – von edler Marke zwar – und helle Sommerhosen. Sein Jackett hatte er schon in Siena auf den Rücksitz des Wagens geworfen.

«Also? Wo ist der Rest der Mannschaft?»

«Am Tatort, Commissario! Ich werde sofort Bescheid sagen, dass man Sie abholen soll!»

Die Beine des jungen Soldaten zuckten, als wollte er sie zusammenschlagen, und er riss ein Funkgerät aus seinem Gürtel.

«Wenn Sie mir beschreiben, wo es ist, dann finde ich sicher selbst hin.»

«Aber ich habe Anweisung ...»

«Vergessen Sie die Anweisung. Ich gebe Ihnen hiermit eine neue! Also, wo geht's lang?»

Der junge Mann lief rot an, wies dann zu einer Reihe von dichten Bäumen hinüber.

«Dort drüben, Commissario. Hinter der Wiese. Es ist unten am Bach. Sie können es nicht verfehlen!»

«Na also!», lächelte Guerrini. «Es geht doch auch ganz einfach, oder? Sind alle da? Spurensicherung? Pathologe?»

«Ja, alle sind da! Das heißt ... der Arzt ist schon wieder weg!» Die rechte Hand des Jungen zuckte erneut nach oben, nestelte dann verlegen am Hüftgurt herum.

«Strenge Sitten bei euch in Montalcino, was?», grinste Guerrini, wandte sich um und ging quer über die Wiese auf den Bach zu. Das Gras war ausgewachsen und von der Sonne gebleicht. Zwischen den dürren hellen Halmen schien der harte Boden durch, von unzähligen Rissen durchzogen. Disteln kratzten an den Beinen des Commissario entlang. Die Toskana hatte im Sommer und Herbst wirklich nichts Liebliches mehr, ging es ihm durch den Kopf. Sie war ein hartes, abweisendes Land, das sehnsüchtig auf Regen wartete. So trocken, dass die Bauern den spärlichen Tau der Nacht zum Pflügen nutzten, weil sie tags im Staub ersticken würden.

Guerrini seufzte und trat in den Schatten der Bäume am Ufer des ausgetrockneten Bachbetts. Grünes Dämmerlicht umfing ihn, die Luft wurde spürbar kühler und unzählige Mücken umsummten sein Gesicht. Es roch ein wenig moderig, und er bat innerlich heftig darum, dass die Hitze der Leiche noch nicht zugesetzt haben möge.

Als sich seine Augen an die plötzliche Dämmerung gewöhnt hatten, erkannte er, dass das Bachbett mit einem Zaun aus roten Plastikbändern abgesperrt war. Etwa fünfzig Meter hinter der Absperrung standen seine Kollegen herum. Nach einer etwas mühsamen Klettertour über Wurzeln und Steine hatte er sie endlich erreicht. Sie schauten ihm schweigend entgegen, als hielten sie ihn für den Mörder, der zum Tatort zurückkehrt.

Guerrini kannte nur drei von ihnen, Maresciallo Pucci und zwei Männer von der Spurensicherung.

Sie nickten einander zu, und Guerrini wies auf die roten Plastikbänder.

«Es gibt also Spuren.»

«Jede Menge!» Pucci nahm seine Mütze ab und wischte sich über die Stirn. «Da hat sich einer nicht die Mühe gemacht, irgendwas zu verwischen. Schöne, klare Stiefelabdrücke. Hin und zurück! Wenn wir Glück haben, erwischen wir den Kerl noch heute Abend!»

«So klar ist die Sache?» Guerrini zog die Augenbrauen hoch und schaute sich suchend um.

«Sieht so aus», erwiderte Pucci. «Sie liegt hier drüben. Wir konnten sie nicht in der Höhle lassen. Der Arzt hätte sie sonst nicht untersuchen können.»

«Welche Höhle?»

«Na, sie war hier unter den Wurzeln. Er muss sie da reingeschleppt haben. Schleifspuren haben wir auch gefunden.»

Angelo Guerrini näherte sich zögernd dem länglichen Bündel, das hinter den Polizisten auf dem Sand lag. Die Tote war mit einem großen bunten Tuch verhüllt, ein verwelktes Blumenbüschel lag dort, wo Guerrini ihre Brust vermutete.

«Das war diese verrückte Deutsche!», sagte Pucci entschuldigend. «Sie hat sich nicht davon abhalten lassen! Ein komischer Haufen ist das da oben im Kloster!»

«Wieso?», fragte Guerrini abwesend und zog langsam das Tuch vom Gesicht der Toten. Pucci redete weiter, doch Guerrini hörte nicht mehr zu. Die junge Frau lag da, als schliefe sie, den Kopf ein wenig zur Seite geneigt, mit einem rätselhaften, fast spöttischen Lächeln auf den Lippen. Sie hatte halblanges blondes Haar mit vielen Locken, ihre Wimpern waren dicht und dunkel.

Höchstens Mitte zwanzig, dachte Guerrini. Viel zu jung zum Sterben!

Er bückte sich, um eine dunkle Stelle an der rechten Schläfe der Toten zu betrachten. Dort war die Haut leicht aufgeschürft. Auch die Wangen und die Nase zeigten Schürfwunden. Ihr Hals dagegen war weiß und makellos. Keine Würgemale. Guerrini richtete sich wieder auf und bemerkte erst jetzt, dass Pucci noch immer redete.

«Entschuldigung», murmelte er. «Ich habe nicht zugehört. Was haben Sie gesagt, Pucci?»

Der Maresciallo presste die Lippen zusammen und strich ungeduldig über seinen schmalen Schnurrbart.

«Ich habe Ihnen gerade erklärt, warum die Deutschen in der Abbadia mir seltsam vorkommen. Sie haben mich danach gefragt, Commissario!»

«Also, warum?»

Pucci wippte leicht mit dem rechten Bein.

«Als wir kamen, wartete ein Mann am Weg auf uns. Er hat uns zum Bach geführt. Wir haben unseren Augen nicht getraut! Da saßen sechs Leute um die Tote herum, auf den Wurzeln, auf Steinen – alle im Schneidersitz –, und haben eine Art Wache gehalten. Wahrscheinlich haben sie dabei jede Menge Spuren zerstört. Aber was sie übrig gelassen haben, reicht noch! Wir haben sie dann weggeschickt. Aber sie wollten nicht gehen, blieben einfach auf der Wiese sitzen. Als der Doktor dann mit der Toten fertig war, kam die ältere Frau und hat sie mit dem Tuch da zugedeckt und die Blumen draufgelegt.»

«Ist doch eine schöne Geste, oder?», erwiderte Guerrini und bedeckte das Gesicht der jungen Frau wieder mit dem bunten Tuch.

Pucci wippte jetzt auf beiden Beinen.

«Vielleicht – aber es handelt sich um ein Mordopfer. Wir haben schließlich unsere eigenen Laken ...»

«Jaja ...» Guerrini sah angestrengt den Männern von der Spurensicherung zu, die noch immer jeden Zentimeter des Bachbetts absuchten.

«Was hat denn der Arzt gesagt? Welcher war überhaupt da?»

«Granelli.»

Guerrini nickte. Er kannte Granelli seit zehn Jahren. Obwohl er den Pathologen hoch achtete, lief es ihm bei seinem Anblick regelmäßig kalt den Rücken herunter. Granelli glich auf unheimliche Weise immer mehr den in Formaldehyd eingelegten Missbildungen, die er in seinem Labor um sich versammelt hatte. Er war klein, hatte einen runden kahlen Schädel und lief herum, als beugte er sich ständig über einen Seziertisch. Es war unmöglich, mit ihm über etwas anderes als Tote oder eingelegte Homunkuli zu reden. Die düsteren Räume des Gerichtsmedizinischen Instituts von Siena passten hervorragend zu ihm.

«Und was hat er gesagt?»

«Sie ist an einem Schlag auf die Schläfe gestorben.

Oder sie ist gestürzt und auf einen Stein gefallen. Mehr kann er erst nach der Obduktion sagen. War nur fünf Minuten da, der Dottore!» In Puccis Stimme schwang Missbilligung.

«Länger braucht er selten! Und er hat immer Recht, der alte Granelli.»

Gemeinsam mit Pucci ging er zu den Kollegen hinüber.

«Gibt's schon was?»

«Stiefelabdrücke, die wahrscheinlich von der letzten Nacht stammen. Ein paar braune Wollfäden an den Wurzeln in der Grotte. Da ist einer mit seinem Pullover hängen geblieben. Er kam von da hinten ...» Der Beamte zeigte zum Ende der Absperrung. «Und er ist auch in der Richtung wieder abgehauen. Wir haben einen Suchhund angefordert. Der ist aber noch im Einsatz. Es wird noch eine Weile dauern.»

«Gibt es in der ganzen Gegend nur einen Suchhund?», fragte Guerrini ungläubig.

Der Kollege, ein junger Mann in Jeans mit dichten braunen Haaren und lustigen Augen, zuckte die Achseln und grinste.

«Der zweite in Montalcino hat gerade geworfen. Und die Kollegen wollten keinen aus Siena anfordern, weil sie schon uns und Sie und den Pathologen anfordern mussten ...» Er zwinkerte Guerrini zu.

«Ist das wahr, Pucci?» Guerrini nahm die Schultern nach hinten und verschränkte die Arme über seiner Brust.

Pucci nickte und machte sich ebenfalls ein wenig größer.

«Der Hund ist hervorragend. Er wird in spätestens einer Stunde hier sein.» Damit drehte er sich auf dem Absatz um und ging zu der Toten zurück.

«Wahrscheinlich ist der Hundeführer gerade beim Jagen. Er hat nämlich heute seinen freien Tag!», flüsterte der junge Kriminaltechniker und zwinkerte Guerrini zu.

Der Commissario lächelte kaum merklich.

«Was halten Sie denn von den Deutschen? Sie haben sie doch auch gesehen.»

«Na ja. Wahrscheinlich meditieren die den ganzen Tag oder schlagen Trommeln. Es gibt jede Menge solcher Gruppen, das wissen Sie doch selbst, Commissario. Die Deutschen sind ganz wild darauf. Mir kamen sie wie ein Haufen verschreckter Wesen vor. Ist ja wohl ganz verständlich in so einer Situation.»

Guerrini nickte grimmig.

«Und wo sind sie jetzt?»

«Oben, im Kloster.»

«Na, dann mach ich mich mal auf den Weg.» Guerrini seufzte, wandte sich dann Pucci zu. «Ihr könnt die Tote jetzt nach Siena bringen.»

Katharina Sternheim wartete im Schatten der Veranda auf die Polizei. Die anderen hatte sie fortgeschickt, zur stillen Meditation oder zum Gedankenaustausch. Es blieb ihnen überlassen. Sie hatten den Vormittag bei der toten Carolin ausgeharrt, jetzt brauchten alle Ruhe. Später, am Abend, wollten sie sich zu einer Gruppensitzung treffen. Aber Katharina wusste nicht, wie sie diese Katastrophe verarbeiten sollte. Gefühle rauslassen? Trauer, Wut, Angst, Schreien, Heulen? Sie war sich plötzlich sicher, dass sie es nicht ertragen, die anderen nicht würde festhalten können. Und dazu kam diese seltsame Vision, die vor ihren geschlossenen Augen gewachsen war, als die Gruppe bei der Toten saß – ein Bild, das von den Rändern her entstand und sich Stück für Stück füllte, obwohl sie es nicht sehen wollte: eine Gestalt, die Carolin niederschlug, keine erkennbare Gestalt und doch eine, die zu dieser Gruppe gehörte, für die Katharina sich verantwortlich fühlte.

Carolin hatte sich nicht umgebracht, das war sicher. Sie hatten es alle gesehen. Sie war auch nicht in diese Wurzelgrotte gekrochen, um dort zu sterben. So viel hatten sie verstanden, als die Polizisten auf die Schleifspuren hinwiesen. Lauerte da draußen eine Gefahr, die Katharina übersehen hatte? Vielleicht war es ein Fehler gewesen, die Frauen allein auf einsame Spaziergänge zu schicken, um sie zu sich selbst zu führen. Vielleicht gab es auf dieser Erde keinen sicheren Ort mehr.

Eine Katze drängte sich so heftig und unvermutet an ihre Beine, dass Katharina zusammenzuckte. Sie zuckte noch einmal zusammen, als ein dunkelblauer Wagen auf den Hof rollte und knapp vor der Veranda hielt. Das Knirschen der Reifen auf dem Kies drang in Katharinas Bewußtsein wie ein dumpfer Schmerz, und ihr fiel ein, dass sie noch nicht einmal die Verwalterin der Abbadia benachrichtigt hatte, geschweige denn Carolins Eltern.

Unfähig aufzustehen, sah sie dem Mann entgegen, der jetzt aus dem Wagen stieg, kurz über sein Haar strich, sich zögernd umschaute und dann langsam die breiten Steinstufen zu ihr hinaufkam. Er war jünger als sie, höchstens Mitte vierzig. Sie überließ sich ganz einfach dem Eindruck dieses Mannes, der Schritt für Schritt auf sie zuging, als wollte er sie nicht erschrecken. Etwas Behutsames lag in seinen Bewegungen, er musterte sie mit wachsamen Augen.

«Signora?»

Auch seine Stimme war wachsam. Er zog den Dienstausweis aus seiner hinteren Hosentasche, klappte ihn vor ihr auf. Katharina nickte.

«Angelo Guerrini, Commissario», sagte er leise.

«Ist schon in Ordnung», murmelte sie.

«Scusa?»

«Bene!» Katharina versuchte sich auf ihre bruchstückhaften Italienischkenntnisse zu konzentrieren. Sie strich ihr Haar zurück, das sie heute noch nicht gekämmt hatte. Vor diesem adretten Polizeibeamten kam sie sich plötzlich wie eine schlampige Alte vor. Aber das war auch egal. Beinahe hätte sie über ihre eigene Eitelkeit gelächelt.

Die Katze lief mit steil aufgestelltem Schwanz auf Guerrini zu und warf sich mit der Schulter gegen sein rechtes Bein. Er bückte sich und strich über ihren Rücken.

«Sie hieß Carolin, Carolin Wolf.» Katharinas Stimme klang zu hoch und fast lispelnd, wie die eines jungen Mädchens. Guerrini hob erstaunt den Kopf und musterte sie prüfend. Katharina räusperte sich, hatte selbst bemerkt, dass diese Stimme nicht zu ihr passte. Merkwürdig, dass hin und wieder dieser Kindchenton aus ihr herausbrach, als spräche eine Fremde, die es schon lange nicht mehr gab; die kleine Katharina, die ihre Mutter um Verzeihung bat, wenn sie etwas Falsches getan hatte.

«Carolin, Carolina», murmelte der Commissario. *«Bello nome, bella raggazza.»*

Katharina nickte. Sie hatte ihn verstanden. Aber ihr Italienisch würde nicht ausreichen, um ihm die näheren Umstände zu erklären. Sie machte eine Gebärde, die ihn auf die Bank ihr gegenüber einlud. Er nickte, lächelte ein wenig und setzte sich.

Danach versuchten sie es mit verschiedenen Sprachen. Englisch, Französisch. Es blieb bei Sprachfetzen, von denen beide nur Bruchstücke begriffen. Nur eines verstand Katharina genau: Es gab eine Spur, Stiefelspuren, denen ein Hund folgen würde. Und dann hörte sie sich selbst einen Satz sagen, den sie lieber sofort zurückgenommen hätte. Sie sagte: «Ich glaube nicht, dass es ein Fremder war!»

Der Commissario ließ seine Augen über die großen Töpfe mit dunkelroten Geranien wandern, über die Kletterpflanzen an den Verandasäulen, die lange antike Tafel, an der die Gruppe die Mahlzeiten einnahm, und antwortete: «Das ist ein schöner Platz, ein wirklich schöner Platz!»

Hatte er sie verstanden? Katharina hoffte, dass sein Englisch schlecht genug war, um ihre Worte ungeschehen zu machen. Doch in diesem Augenblick wandte er ihr sein Gesicht zu, so plötzlich, dass sie seinen Augen nicht ausweichen konnte, und fragte: «Warum glauben Sie das?»

Katharina hörte wieder ihre zu hohe Kinderstimme, die sagte: «Ich kann das nicht erklären. Nicht auf Englisch, nicht auf Französisch und nicht auf Italienisch. Wahrscheinlich nicht einmal auf Deutsch.»

«Oh!», antwortete Guerrini. «Dann haben wir ein Problem.»

Für den Jagdhund, der bei den Carabinieri von Montalcino regelmäßig Dienst als Spurensucher leistete, war es eine Kleinigkeit, den Stiefelabdrücken durch den Wald zu folgen. Ab und an zögerte er für den Bruchteil einer Sekunde, wenn der Unbekannte seine Richtung geändert hatte. Er zerrte seinen Herrn durch das dornige Gestrüpp, erreichte bald freies Feld, wo er ein paar Minuten winselnd und wedelnd neben einem großen Erdklumpen verharrte, der besonders intensiv zu riechen schien, hob das Bein und lief endlich auf den kleinen Bauernhof auf der Anhöhe zu. Einige Meter vor dem Hof blieb der Hund stehen, das rechte Vorderbein angewinkelt, als wittere er Beute. Die drei Carabinieri, die mit Abstand folgten, hielten ebenfalls an und beobachteten das Tier, das seinem Herrn einen kurzen Blick zuwarf und mit seinem Stummelschwanz zuckte.

«Das muss es sein!», erklärte der Hundeführer leise und zog sich mit dem Hund und seinen Kollegen in den Schutz eines dichten Feigenbaums zurück. Über Funk riefen sie die kleine Streitmacht herbei, die im Wald an der Straße zur Abbadia wartete.

Danach ging alles sehr schnell. Dunkelblaue Geländewagen brachen zwischen den Bäumen hervor, rasten auf den Hof zu, gelbbraune Staubwolken hinter sich lassend. In wenigen Minuten war das Gebäude umstellt, Polizisten in kugelsicheren Westen duckten sich hinter Mauern, spähten um Hausecken. Hühner flüchteten, drei Perlhühner reckten ihre dünnen nackten Hälse und stießen schrille Alarmschreie aus, als erwürgte sie gerade jemand. Die Polizisten durchsuchten den Stall, drangen ins Wohnhaus, richteten ihre Waffen auf eine kleine alte Frau, die in diesem Augenblick aus der Tür trat, ihre Augen mit einer Hand vor der Sonne schützend.

«Dio mio!», sagte die alte Frau und bekreuzigte sich mit der anderen Hand.

Die Polizisten stürmten an ihr vorüber, fanden in der ärmlichen Küche einen Topf Minestrone auf dem Herd, eine fauchende Katze, in den angrenzenden winzigen Räumen ungemachte Betten, im ersten Stock vor allem Gerümpel und hinter einem Berg alter Matratzen Giuseppe Rana, der sich eingerollt hatte wie ein Igel. Den Kopf zwischen den Beinen, die Arme um die Knie geschlungen, hockte er in der dunkelsten Ecke und machte selbst dann seine Augen nicht auf, als zwei Polizisten die Matratzen wegzerrten. Wenn er die Augen nicht öffnete, gab es die Welt nicht. Alles, was da draußen passierte, gab es dann einfach nicht. So hatte er es immer gemacht, wenn er Angst hatte. Und Giuseppe Rana hatte Angst, hatte den Hund gesehen und die drei fremden Männer in schwarzen Uniformen, und er hatte die Autos gesehen, die auf den Hof zurasten, wusste, dass sie ihn suchten. Immer suchten alle ihn. Seine Mutter und sein Bruder auch. Und er konnte sich gut verstecken. Manchmal fanden sie ihn nicht, dann lachte er leise in seinem Versteck und kam sich mächtig vor. Er begriff nicht, warum diese Fremden ihn gefunden hatten. Das hier war sein sicherstes Versteck. Aber vielleicht träumte er nur, dass man ihn gefunden hatte.

Deshalb machte er seine Augen auch nicht auf, als die Polizisten ihn aus seinem Winkel hervorzerrten. Er blieb zusammengerollt, umklammerte seine Knie so heftig, dass es den Carabinieri nicht gelang, ihn auf die Beine zu stellen. Und weil er ihre lauten Stimmen nicht hören wollte, begann er zu singen, wie er es immer tat, wenn er seine eigenen Gedanken nicht hören wollte oder die Stimmen der anderen. Wenn er sang, dann hörte er nichts außer dem Gesang, und das machte ihn glücklich und ruhig. Wenn er sang, konnte ihm nichts geschehen.

So wurde er die schmale Treppe hinuntergetragen, gezerrt, geschleift. Er nahm den Geruch von Minestrone wahr, machte aber die Augen nicht auf, gab seine Knie nicht frei, hörte nur den Gesang und ganz fern Geräusche und Stimmen im Hintergrund. Er sah nicht, dass Maresciallo Pucci sich über ihn beugte, seine Stiefel betrachtete und seinen Pullover untersuchte. Er hörte auch nicht, dass Pucci sagte: «Er hat sich nicht einmal umgezogen. Die Stiefel sind noch voll Sand und sein Pullover hat ein Loch am Rücken. Die Sache ist ziemlich klar. Wir nehmen ihn mit!»

Aber dann hörte Giuseppe etwas, das lauter als sein Gesang war, die Schreie seiner Mutter. Sie schrie zur Madonna und allen Heiligen. Und als er ganz vorsichtig seine Augen ein wenig öffnete, einen Spalt nur, damit er nicht zu viel sehen musste, sah er, dass die kleine alte Frau mit Fäusten auf die Polizisten einschlug. Da machte er die Augen schnell wieder zu und krümmte sich vor Angst noch mehr zusammen. Irgendetwas war ganz und gar nicht in Ordnung, aber er wusste nicht was. Nur dass es mit ihm zu tun hatte und vielleicht mit den merkwürdigen Träumen, die er in der letzten Nacht gehabt hatte.

Als er in einem der blauen Autos weggebracht wurde, hörte er die Stimme seiner Mutter noch immer. Hörte sie bis zur Hauptstraße und auf der scheinbar endlosen Fahrt. Er musste ganz laut singen, um diese Stimme nicht mehr zu hören. So laut, dass Maresciallo Pucci sich die Ohren zuhielt.

Ich koche Spaghetti! Wenn ich koche, kann ich nicht gleichzeitig mit dir deine Matheaufgaben machen, Sofia! Luca soll dir helfen! Luca!» Laura Gottberg strich mit dem Unterarm ihre Haare aus dem Gesicht und lauschte ihrer eigenen Stimme nach.

Ich kreische rum wie Mama in ihren besten Zeiten, dachte sie. Es tut mir gut, verdammt gut!

«Luca sitzt vor der Glotze! Er will mir nicht helfen!»

Lauras Tochter stand in der Küchentür, das Mathematikheft in beiden Händen. «Ich kann das nicht, Mama. Wozu braucht man eigentlich Mathe?» Sie machte ein so fragend verzweifeltes Gesicht, dass Laura lachen musste.

«Es ist überhaupt nicht komisch, Mama! Wir schreiben nächste Woche eine Schulaufgabe, und ich kapier nichts!»

Laura nahm den Spaghettitopf von der Herdplatte und goss die Nudeln in ein großes Sieb.

«Ich hab nicht über dich gelacht, Sofia», sagte sie und drehte ihr Gesicht zur Seite, um dem heißen Dampf auszuweichen. «Ich musste lachen, weil ich genau diese Frage vor vielen Jahren deinem Großvater gestellt habe. Da war ich ungefähr so alt wie du.»

«Und? Was hat er gesagt?» Sofia knetete das Heft in ihren Händen.

«Warte, lass mich nachdenken … Ich glaube, er hat gesagt, dass man Mathe seiner Meinung nach zu gar nichts gebrauchen kann, aber dass es das Gehirn trainiert, wenn man nur darüber nachdenkt, wozu Mathe nützlich sein könnte!»

Sofia runzelte die Stirn.

«Typisch Großvater. War er gut in Mathe?»

«Ich glaube nicht, und ich war's auch nicht. Aber ich bin durchgekommen. Darauf kommt's an. Ich glaub nämlich, dass wir beide keine Chance haben, Mathe abzuschaffen.»

«Das glaub ich auch nicht», seufzte Sofia. Sie legte das Heft auf den dunkelblauen Küchenschrank, nahm einen Löffel und probierte die Spaghettisauce.

«Gut?», fragte Laura.

«Mmmm, prima!»

«Dann ruf Luca, und deckt bitte den Tisch!»

Gerade als Sofia sich umwandte und Laura den Salat

durchmischte, schrillte das Telefon. Sofia drehte sich um, ihre dunklen Augen blickten zornig.

«Geh nicht hin, Mama. Ich will mit dir und Luca Spaghetti essen. Bitte! Wenn du jetzt wegmusst, ist mir Mathe auch scheißegal!»

«Ist schon gut, Sofi. Der Anrufbeantworter ist an und das Handy ausgeschaltet. Heute Abend will ich meine Ruhe haben.»

Sofia schüttelte die langen Haare, warf ihrer Mutter einen zweifelnden Blick zu und verschwand, um ihren Bruder zu holen. Laura legte das Salatbesteck in die Schüssel und lauschte Richtung Telefon. Nach dem vierten Klingeln knackte es leise, und nach einer Pause räusperte sich eine sehr vertraute Männerstimme. «Laura, bitte gehen Sie dran. Ich brauche Sie dringend in einer dienstlichen Angelegenheit. Ich habe auch schon eine Nachricht auf Ihrem Handy hinterlassen. Wo stecken Sie denn, zum Teufel?»

Laura lächelte grimmig in die Salatschüssel.

«Ich bin zu Hause!», sagte sie halblaut vor sich hin. «Ich habe Feierabend, Herr Kriminaloberrat! Es ist der erste Abend seit vier Tagen, den ich mit meinen Kindern verbringe! Sie können mich mal, verehrter Chef!»

«Führst du jetzt schon Selbstgespräche, Mama?» Luca grinste auf seine Mutter herunter. Mit seinen sechzehn Jahren überragte er sie bereits um eine Kopflänge. Wie Sofia hatte er die dunklen Augen von Laura geerbt, seine Haare waren dagegen beinahe blond, und er ähnelte seinem Vater so sehr, dass Laura manchmal erschrak, wenn sie ihn betrachtete. Dann schickte sie jedesmal ein Stoßgebet zur Madonna, flehte, dass er nur die guten Eigenschaften ihres Exehemannes in sich tragen möge.

«Manchmal ist es gar nicht so schlecht, wenn man mit

sich selbst redet, Luca!», antwortete sie und stellte die Salatschüssel auf den Küchentisch. «In diesem Fall habe ich allerdings mit meinem Chef geredet, der – dem Himmel sei Dank – nicht da ist!»

Luca nahm Teller und Besteck aus dem Schrank.

«Nervt er dich?»

«Klar nervt er mich. Alle unangenehmen Fälle wälzt er auf mich und Baumann ab. Und da es bei der Mordkommission keine angenehmen Fälle gibt, sind das alle. Manchmal frage ich mich, was er eigentlich macht!»

«Na ja, internationale Kongresse besuchen oder so was! Hat er doch auch Recht. Wenn ich der Boss wäre, würde ich's genauso machen! Besser jedenfalls, als vergammelte Leichen anschauen und dann rausfinden, wer sie um die Ecke gebracht hat!»

Laura griff so heftig nach dem Spaghettisieb, dass ein paar Nudeln auf dem Boden landeten.

«Immerhin verdiene ich mit den vergammelten Leichen unseren Lebensunterhalt!», antwortete sie ein bisschen zu laut und fragte sich gleichzeitig, warum sie immer wieder auf Lucas Provokationen hereinfiel. Er war sechzehn, und mit sechzehn machte man solche Dinge.

«Wenn ihr streitet, esse ich im Wohnzimmer!» Sofia knallte die Pfeffermühle auf den Tisch.

«Wir streiten nicht», sagte Luca. «Wir tauschen nur unsere Meinungen aus!»

«Warum schreit Mama dich dann an?»

«Da musst du sie selber fragen!» Luca zuckte die Achseln.

«Weil …», setzte Laura an und ließ sich auf einen Stuhl fallen, «… weil ich müde bin, weil ich heute Mittag eine vergammelte Leiche ansehen musste, die aus der Isar gefischt wurde, weil euer Großvater mich heute sechsmal während der Arbeit angerufen hat und ich Angst habe, dass er nicht mehr allein klarkommt, und weil mein Chef auf dem Anrufbeantworter und in meiner Mailbox lauert! Reicht das als Begründung?»

Seufzend versuchte sie mit der linken Hand ihre wilden dunkelbraunen Locken, die im Spaghettidampf außer Kontrolle geraten waren, zu bändigen.

«Ich könnte noch ein paar Punkte nennen, wenn ihr mehr hören wollt!»

Sofia und Luca starrten ihre Mutter an.

«Uff!», sagte Luca nach einer langen Stille, die nur vom Tropfen des Wasserhahns unterbrochen wurde.

«Er tropft schon wieder!», stöhnte Laura. «Wir brauchen eine neue Dichtung. Kannst du dich nicht darum kümmern, Luca? Ich hab einfach keine Zeit!»

Luca nickte und verteilte schweigend Nudeln auf ihre drei Teller.

«Entschuldige, dass ich mit meinem blöden Mathe zu dir gekommen bin, Mama. Ich weiß bloß nicht …»

«Ist ja schon gut, Sofi! Aber vielleicht könntest du mit Mathe ausnahmsweise zu deinem Vater gehen. Den gibt's nämlich auch noch, und ich glaube, dass er jede Menge Zeit hat!»

«Aber der kann nicht erklären!»

«Okay! Nach dem Essen machen wir's zusammen! Ich wollte zwar fernsehen, aber wenn es so dringend ist, dann …» Luca griff nach dem großen Löffel und goss Sauce über seine Spaghetti.

Laura ging nicht auf Lucas mürrischen Ton ein. Sagte stattdessen einfach: «Danke, Luca!»

«Aber bitte, mecker mich nicht gleich wieder an, wenn ich was nicht verstehe, klar!» Sofia leckte den großen Löffel ab.

«Okay! Aber nur, wenn du dich ein bisschen anstrengst. Bei Mathe schaltest du nämlich immer dein Gehirn aus!»

«Können wir jetzt über was anderes reden?», fragte Laura.

«Klar!», grinste Luca. «Über deine vergammelte Leiche von heute, zum Beispiel!»

«Hör schon auf! Erzähl lieber was aus der Schule!» Laura streute ein wenig Parmesankäse über ihre Nudeln.

«Na, das wird aber ein lustiges Gespräch! In der Schule war's wie immer! Ziemlich öde. So, das war's!»

Laura zuckte die Achseln.

«Dann eben nicht. Guten Appetit!»

Schweigend aßen sie ihre Nudeln mit Tomatensauce und frischem Basilikum, und Laura fragte sich, warum es manchmal so schwierig war, ein ganz normales Gespräch zu führen. Das Schweigen ihrer Kinder blockierte sie so sehr, dass ihr überhaupt nichts mehr einfiel. Es kam ihr vor wie eine unsichtbare Wand, und jeder Annäherungsversuch ihrerseits würde die Wand verstärken. Es war keineswegs immer so – manchmal erzählte jeder irgendeine Geschichte oder ein komisches Erlebnis, und alles erschien ganz leicht, dann füllte sich die Küche mit Lachen, und Laura fühlte sich wohl wie ein Katze beim Sonnenbad. Es war so wichtig, dass die Kinder fröhlich und leichtherzig waren. Trotz der schwierigen Jahre, die hinter ihnen lagen – der beiden Jahre nach der Trennung ihrer Eltern.

«Schmeckt gut!», sagte Luca und lächelte seiner Mutter kurz zu, aber Laura schmerzte dieses Lächeln, das er nur aufsetzte wie eine Maske, um sie zu beruhigen. Laura kannte Luca verdammt gut.

«Danke, Luca!», antwortete sie.

«Was war 'n das für eine Leiche, die heute aus der Isar gefischt wurde?», fragte er und stopfte ein großes Salatblatt in den Mund.

«Willst du das wirklich wissen? Eigentlich ist es nicht das richtige Thema beim Abendessen.»

«Ich würde nicht fragen, wenn's mir egal wär!»

«Aber eben hast du dich noch über meine vergammelten Leichen lustig gemacht!»

«Ach, das war nicht so gemeint, Mama! Sonst lachst du doch über so was!»

«Ist schon gut, Luca!»

«Also!», murmelte Sofia mit vollem Mund. Sie sagte immer «Also», wenn sie eine Geschichte hören wollte. Laura liebte dieses erwartungsvolle «Also».

«Also!», begann Laura und dachte, dass es vielleicht an ihr selbst liegen könnte, wenn sich Schweigen im Raum ausbreitete. Vielleicht mussten Eltern sich ihren Kindern öffnen und über ihre eigenen Gefühle sprechen. Aber sie war sich nicht sicher, denn sie wollte ihre Kinder vor den Schrecken beschützen, denen sie selbst Tag für Tag ausgeliefert war.

«Also!», wiederholte sie unschlüssig.

«Na, mach schon!», grinste Luca.

Laura stocherte mit der Gabel in ihren Nudeln herum, gab sich dann endlich einen Ruck.

«Die Feuerwehr hat heute Mittag eine Tote aus der Isar geborgen. Mitten in der Stadt, gleich hinter dem Deutschen Museum. Die Frau war ungefähr so alt wie ich und ziemlich gut gekleidet. Wir haben keine Ahnung, wer sie ist, denn sie hatte keinen Ausweis bei sich und niemand ist bisher als vermisst gemeldet worden. Der Polizeiarzt meinte, dass sie ungefähr drei Tage im Wasser gelegen hat. Eigentlich ein Routinefall – so was kommt immer wieder vor. Wahrscheinlich Selbstmord – vielleicht ein Unfall …» Laura legte die Gabel weg und betrachtete nachdenklich ihre Nudeln.

«Und?» Luca wischte einen Tropfen Olivenöl von seinem Kinn.

«Und nichts», murmelte Laura. «Es hat mich nur traurig gemacht. Ich weiß selbst nicht warum. Irgendwie sah die Frau so aus, als hätte sie gern noch gelebt!»

Sofia und Luca starrten ihre Mutter an.

«Ich würde nie in die Isar springen!», verkündete Sofia. «Das Wasser ist so kalt! Es muss ganz schrecklich sein!»

«Vielleicht hat sie jemand reingestoßen!», mutmaßte Luca.

«Das versuchen wir gerade rauszukriegen!» Laura schickte ihrem Sohn ein winziges Lächeln. «Aber erst einmal müssen wir wissen, wer sie ist.»

Sofia nickte ernst.

«Wenn jemand sie gestoßen hat, dann musst du ihn finden, Mama!»

Laura schloß kurz die Augen und spürte ein Würgen im Hals. Sofia hatte so ein unbegrenztes Vertrauen in die Fähigkeiten ihrer Mutter, und für sie war die Welt noch ganz klar in Gut und Böse eingeteilt.

«Ja, Sofia. Wenn es so gewesen sein sollte, dann werden wir ihn hoffentlich finden», sagte Laura leise und griff wieder nach ihrer Gabel.

Nach dem Essen übernahm Laura das Geschirrspülen, damit Luca und Sofia endlich die Matheaufgaben lösen konnten. Es war schon fast zehn, viel zu spät für Sofia mit ihren elf Jahren. Luca hatte gemeint, es würde mindestens eine Stunde dauern, bis seine kleine Schwester die Grundbegriffe der Mengenlehre kapiert hätte.

Es war still in der Wohnung, und Laura genoss die Ruhe. Obwohl sie müde war, machte es ihr nichts aus, all die Pfannen, Töpfe und Teller zu reinigen und abzutrocknen. Es brachte irgendwie Ordnung in diesen Tag, der ganz zerfleddert hinter ihr lag. Am Morgen hatte sie versucht, ihren Schreibtisch im Polizeipräsidium aufzuräumen, zum ersten Mal seit Wochen. War so froh gewesen, dass nichts Besonderes vorlag, und dann kam ... Peter Baumann mit der Meldung, dass eine Tote in der Isar gefunden wurde. Von diesem Zeitpunkt an hatte Lauras Vater seinen Telefonschub, wie Luca es nannte. Er rief in Abständen von zwanzig Minuten Lauras Handy an, und es hatte keinen Sinn, nicht mit ihm zu sprechen. Er würde nicht aufgeben, er gab nie auf – und alle dienstlichen Anrufe wären blockiert. Er rief auch an, als Laura vor der Leiche stand, die von den Feuerwehrleuten auf eine Trage gebettet worden war.

«Vater!», hatte sie gesagt. «Ich rufe dich gleich zurück. Es geht jetzt nicht, verstehst du? Ich bin mitten in der Arbeit!»

«Es tut mir Leid, Kind. Aber ich kann einfach den Korkenzieher nicht finden. Wo hast du ihn denn hingetan?»

«Vater, bitte! Es geht jetzt wirklich nicht!»

«Wieso denn nicht? Was macht die Polizei denn schon so Wichtiges?»

«Vater, ich stehe vor einer Leiche! Ich kann jetzt nicht darüber nachdenken, wo dein verflixter Korkenzieher ist! Bis später!»

Plötzlich musste Laura kichern, weil ihr nachträglich die Absurdität der Situation bewusst wurde. Vater hatte immerhin fünfzehn Minuten gewartet, ehe er wieder anrief, um sich zu beklagen, dass sie nie für ihn Zeit habe. Eine Leiche brauche keinen Wein mehr, er aber sei noch am Leben! Laura trat auf den kleinen Balkon vor der Küche und atmete tief durch. Die Nacht war mild, obwohl es bereits Ende September war – eine späte Sommernacht. Sie setzte sich auf einen Stuhl und stützte die Arme auf die schmiedeeiserne Brüstung.

Von hier aus konnte sie alle Küchen und Balkone des Nachbarhauses sehen. Im ersten und dritten Stock wurde noch gekocht – ungewöhnlich für die späte Stunde. Ein sanfter Duft nach Knoblauch und Kräutern zog an ihrer Nase vorüber. Im zweiten Stock saß ein Paar bei Kerzenlicht auf dem Balkon. Gegenüber im vierten Stock war es dunkel, doch hin und wieder glimmte eine Zigarette auf. Ihr Nachbar saß beinahe jeden Abend und bei jedem Wetter im Freien, rauchte und schaute zum Himmel hinauf. Manchmal, wenn er Laura entdeckte, winkte er aus der Dunkelheit zu ihr herüber. Dann winkte sie zurück. Sie hatte keine Ahnung, wie er hieß, aber wenn sie sich auf der Straße begegneten, lächelten sie sich zu.

Diese kleinen Gesten schaffen Geborgenheit, dachte Laura und: Es ist ein bisschen wie in Italien, wie bei meinen Tanten in Florenz. Mama hätte diese Wohnung gemocht. Sie legte den Kopf auf die Arme. Mama ist zu früh gestorben. Zu früh für uns alle, aber vor allem für meinen Vater. Er hält das Leben ohne sie einfach nicht aus. Er hat nur noch mich und seine Enkel … und seinen Wein und die alten Philosophen. Wieder stieg ein Kichern aus ihrem Bauch – gegen fünf Uhr war ihr eingefallen, wo der Korkenzieher lag. Aber da hatte Vater bereits seine Nachbarin alarmiert, und die hatte ihm die Flasche geöffnet. Wenn es um Wein ging, wurde er sehr lebenstüchtig. Um halb sechs rief er wieder an und beschwerte sich über das

Essen, das ihm täglich von einem Altenservice geschickt wurde.

«Der Fisch ist vor mindestens einer Woche im Canal Grande verendet! Die Kartoffeln sind Matsch, und der Salat taugt für Schweine!»

«Wieso Canal Grande?», hatte Laura gefragt.

«Weil es in der Isar solche Fische nicht gibt!» Dann hatte Vater erst gelacht und plötzlich geweint. Laura weinte mit ihm, denn sie dachte an die wunderbaren Gerichte, die ihre italienische Mutter stets auf den Tisch gebracht hatte, und an ihre Begeisterung beim Erfinden immer neuer Rezepte. Und sie verfluchte ihren Job, der ihr viel zu selten Zeit ließ, ihrem Alten Herrn etwas Besonderes zu kochen.

Er kann nicht mehr lange allein leben, dachte sie jetzt. Ich muss ihn zu mir nehmen. Mama würde mir nie verzeihen, wenn ich Vater in ein Heim stecken würde, ihn, den angesehenen Rechtsanwalt, auf den sie immer so stolz gewesen war. Ich habe ihr versprochen, dass ich mich um ihn kümmern werde. Aber wie soll ich das bloß schaffen?

Fluchtgedanken. Laura wehrte sich dagegen. Der Anruf ihres Chefs drängte sich zwischen die Sorgen um ihren alten Vater. Sie wollte nicht an diesen Anruf denken! Was würde es schon sein – eine neue Leiche vermutlich? Ihr Bedarf für diesen Tag war gedeckt. Sie würde später noch ein wenig an Sofias Bett sitzen und mit ihr reden. Vielleicht auch mit Luca, wenn er dazu aufgelegt war. Und dann selbst zu Bett gehen, mit einem Buch und einer Tasse Pfefferminztee. Mit dem Roman einer Neuseeländerin, den sie vor Wochen angefangen hatte. Das Buch machte sie neugierig, weil es in eine befremdliche Innenwelt führte, die Welt einer Frau, die in einem Turm am

Strand wohnte, umgeben von Tang, Sandbänken, Muscheln und einem hohen Himmel. Ganz allein. Sie überlegte, wie es wäre, allein in einem Turm in einem fernen Land zu leben. Im Morgengrauen Fische zu fangen und nur für sich selbst sorgen zu müssen. Die Zigarette des Nachbarn glimmte wieder auf, und weiter unten klapperten Töpfe. Hinter sich hörte sie die leisen Stimmen von Luca und Sofia.

Nein, Laura wollte nicht allein in einem Turm wohnen. Nur manchmal. Aber dann auf jeden Fall an einem Strand. Sie lächelte über sich selbst. Dann drängte sich wieder der Anruf ihres Chefs zwischen den Knoblauchduft, das Rauschen des Meeres, das sie sich eben sehr deutlich vorgestellt hatte, und die Stimmen ihrer Kinder. Und sie wusste, dass sie in ein paar Minuten aufstehen und zum Telefon gehen würde. Aber sie würde es heimlich machen, um Luca und Sofia nicht zu beunruhigen.

Sie lehnte sich zurück und wartete noch ein paar Minuten, fragte sich, warum sie zurückrufen wollte. Aus Pflichtbewusstsein? So, wie sie ihren Vater stets anrief, wenn er nach ihr verlangte? Oder war es etwas ganz anderes? Diese Neugier, die ihr ganzes Leben bestimmte, diese merkwürdige Abenteuerlust, die ihre Mutter schier zur Verzweiflung getrieben hatte? Laura kannte sich inzwischen ganz gut, immerhin seit vierundvierzig Jahren. Ihr Jurastudium hatte sie abgebrochen, weil es sie langweilte, und war zur Polizei gegangen, obwohl ihre Eltern heftig dagegen gekämpft hatten. Die Mutter aus Angst um ihre Tochter, der Vater, weil er ihr seine Anwaltskanzlei hinterlassen wollte.

Mit einem Seufzer löste Laura sich aus der Dunkelheit und trat wieder in die Küche. Das schnurlose Telefon lag auf der Anrichte. Sie schloss leise die Tür zum Flur und tippte die Privatnummer ihres Vorgesetzten, zögerte noch einmal kurz, drückte dann aber entschlossen die Verbindungstaste. Es klingelte dreimal, ehe abgenommen wurde. Kriminaloberrat Becker meldete sich selbst. Wieder zögerte Laura.

«Wer ist denn da?», fragte Becker ärgerlich.

«Hier ist Laura Gottberg. Was gibt's?»

«Es ist ja wirklich nett, dass Sie anrufen, Laura! Ich dachte schon, Sie hätten genug vom Polizeidienst!»

«Ich wollte zur Abwechslung für ein paar Stunden nicht gestört werden!»

«Neuer Freund?» Becker lachte unangenehm.

«Alte Freunde. Meine Kinder!», antwortete Laura kühl. Sie hatte sich fest vorgenommen, sich nie mehr über Becker aufzuregen. Es gab ihn, er war nicht veränderbar: geltungssüchtig, rücksichtslos, ehrgeizig und ganz selten und ganz überraschend hilfsbereit und solidarisch. Sie hasste es, dass er sie beim Vornamen nannte. Doch das machte er bei allen Frauen, die mit ihm arbeiten mussten. Männer nannte er beim Nachnamen – ohne Dienstgrad. Immerhin blieb er beim «Sie».

«Na gut! Obwohl ich erwarte, dass meine Mitarbeiter immer erreichbar sind …», Becker räusperte sich und machte eine Pause. «Es gibt da eine Sache, die eigentlich nur Sie übernehmen können, Laura. Natürlich mit Unterstützung von Baumann.»

«Wir arbeiten gerade an der Identifizierung einer Toten. Es besteht der Verdacht einer Fremdeinwirkung!», sagte Laura abwehrend.

«Wir haben ja noch ein paar andere Mitarbeiter im Dezernat, nicht wahr? Meine Angelegenheit kann nicht warten. Ich habe heute Nachmittag ein Hilfeersuchen der Polizei in Siena bekommen. Es geht um eine Tote aus

München und eine mysteriöse Gruppe von Deutschen, die irgendwie damit zu tun haben. Die Kollegen wollen nicht mit einem Dolmetscher arbeiten, sondern mit jemandem von uns, der Deutsch und Italienisch kann. Und das sind Sie, Laura. Sonst gibt es keinen! Ich habe zugesagt, schließlich ist die Zusammenarbeit der Polizei in Europa sehr wichtig! Sie müssten also morgen, spätestens übermorgen nach Italien fahren!»

«Wie können Sie zusagen, ohne mich zu fragen?» Lauras Stimme klang scharf.

«Weil ich Ihr Vorgesetzter bin!», gab Becker ebenso scharf zurück. «Ihre Kinder sind nicht mehr so klein, Laura. Bei Ihren Fähigkeiten müssen Sie auch international einsetzbar sein. Das sage ich Ihnen schon seit einem Jahr!»

Laura schwieg. Sie konnte unmöglich weg. Nicht so sehr wegen Sofia oder Luca – es war Vater, ihr drittes Kind. Seinetwegen hatte sie in diesem Jahr sogar auf eine Urlaubsreise verzichtet und die Kinder mit ihrem Exmann weggeschickt.

«Sind Sie noch da?», fragte Becker.

«Ja. Aber ich weiß wirklich nicht, wie ich das so schnell organisieren soll!»

«Sie werden es organisieren, Laura! Das ist eine Dienstanweisung … oder, weniger nett ausgedrückt, ein Befehl. Sie fahren übermorgen. Einen Tag gebe ich Ihnen! Einzelheiten erfahren Sie morgen im Präsidium. Gute Nacht!»

Becker hatte aufgelegt. Einfach so. Laura knipste das Licht aus und kehrte auf den Balkon zurück. Es gab keinen Turm am Meer für sie, nur eine Leiche in der Toskana. Und Becker hatte ausnahmsweise Recht. Vater würde ein paar Tage lang ohne sie auskommen müssen. Sofia und Luca konnten zu ihrem Papa gehen. Laura sprang auf, ging in die Küche, schaltete das Licht wieder an und griff erneut nach dem Telefon.

Die Carabinieri hatten Giuseppe Rana nach Siena gebracht, obwohl sie ihn lieber in Montalcino behalten hätten. Maresciallo Pucci hatte sogar ernsthaft darüber nachgedacht, ob er sich der Anweisung des Commissario widersetzen sollte, denn immerhin gab es auch in Montalcino einige kleine Zellen, und es war beschämend, so deutlich darauf hingewiesen zu werden, dass man nur Provinzpolizei sei. Natürlich war es bequemer, den mutmaßlichen Mörder loszuwerden. Die Station in Montalcino war unterbesetzt. Trotzdem schmerzte es Pucci, denn abgesehen von einem Bauern, der im Zorn seine Frau erschlagen hatte, war seit Jahren kein Mordfall in der Umgebung von Montalcino vorgekommen. Der Untersuchungsrichter hatte einen vorläufigen Haftbefehl für Giuseppe Rana ausgestellt – er sollte so lange gelten, bis die Kriminaltechniker nachweisen konnten, dass die Stiefelspuren und Wollfäden tatsächlich von dem Bauernjungen stammten.

Bürokratenkram, dachte Pucci. Für ihn stand fest, dass Rana die Deutsche umgebracht hatte. Er kannte den Jungen. Es hatte mehrmals Beschwerden über ihn gegeben, weil er Frauen belästigte. Wenn es nach Pucci gegangen wäre, hätte man den Burschen schon längst in einer Anstalt verwahrt. Aber die neuen italienischen Gesetze ließen es nicht zu. Geistig Behinderte durften überall herumlaufen! Wenn etwas passierte, dann schrien zwar alle, aber nach kurzer Zeit war die Angelegenheit wieder vergessen, und nichts änderte sich. Pucci hatte den Verdacht, dass es bei den liberalen Gesetzen für psychisch Kranke und geistig Behinderte wieder einmal nur darum ging, dem Staat eine Menge Geld zu sparen und sich vor der Verantwortung zu drücken.

Und so hatte er Rana in Siena abgegeben und war am Ende ganz froh darüber, denn auf diese Weise kam er um ein Verhör herum, das nichts bringen würde, und vor allem um das Schreiben eines zusätzlichen Berichts. Er hatte genug mit den Deutschen zu tun.

Am Abend betrat daher Commissario Guerrini Ranas Zelle, denn die Beamten konnten den jungen Mann nicht dazu bewegen, aus dem Winkel zu kommen, in den er sich verkrochen hatte. Guerrini hatte ihnen jegliche Gewaltanwendung verboten, und so konnten sie den Commissario nur zu Rana führen und nicht umgekehrt, wie es eigentlich vorgeschrieben war.

«Ich würde vorsichtig sein, Commissario!», sagte einer der Polizisten. «Bei solchen Kerlen weiß man nie, wann sie durchdrehen. Wir lehnen die Tür an und bleiben in der Nähe!»

Guerrini presste die Lippen zusammen und nickte. Er war zu müde, um sich auf eine Diskussion über Vorurteile gegenüber geistig Behinderten einzulassen. Langsam trat er in die Zelle ein, lehnte sich neben der Tür an die Wand und schob die Hände in die Hosentaschen.

Giuseppe hockte in der Ecke, rechts vom vergitterten Fenster. Er schützte seinen Kopf mit beiden Händen, und Guerrini konnte nur einen runden Rücken und ineinander verschlungene Finger erkennen. Eine leise gesummte Melodie erfüllte den Raum – eine Melodie, die an eine Tarantella erinnerte.

Seltsam, dachte Guerrini, dieser Tag besteht vor allem aus Verständigungsschwierigkeiten. Was hatte diese

Deutsche gesagt? «Ich kann es nicht einmal auf Deutsch erklären ...» Das hatte Guerrini verstanden, nicht nur den Worten nach. Auch den Sinn dahinter. Und jetzt stand er vor diesem verwirrten Jungen, der vermutlich gar nichts erklären oder begreifen konnte.

Guerrini setzte sich auf das schmale Bett, schloss die Augen, und nach einer Weile begann er ebenfalls zu summen. Er versuchte die Melodie aufzunehmen, die von dem Häuflein Mensch in der Ecke ausging, und nach einigen Minuten gelang es ihm. So füllten sie beide den kleinen Raum mit einer wehmütigen Tarantella, wurden allmählich lauter, steigerten das Tempo, bis Guerrini eine Bewegung zu spüren glaubte und die Augen öffnete.

Giuseppe hatte sich halb umgedreht und starrte den Commissario an, aber er hielt die Hand vor sein Gesicht und lugte nur zwischen den gespreizten Fingern hervor, summte nicht mehr. Guerrini ließ die Melodie sanft ausklingen und verstummte dann ebenfalls.

«Ciao, Giuseppe», sagte er leise.

Der Junge reagierte nicht, starrte ins Leere.

«Du brauchst keine Angst zu haben. Niemand wird dir etwas zuleide tun, Giuseppe. Du darfst sicher bald nach Hause.»

Guerrini lauschte seinen eigenen Worten nach und dachte: Mein Gott, ich bin ganz sprachlos. Wie soll ich nur mit dem Jungen über diese Geschichte reden. Vielleicht hat er eine ganz eigene Sprache, vielleicht kann er nur summen. Vielleicht kann er sich nicht mehr erinnern oder nur an einen Traum oder an bestimmte Bilder. Vielleicht erzähle ich ihm ein Märchen, fange ganz woanders an?

Guerrini schaute Giuseppe nicht an, spürte aber dessen starren Blick beinahe körperlich auf seiner Haut. Eigentlich könnte er dem Untersuchungsrichter mitteilen, dass es nicht möglich sei, mit dem Häftling zu sprechen, und dann die Sache einem Psychologen überlassen. Er könnte nach Hause gehen und duschen, eine Flasche Weißwein aufmachen und sich auf die kleine Terrasse seiner Wohnung setzen, über die Dächer von Siena schauen und nachdenken. Aber er wusste genau, das er die ganze Nacht an diesen Jungen denken würde, der in einer Zelle saß und vermutlich Todesängste ausstand. Deshalb blieb Guerrini auf dem harten schmalen Bett sitzen, dessen Decken noch sorgfältig gefaltet und unberührt dalagen. Und er versuchte es einfach, ließ sich von seiner Müdigkeit und der Melodie leiten, die noch immer im Raum zu schwingen schien.

«Stachelschweine sind komische Tiere», sagte er. «Ich kenne nur ganz wenige Menschen, die welche gesehen haben, obwohl sie da sind. Ich hab nie ein lebendiges gesehen, nur im Zoo. Ihre Stacheln hab ich gefunden. Sie sind wunderschön, diese Stacheln. Lang und dünn oder kurz und dick. Immer gestreift. Schwarz und weiß. Und manchmal hab ich sie gehört, die Stachelschweine. Sie schnaufen und quieken. Es klingt ein bisschen unheimlich. Mein Vater hat erzählt, dass sie wie Kinder weinen, wenn sie sich fürchten oder von Jägern verfolgt werden. Stimmt das?»

Giuseppe machte eine winzige Bewegung, die Guerrini aus den Augenwinkeln wahrnahm. Die Hand des Jungen rutschte langsam nach unten und gab das Gesicht frei. Guerrini schaute auf seine Schuhe. Ein dürrer Grashalm steckte zwischen Sohle und Oberleder.

«Bei dir in der Gegend gibt es doch sicher viele Stachelschweine, deshalb frage ich dich.»

Giuseppe antwortete nicht, fing nur an, sanft hin- und

herzuwiegen. Guerrini wartete. Es dauerte lange, ehe etwas geschah. Das Schaukeln wurde heftiger, und plötzlich stieß Giuseppe leise Schnieflaute aus, die sich zu einem jämmerlichen Pfeifen steigerten. Guerrini nickte, obwohl ihm ein leichter Schauder über den Rücken lief. Wenn Carolin Wolf in der Nacht solche Geräusche gehört hatte, war sie vermutlich vor Angst gestorben.

«Ja», murmelte er, «so klingen Stachelschweine. Ein bisschen wie Gespenster, nicht wahr? Du machst das sehr gut, Giuseppe!»

Der Junge duckte sich ein wenig, als wäre er verlegen.

«Ich war heute unten am Bach spazieren – du kennst doch den Bach in der Nähe von eurem Hof.» Guerrini machte eine Pause, denn die Hand des Jungen glitt wieder übers Gesicht.

«Ich hab viele Borsten gefunden. Da müssen jede Menge Stachelschweine unterwegs sein. Wahrscheinlich mögen sie den feuchten Sand.» Er schaute kurz zu Giuseppe hinüber. Nur die Augen leuchteten dunkel zwischen zwei Fingern.

Jetzt sind wir wieder da, wo wir am Anfang waren, dachte Guerrini. Es kann Stunden dauern und zu nichts führen. Er zupfte den Grashalm aus der Sohle seines Schuhs und betrachtete ihn, als hätte er noch nie einen dürren Grashalm gesehen. Was jetzt? Vielleicht ganz direkt?

«Ich hab da ein Mädchen gefunden …», Giuseppe zog sich zusammen wie eine Schnecke, «… sie hat geschlafen, zwischen Wurzeln. Ein schönes Mädchen. Vielleicht ist sie zum Bach gekommen, um die Stachelschweine zu sehen, und dabei ist sie eingeschlafen …» Hatte er genickt?

«Hast du das Mädchen auch gesehen, Giuseppe?»

Der Junge barg jetzt den Kopf wieder in den Armen,

seine Schultern zuckten. Und dann, Guerrini neigte sich zu ihm, sprach Giuseppe zum ersten Mal.

«Schläft nicht …», murmelte er so leise, dass Guerrini ihn kaum verstehen konnte.

«Was meinst du?»

Da erhob sich der Junge plötzlich, schlug eine Faust gegen die Wand und schrie: «Schläft nicht! Ist tot! Kalt!»

Guerrini wich kaum merklich zurück. Giuseppe blieb jetzt stehen. Er war groß, hatte breite Schultern und kräftige Arme. Sein dunkles Haar fiel ihm bis in den Nacken. Aber noch immer konnte Guerrini sein Gesicht nicht sehen, denn Giuseppe presste es gegen die Wand, als wollte er die Mauer mit seinen Wangenknochen eindrücken.

«Hast du gesehen, wer es war?», fragte der Commissario leise.

Giuseppe schüttelte heftig den Kopf, stieß sich dabei Nase und Stirn an der Mauer, achtete nicht darauf. Unvermutet drehte er sich um, halb geduckt wie ein lauerndes Tier.

«Da sind fremde Frauen. Sie laufen überall herum. Mit den Armen in der Luft. Sie heben Federn auf, Stachelschweinborsten. Tragen sie zur Abbadia, zu den toten Mönchen. Mama hat gesagt, dass es Hexen sind! Hexen!»

«Wirklich?» Guerrini betrachtete aufmerksam das Gesicht des Jungen. Es war ein hübsches Gesicht, ein wenig grob vielleicht, aber trotzdem gut geschnitten. Giuseppe wäre ein gut aussehender junger Mann von Mitte zwanzig, wenn nicht der rechte Mundwinkel ein wenig hängen würde und genauso das rechte Auge. Irgendetwas war in diesem Gesicht durcheinander geraten, als hätte jemand versucht, aus zwei Gesichtern eines zu machen.

«Hast du gesehen, wer's war?», fragte Guerrini wieder.

Da schüttelte der Junge den Kopf, immer schneller

und schneller, bis sein langes Haar flog. Als er endlich damit aufhörte, ließ er sich auf den Boden fallen, flach, mit dem Gesicht nach unten.

Guerrini wartete ein wenig. «Ich brauche deine Hilfe, Giuseppe», sagte er dann leise. «Niemand darf einen anderen Menschen töten, weißt du. Ich möchte den Mörder finden. Du hast das Mädchen gesehen, und es wäre ja möglich, dass du noch etwas anderes gesehen hast, nicht wahr? Wenn dir was einfällt, dann sag es mir einfach. Es passiert dir nichts. Du kannst dich auf mich verlassen.»

Aber Giuseppe antwortete nicht. Er konnte den Commissario nicht hören, denn die andere Welt hatte ihn wieder aufgenommen. Diese seltsame Welt voller Gestalten, die ihn belauschten und beobachteten, wo immer er sich versteckte, was immer er tat.

Guerrini blieb noch eine Weile sitzen, dann stand er langsam auf und ging zur Tür.

«Gute Nacht, Giuseppe», sagte er und schob behutsam die angelehnte Tür auf, zögerte und fügte hinzu: «Ich lass dich nicht allein! Ich komme wieder.»

Als Laura Gottberg am nächsten Morgen das Vorzimmer ihres Dezernats betrat, hob die Sekretärin den Kopf und verzog das Gesicht.

«Alle warten schon! Der Chef, Baumann und der Pathologe! Es geht wieder mal rund!»

Laura warf einen Blick auf ihre Armbanduhr. Sie war elfeinhalb Minuten zu spät, weil sie Sofia in die Schule gefahren hatte.

«Na, ist doch wunderbar!», antwortete Laura. «Da fühle ich mich richtig bedeutend!»

Die Sekretärin lachte.

«Ich bewundere, wie gelassen du diese Herren nimmst! Die tun immer so, als hinge die Welt von zehn Minuten ab! Na ja, Baumann nicht. Der ist auch erst vor drei Minuten gekommen! Hat dem Chef überhaupt nicht gefallen!»

Laura strich ihr Haar zurück, schlug den Kragen ihrer Lederjacke hoch und zog den Bund ihres Jeansrocks zurecht.

«So kannst du reingehen!», kicherte die Sekretärin. «Gut, dass du heute mal keine Hosen anhast. Becker wird garantiert rot, wenn er deine Beine sieht!»

«Na hoffentlich! Wo muss ich zuerst hin?»

«Einfach nur zum Chef. Da sind die andern nämlich auch schon!»

Laura zwinkerte der Sekretärin zu. Es war ein Glück, diese Frau im Vorzimmer zu haben. Sie hatte Humor, war kompetent und von keinem Hierarchietheater beeindruckbar. Nicht unbedingt eine deutsche Eigenschaft, dachte Laura – aber die junge Generation war in diesem Punkt offensichtlich anders. Becker gehörte zur alten.

«Zweite Tür rechts, Frau Kommissarin!»

Laura lachte.

«Danke für den Hinweis!»

Vor Beckers Tür hielt sie einen Augenblick inne, überlegte kurz, wie sie eine Rüge parieren würde. Es war dieses ewige Dilemma einer berufstätigen Mutter. Sie kam häufig zu spät. Der Arbeit hatte es noch nie geschadet, nur ihrem Verhältnis zum Chef. Eine Weile hatte er sie sogar vom Beamten an der Eingangspforte überwachen lassen – mit genauen Zeiten, wann sie das Präsidium betreten hatte und wann sie es verließ. Genau in den Monaten nach ihrer Scheidung, als die Kinder sie besonders brauchten. Eines Tages hatte er ihr diesen Report auf den Tisch geknallt und gefragt, ob Sie für sich persönlich die Arbeitszeit des Jahres 2050 eingeführt hätte.

Sie hatte sich damals in die Defensive drängen lassen – ihm alle Überstunden und Sondereinsätze vorgehalten. War verletzbar gewesen, hatte sogar Angst um ihren Job gehabt, weil alles an ihr hing – die Zukunft der Kinder, das Familieneinkommen. Ihr Exmann Ronald schaffte es kaum, sich selbst über Wasser zu halten. Freiberuflicher Journalist mit Arbeitsblockaden, die er vermutlich bis an sein Lebensende haben würde.

Laura zog die Schultern hoch und ließ sie wieder fallen, um ihre Nackenmuskeln zu lockern. Heute ließe sie Becker keine süffisanten oder verletzenden Bemerkungen durchgehen. Diese Zeiten waren vorbei! Entschlossen klopfte sie an und trat ein, ohne auf eine Antwort zu warten. Die Männer saßen um Beckers Schreibtisch herum und tranken Kaffee. Beinahe gleichzeitig wandten sie ihre Köpfe.

«Ah, Laura. Wie schön, dass wir auch Sie endlich begrüßen können!» Beckers Gesicht war ausdruckslos.

Laura nickte kühl.

Der Pathologe, Dr. Reiss, sprang auf und rückte einen vierten Stuhl heran.

«Danke!», sagte Laura, setzte sich und schlug die Beine übereinander.

Beckers Blick schweifte kurz im Zimmer herum, streifte zweimal ihre Beine und blieb endlich an einer leeren Kaffeetasse auf dem Schreibtisch hängen. Er war tatsächlich ein bisschen rot geworden. Aber es fiel nicht besonders auf, da er ohnehin unter hohem Blutdruck litt und ständig ein etwas gerötetes Gesicht mit sich herumtrug. Sein graues Haar war sorgfältig geschnitten und fiel in einer leichten Welle über seine rechte Schläfe. Auch sein Anzug war tadellos, mittelgrau, blaues Hemd und graue Krawatte.

Merkwürdig, dass er trotz seiner Anstrengungen absolut bedeutungslos aussieht, dachte Laura. Sie warf ihrem Assistenten Peter Baumann einen prüfenden Blick zu. Er zog die Augenbrauen nach oben und seinen rechten Mundwinkel nach unten.

«Auch einen Kaffee?», fragte er.

«Ja, bitte.»

Baumann beugte sich vor und griff nach der Kaffeekanne. Laura verkniff sich ein Lächeln, denn er sah aus, als sei er gerade aus dem Bett gekrochen. Sein kurzes blondes Haar war zerzaust, das lila Hemd ein wenig angeknautscht und über seine linke Wange zog sich der Faltenabdruck seines Kopfkissens. Der Kontrast zu Becker hätte nicht größer sein können.

«Also», sagte Laura. «Worum geht's?» Und wieder musste sie lächeln, weil sie die Redewendung ihrer Tochter Sofia übernommen hatte.

Becker räusperte sich.

«Wie gesagt – schön, dass Sie endlich da sind. Dr. Reiss hat nämlich kaum Zeit. Er war so freundlich, das Ergebnis der Obduktion zu erläutern, da er ohnehin im Haus zu tun hat. Es geht um die Tote aus der Isar.»

Laura verschluckte das nächste «Also», das ihr beinahe wieder herausgerutscht wäre. Stattdessen griff sie nach der Tasse, die Baumann inzwischen gefüllt hatte.

Der Gerichtsmediziner räusperte sich und reichte Laura die Zuckerdose. Sie schüttelte den Kopf. Er stellte die Zuckerdose sorgfältig an ihren Platz auf dem Tablett zurück, nahm seine Brille ab und massierte mit der rechten Hand seine hohe Stirn und die blanke Glatze.

«Es ist nicht viel herausgekommen. Die Frau ist etwa vierzig, war ziemlich gesund. Sie hat maximal drei, wahrscheinlich nur zwei Tage im Wasser gelegen. Zum Glück für mich – ich hasse Wasserleichen. Sie ist eindeutig ertrunken. Es gibt aber zwei interessante Verletzungen, die kaum auffielen: eine Schramme, die sich über ihren rechten Knöchel bis zum Knie zog. Auch ihre Strumpfhose war an der entsprechenden Stelle kaputt. Und eine schmale Prellung quer über den Brustkorb – knapp oberhalb des Magens. So etwas könnte man bekommen, wenn man gegen ein Metallgeländer prallt oder gestoßen wird. Sie hat sich die Prellung mit Sicherheit nicht im Wasser zugezogen.»

«Sie könnte also in den Fluss gestoßen worden sein?» Laura stellte ihre Beine nebeneinander und fing dabei wieder Beckers verstohlenen Blick auf.

«Das ist schwer zu sagen. Zumindest ist es merkwürdig», erwiderte der Arzt.

«Wissen wir schon, wer die Tote ist?», fragte Becker und schob seine Kaffeetasse hin und her.

«Nein», antwortete Peter Baumann. «Es gibt noch keine Vermisstenmeldung, und die Presse wird erst morgen berichten.»

«Warum erst morgen?» Beckers Stimme klang scharf.

«Weil es gestern zu spät war für die Presse. Wir konnten die Meldung erst am frühen Abend rausgeben.» Baumann sprach mit dem etwas nachsichtigen Ton, den er meistens anschlug, wenn er mit dem Chef redete. Laura wunderte sich immer wieder, dass Becker es nicht merkte. Aber vermutlich dachte er, dass Baumann eben immer so redete.

«Na gut! Dann müssen wir abwarten, ob jemand die Tote vermisst. Routinesache, nicht wahr?»

Baumann und Laura nickten leicht.

«Dann können Sie jetzt zu Ihrem nächsten Termin, Dr. Reiss. Ich hoffe, Sie kommen nicht zu spät, weil wir auf Hauptkommissar Gottberg warten mussten.»

Becker hatte «Hauptkommissar Gottberg» gesagt. Aus seinem Mund klang es wie eine Beleidigung. Reiss stand auf, verbeugte sich zweimal leicht, murmelte etwas Unverständliches und verschwand.

«So!», sagte Becker und fasste mit beiden Händen an die Revers seines grauen Anzugs. «Jetzt zur Sache. Ich muss nämlich auch gleich weg! Ein wichtiger Termin mit dem Polizeipräsidenten!» Ein zufriedenes Lächeln glitt über sein Gesicht, und ein paar Sekunden lang schien er in Gedanken bereits bei diesem wichtigen Termin zu sein, denn seine Augen wanderten geistesabwesend zur Zimmerdecke.

Laura wechselte einen Blick mit Baumann.

«Ja, Chef. Wir sind gespannt!», sagte sie, um Becker wieder auf den Boden zu holen.

«Gut. Wo waren wir?»

«Sie sagten: Zur Sache!», murmelte Baumann.

«Ah ja. Also zur Sache! In der Nähe von Siena ist offensichtlich eine junge Deutsche ermordet worden. Der zuständige Kommissar – besser ‹Commissario›, klingt ja viel hübscher auf Italienisch, nicht wahr – also, dieser Commissario hat eine E-Mail ans Landeskriminalamt geschickt und angefragt, ob wir nicht jemanden hätten, der ein paar Sprachen kann, vor allem Italienisch und Deutsch. Er vermutet nämlich, dass der Fall komplizierter ist, als er bisher aussieht. Da scheint eine Gruppe Deutscher beteiligt zu sein, mit denen er nicht richtig sprechen kann. Und weil wir doch ein vereintes Europa haben, dachte er, dass wir das zusammen machen sollten.»

«Aha», sagte Baumann.

Laura schwieg und schlug ihre Beine wieder übereinander. Becker zog seine Revers nach vorn, grinste plötzlich und fragte:

«Seit wann tragen Sie Röcke, Laura?»

«Immer dann, wenn ich einen Rock tragen will! Vielleicht können wir endlich zur Sache kommen! Stammt das Mädchen aus München? Sind ihre Angehörigen benachrichtigt? Wo befindet sich diese mysteriöse Gruppe? Wie lange soll ich nach Italien fahren?»

Becker kniff kurz die Lippen zusammen.

«Tja», sagte er. «Sie haben die unangenehme Aufgabe, die Eltern des Mädchens zu informieren. Sie und Baumann. Das haben die Italiener natürlich auch uns überlassen. Ich würde außerdem vorschlagen, dass Baumann die Ermittlungen in München übernimmt und Sie morgen nach Siena fliegen. Die Italiener wollen, dass die Verhöre zügig aufgenommen werden.»

Laura senkte den Kopf. Die Italiener, dachte sie. An allem sind die Italiener schuld. Becker schiebt wieder einmal die Verantwortung auf andere ab.

«Wir müssen mehr über den Tod des Mädchens wissen, ehe wir zu den Eltern gehen können», sagte sie leise.

«Ich habe die E-Mail ausdrucken lassen. Mehr weiß ich auch nicht! Das Sekretariat hat die Adresse der Eltern besorgt!»

Das Sekretariat, dachte Laura. Das Sekretariat und die Italiener. Becker ist ein arroganter Trottel!

Als sie kurz darauf das Zimmer ihres Vorgesetzten verließen, stieß Baumann sie freundschaftlich an.

«Immerhin darfst du nach Italien. Ich werde doch einen Sprachkurs an der Volkshochschule machen. Vielleicht kann ich dann auch ab und zu aus dem Dunstkreis unseres wunderbaren Chefs verschwinden.»

Laura lächelte.

«Versuch's nicht mit Italienisch oder Französisch. Dazu bist du zu alt. Polier lieber dein Englisch auf.»

«Du bist richtig charmant heute Morgen», brummte Baumann und stopfte einen Zipfel seines lila Hemds in die Hose. «Soll ich unseren Besuch bei den Eltern der Toten anmelden?»

Laura schüttelte den Kopf.

«Gönn ihnen noch ein paar Stunden Ruhe. Danach …», sie senkte den Kopf, «… danach werden sie keine mehr haben.»

Baumann zog die Schultern hoch und steckte beide Hände in seine Hosentaschen.

«Scheißjob, was?», murmelte er.

«Scheißjob!», sagte Laura.

Die E-Mail aus Siena war ziemlich lang für eine offizielle Nachricht. Laura las sie zweimal, ehe sie das Blatt an Baumann weiterreichte, doch der gab es ihr gleich zurück.

«Sieht aus wie Italienisch. Kannst du mir erklären, seit wann der Chef Italienisch versteht?»

Die Sekretärin lachte auf.

«Er hat es sich übersetzen lassen. Schriftlich. Aber das Blatt hat er für sich behalten!»

«Aha!», sagte Baumann.

«Entschuldige!» Laura dehnte vorsichtig ihre Schultern. In ihrem Nacken breitete sich eine schmerzhafte Verspannung aus. «Ich hab einfach nicht daran gedacht … Hör zu: Sehr geehrte Kollegen. Die Questura von Siena ersucht Sie höflich um Ermittlungshilfe in einem Mordfall, der sich am 22. September bei Montalcino ereignet hat. Die Tote ist eine junge Frau aus München, Carolin Wolf. Sie starb an einer Kopfverletzung und wurde tot in einem Bachbett aufgefunden. Es handelt sich eindeutig nicht um einen Unfall, da die Tote von einem Unbekannten in ein Versteck geschleift wurde. Da eine größere Gruppe von Deutschen gehört werden muss, benötige ich einen Ihrer Kollegen zur Unterstützung. Vielleicht gibt es in Ihrem Dezernat jemanden, der die Sprachkenntnisse besitzt, um unsere Ermittlungen zu unterstützen, und außerdem Ahnung von Meditations- und Selbsterfahrungsgruppen hat. Das klingt vermutlich recht kompliziert, doch der Fall scheint mir nicht ganz einfach zu liegen. Ich hoffe auf Ihre umgehende Antwort. Bitte kümmern Sie sich außerdem um die Familie der Toten und übermitteln Sie den Eltern die Anteilnahme der italienischen Polizei. Mit freundlichen Grüßen Commissario Angelo Guerrini.»

Laura betrachtete nachdenklich das Papier in ihren Händen.

Angelo Guerrini, dachte sie, der kriegerische Engel. Was für ein Name, einfach umwerfend.

«Hier ist die Adresse der Eltern! Ich hab sie schon für euch rausgesucht.» Die Sekretärin legte einen Zettel auf den Schreibtisch. «Manchmal bin ich richtig froh, dass ich nicht in eurer Haut stecke.»

«Nur manchmal?», fragte Baumann.

«Ja, nur manchmal. Meistens beneide ich euch, dass ihr nicht ständig in diesem stickigen Büro hocken müsst, sondern draußen arbeiten könnt. Ich hab mir sogar schon überlegt, ob ich nicht eine Ausbildung bei der Polizei machen sollte. Wenn ich mir vorstelle, dass Laura nach Italien fahren kann – dienstlich! Und ohne den Chef! Einfach traumhaft!»

Baumann griff nach dem Zettel und starrte sie an.

«Mach ja keine Ausbildung! Wie sollen wir ohne dich zurechtkommen? Du bist die beste Sekretärin, die wir je hatten, Claudia!»

Claudia zwickte sich mit zwei Fingern in die Nase und schniefte.

«Sag's noch einmal, Sam! Ich werd's auf Tonband aufnehmen!»

«Ich kann's dir auch schriftlich geben!», grinste Baumann.

«Ich auch!», fügte Laura hinzu. «Aber lass uns jetzt losgehen. Ich muss noch eine Menge erledigen. Die Kinder holt heute Abend mein Exmann. Aber ich mache mir Sorgen um meinen Vater. Er will sich nur von mir betreuen lassen. Ich bin völlig ratlos!»

Peter Baumann fuhr mit den Fingern durch sein strubbeliges Haar und tat so, als studierte er die Adresse auf dem Zettel. «Wie wär's, wenn ich jeden Tag einmal bei ihm vorbeischaute? Mehr als mich rausschmeißen kann er ja wohl nicht!»

«Das wird er wahrscheinlich auch tun!», entgegnete Laura. «Aber ich wäre dir sehr dankbar. Vielleicht bring ich dir sogar ein paar Flaschen Chianti mit!»

«Oh, was sind wir doch für ein wunderbares Team!», flötete Claudia und schnitt eine Grimasse. «Wir bestehen nur aus verdammten Gutmenschen – den Chef ausgenommen natürlich!»

«Wieso, willst du dich auch um meinen Alten Herrn kümmern?», fragte Laura trocken.

«Nein danke! Ich hab selbst einen!», entgegnete Claudia. «Haut endlich ab! Ich muss arbeiten!»

Peter Baumann griff sein Jackett von der Garderobe. Es war ähnlich zerknautscht wie sein Hemd. Schweigend wartete er neben Laura auf den Fahrstuhl. Schweigend glitten sie nebeneinander zum Erdgeschoss hinunter.

«Ich würde gern mit nach Italien fahren», sagte er unvermittelt, als der Fahrstuhl mit einem Ruck stoppte. «Es wär wie Urlaub mit dir!» Er sah Laura nicht an, sondern starrte auf die Fahrstuhltür, die sich mit einem leichten Quietschen öffnete.

«Ich fürchte, das wird harte Arbeit – von Urlaub keine Spur!» Laura betrachtete ebenfalls die Tür. Weder sie noch Baumann bewegten sich. Die Tür quietschte wieder leise und schloss sich. Laura drückte schnell auf den Knopf. Zum zweiten Mal öffnete sich die Tür, zu langsam.

«Willst du hier drin bleiben?», fragte Laura.

Baumann schüttelte den Kopf, machte aber noch immer keine Anstalten, den Fahrstuhl zu verlassen.

«Du bist verdammt gut, wenn es um unklare Antworten geht!»

«Mein Gott, Peter! Wir sind auf dem Weg zu den Eltern eines Mordopfers. In meinem Kopf geht es rund, weil ich nicht weiß, ob ich meine Chaosfamilie bis heute Abend organisiert bekomme, und du träumst von einem Urlaub in Italien!»

Peter Baumann schlug mit der Hand gegen die Fahrstuhltür, die sich wieder schließen wollte. Diesmal schwang sie sehr schnell auf.

«Vergiss es! War nur so ein Gedanke! Man muss ja nicht immer nur dienstlich denken, oder? Aber ich hab verstanden! Du hast kein Interesse dran! Alles klar!»

Er ging schnell voran, durchquerte die Eingangshalle, und Laura hatte Mühe, ihm zu folgen.

Scheiße!, dachte sie. Er nimmt unsere kleinen Flirts ernst! Das ist genau, was ich jetzt brauche! Noch ein Problem!

Sie stolperte hinter Baumann her, nahm kaum wahr, dass sie bereits den Dienstwagen erreicht hatten und er die Tür für sie aufhielt.

Es geht einfach nicht, dachte sie, als sie sich auf den Beifahrersitz fallen ließ. Die Verspannung in ihrem Nacken fühlte sich inzwischen wie eine eiserne Kralle an. Frauen können Männern nicht zeigen, dass sie sie mögen, dass sie gute Kameraden sind, mit denen sie gern herumalbern. Männer wollen immer mehr! Ich hätte es wissen müssen. Aber ich dachte, Baumann ist anders. Irrtum!

«Also, wohin?» Seine heisere Stimme unterbrach ihre Gedanken.

«Grünwald», antwortete sie knapp.

Er fuhr los. Zu schnell, aggressiv. Laura sagte nichts. Der BMW raste durch die Innenstadt, und Laura fiel wieder einmal auf, wie hässlich die Sonnenstraße war. Überhaupt war die Stadt zu laut, zu voll. Abgaswolken hingen über der Straße, dünne Wolkenfahnen überzogen den Himmel mit Spinnenfingern.

Föhn, dachte Laura. Nicht auch noch Föhn an einem Tag wie diesem! Sie empfand den warmen Fallwind von den Alpen fast jedes Mal wie eine Art Überfall, wie ein lebendiges Wesen, das seinen heißen Atem in die Stadt blies, manche in den Selbstmord trieb, andere mit Migräne plagte und ein nervöses Flirren erzeugte, unerklärliche Hochgefühle, Kreislaufzusammenbrüche und Verkehrsunfälle.

Baumann bremste knapp hinter einem Radfahrer, der auf den Straßenbahnschienen zu schlingern begann.

«Scheiß Radfahrer!», fluchte er.

«Föhn!», sagte Laura.

«Was?»

«Wir haben Föhn.»

«Die fahren nicht nur bei Föhn so bescheuert!»

«Aber du!», antwortete Laura wütend. Sie hatte keine Lust, Baumanns schlechte Laune einfach so hinzunehmen. Der Radfahrer bog nach links ab, doch Baumann machte keine Anstalten, Gas zu geben. Hinter ihnen hupte es. Peter Baumann stieg in aller Ruhe aus, ging um den Kühler des Dienstwagens herum und öffnete Lauras Tür.

«Fahr du!», sagte er knapp.

Hinter dem BMW reihten sich die Autos auf. Das Hupkonzert hallte von den hohen alten Häusern wider, Fußgänger blieben stehen, Fenster öffneten sich, Tauben flogen mit knatternden Flügelschlägen von einem Dach auf.

Laura nahm den Fahrersitz ein und presste die Lippen fest aufeinander, um ihren jungen Mitarbeiter nicht anzuschreien. Er ließ sich auf den Beifahrersitz fallen, und sie fuhr langsam an, überquerte die Isarbrücke, lenkte den Wagen die sanfte Steigung des Hochufers hinauf und erreichte die Ausfallstraße nach Grünwald. Bleiernes Schweigen.

Ich sag nichts, dachte Laura. Kein Wort. Aber sie fühlte sich schlecht, empfand eine merkwürdige Kraftlosigkeit in Armen und Beinen, war unfähig, sich auf das Gespräch mit den Eltern des toten Mädchens einzustellen. Das Gespräch war wichtiger als Baumanns Ärger oder ihr eigener. Sie waren beinahe am Ziel. Aber so konnten sie die Sache nicht hinter sich bringen. Beide nicht!

«Entschuldige.» Peter Baumanns Stimme klang belegt, und Laura zuckte leicht zusammen, hatte nicht erwartet, dass er etwas sagte.

«Schon gut», murmelte sie.

«Ich wollte dir nicht noch mehr Stress machen.»

«Hör bitte auf, ja?»

Baumann seufzte, beugte sich dann nach vorn und wies auf eine kleine alte Villa in einem schattigen Garten.

«Das ist es.»

Laura parkte den Wagen hundert Meter hinter der Einfahrt. Sie wollte sich dem Haus zu Fuß nähern, Zeit gewinnen. Sie stiegen aus, ohne sich anzusehen, streiften hintereinander an dem rostigen Eisenzaun entlang, der von Kletterpflanzen überwuchert wurde. Das Haus lag halb verborgen unter hohen Bäumen. Es hatte zwei Stockwerke und links und rechts ein Türmchen. Der rosarote Anstrich zeigte einen grünen Schimmer, Zeichen von Feuchtigkeit. Eine Kletterrose rankte sich um die Eingangstür. Ansonsten gab es keine Blumen, nur moosigen Rasen und Bäume.

Carolin Wolfs Eltern sind wahrscheinlich alt, dachte Laura. Es ist der typische Garten alter Leute, die nicht mehr viel tun können. Jetzt geht es ihnen wahrscheinlich noch gut. Doch wenn wir den Garten betreten, werden wir alles zerstören. Laura maß in Gedanken die Schritte ab, die sie von dem Augenblick der Verzweiflung trennten, blieb vor der eisernen Pforte stehen, denn ihre Beine verweigerten den Dienst, als wollten sie ihr sagen, dass es nicht rechtens sei, Menschen unglücklich zu machen. Wie oft hatte Laura diese letzten Schritte getan, um Menschen einen furchtbaren Schicksalsschlag beizubringen? Zwanzig-, dreißig-, vierzigmal? Sie wusste es nicht. Wusste nur, dass sie sich nie daran gewöhnen würde. Nie eine Routineangelegenheit daraus würde machen können.

«Bringen wir's hinter uns!», sagte Baumann, so dicht neben ihr, dass sie ein wenig zurückwich.

Diese Dinge kann man niemals hinter sich bringen,

dachte Laura, sie folgen einem – zäh, anhänglich, bis in die Träume, man nimmt sie mit, wohin man auch geht, und sie werden Teil des eigenen Lebens.

Zögernd drückte sie auf den Klingelknopf neben der Gartenpforte, lauschte dem sanften Glockenton nach, den sie im Haus ausgelöst hatte, hoffte ein paar Sekunden lang, dass niemand zu Hause sein möge, obwohl sie wusste, dass so ein Aufschub weder ihr noch den Eltern nützen würde.

«Ja, wer ist da?» Es war eine Männerstimme, die aus der Sprechanlage tönte.

«Grüß Gott. Mein Name ist Laura Gottberg. Ich bin Polizeibeamtin und möchte mit Ihnen sprechen.» Laura atmete ruhig, nur ihr Herz schlug ein bisschen zu schnell.

«Was ... wieso Polizei ...?» Die Stimme brach ab. Es knisterte in der Sprechanlage, dann summte der Türöffner. Zum ersten Mal seit zehn Minuten warf Laura ihrem Kollegen einen Blick zu. Baumann verzog ein wenig das Gesicht und fasste verlegen mit der rechten Hand an seinen Hinterkopf.

«Geht's?», fragte er leise.

Laura nickte und schob die Pforte auf. Nebeneinander gingen sie zu der schmalen Treppe, an deren Ende jetzt ein älterer Mann auftauchte und auf sie herabsah. Er trug einen hellblauen Pullover mit V-Ausschnitt und blaue Hosen, sein weißes Haar hatte einen gelblichen Schimmer, eine letzte Erinnerung an das Blond, das die ursprüngliche Farbe gewesen sein mochte.

Vielleicht ist er der Großvater, dachte Laura erschrocken. Das würde die Sache noch schlimmer machen.

«Warten Sie!», sagte der Mann und stützte sich mit einer Hand auf das Geländer. «Sie sehen nicht aus wie jemand von der Polizei. Zeigen Sie mir Ihren Ausweis!»

Laura griff in die Innentasche ihrer Lederjacke und reichte das Plastikkärtchen nach oben. Der alte Mann untersuchte es genau, umschloss es endlich mit seiner Hand, als wollte er es nie mehr hergeben, und fragte leise:

«Hauptkommissarin der Kripo? Was ...?»

Er schien plötzlich zu schrumpfen, riss sich aber gleich danach hoch, straffte die Schultern und lächelte. «Es ist sicher wegen der Einbrüche hier in der Gegend. Sie müssen wirklich etwas unternehmen. Letzte Woche zweimal ... aber wir haben nichts gehört oder gesehen ...»

«Könnten wir bitte einen Augenblick hereinkommen?», fragte Laura.

«Aber ich kann Ihnen wirklich nichts sagen. Meine Frau auch nicht! Wir haben nichts gesehen und gehört!»

«Es geht nicht um die Einbrüche, Herr Wolf. Sie sind doch Herr Wolf?»

«Jaja!» Er schüttelte ungeduldig den Kopf und machte noch immer keine Anstalten, Laura und Baumann ins Haus zu lassen. Laura begann langsam die Treppe hinaufzusteigen. Der alte Mann zog sich zur Haustür zurück, streckte den Arm gegen sie aus, als könnte er so ein drohendes Unheil fernhalten, und Laura hätte am liebsten kehrtgemacht.

«Eva!», rief er über die Schulter ins Haus. «Eva! Da sind Leute von der Polizei!» Es klang wie ein Hilferuf.

Die Frau, die kurz darauf im Flur erschien, war wesentlich jünger als ihr Mann. Laura schätzte den Altersunterschied auf mindestens fünfzehn Jahre. Sie trug ihr blondes Haar hochgesteckt, kleine Perlen glänzten in ihren Ohrläppchen und der dunkelgraue weite Hausanzug verlieh ihr eine unauffällige Eleganz.

«Ja, bitte?», sagte sie und neigte den Kopf ein wenig zur Seite.

«Ich bin Laura Gottberg, und das ist mein Kollege Peter Baumann. Wir sind von der Kripo. Wir müssen mit Ihnen sprechen, Frau Wolf. Es geht um Ihre Tochter Carolin.»

«Carolin?» Eva Wolf berührte mit einer Hand die Wand, als suchte sie Halt, und richtete sich gleichzeitig auf. Laura registrierte diese seltsame Gegenbewegung im Körper der Frau.

«Aber Carolin ist nicht hier. Sie ist bei einem Workshop in der Toskana. Ich habe gestern mit ihr telefoniert ...»

«Vorgestern!», berichtigte ihr Mann.

«Vorgestern?»

«Ja, vorgestern! Vielleicht sogar vor drei Tagen!»

Eva Wolf starrte ihren Mann an.

«Können wir reinkommen?», fragte Baumann.

«Ja, bitte. Kommen Sie nur.» Eva Wolf wandte sich schnell um und öffnete die Tür zum Wohnzimmer. Laura ließ ihren Blick über die Einrichtung wandern: Perserteppiche, Sitzgruppe mit englischen Blumenmustern, Biedermeierschrank, bodenlange rosa Vorhänge, gediegenes Bürgertum.

Eva Wolf ließ sich in einen englischen Sessel sinken, stellte ihre Beine nebeneinander und presste die Knie zusammen.

«Also, was wollen Sie von Carolin? Ich kann Ihnen jetzt schon sagen, dass meine Tochter nichts mit Drogen oder sonstigen Geschichten zu tun hat, von denen man in der Zeitung liest. Sie studiert Romanistik und ...»

«Ist ja schon gut, Eva!»

Laura fiel auf, dass der alte Wolf seine Frau bereits zum zweiten Mal unterbrach. Er schien seinen Widerstand gegen ihre Anwesenheit aufgegeben zu haben und wirkte auch nicht mehr so hilflos wie am Anfang. Jetzt ging er zu einer Kommode, öffnete den Deckel und holte eine Cognacflasche heraus.

«Sie auch einen?», fragte er.

Laura und Baumann schüttelten gleichzeitig den Kopf. Da goss er sich ein großes Glas voll, setzte sich auf das Sofa, trank einen Schluck und sagte:

«Jetzt können Sie loslegen!»

Laura spürte wieder diese eiserne Kralle in ihrem Nacken, räusperte sich leise, hörte sich selber reden und wunderte sich, dass sie es schaffte, sagte, was sie schon unzählige Male gesagt hatte. Zwang sich dazu, die Reaktion der Eltern zu beobachten, das Erstarren der Körper, das Stocken der Atmung, das Zusammenkrümmen, das Verkrampfen der Hände um die Armlehnen und in diesem Fall auch um ein Cognacglas. Und ihr fiel auf, dass Eva Wolf nicht weinte, sondern den Mund zu einem lautlosen Schrei öffnete und dann die Augen schloss.

«Es tut mir sehr Leid, dass ich Ihnen diese Nachricht überbringen muss», sagte Laura leise in die Stille hinein.

«Aber das kann nicht sein!» Eva Wolf schrie Laura diese Worte ins Gesicht. «Ich habe mit ihr telefoniert! Es ging ihr gut! Sie hatte eine wunderbare Zeit! Wer sollte sie denn umbringen? Alle mochten sie. Ich kenne keinen Menschen, der Carolin nicht geliebt hätte.»

Laura warf einen schnellen Blick zu Carolins Vater hinüber. Er saß mit gebeugtem Kopf und starrte in sein Cognacglas. Plötzlich sah er auf und fing Lauras Blick ein.

«Hat sie gelitten?», flüsterte er.

«Nein. Nach allem, was die italienische Polizei uns mitgeteilt hat, musste sie nicht leiden.»

Er nickte, trank das Glas leer, warf es an die Wand und verließ das Zimmer. Eva Wolf sprang auf.

«Ich muss nach ihm sehen!», stammelte sie. «Er hält es nicht aus! Er hat ein schlechtes Herz. Ich muss zu ihm …» Sie stolperte über den Teppich, und Baumann fing sie im letzten Moment auf.

«Ich werde Sie zu ihm bringen», murmelte er und führte sie behutsam zur Tür.

«Ja», flüsterte sie. «Ja, bitte. Ich schaffe es nicht allein. Wir schaffen es nicht … Bitte …»

Laura blieb im Wohnzimmer zurück. Die eiserne Kralle hatte inzwischen auch ihren Kopf im Griff, bohrte sich in die Augenhöhlen. Ganz vorsichtig bewegte Laura ihren Nacken, versuchte, die Schultern fallen zu lassen, versuchte zu denken. Etwas war hier falsch, aber sie wusste nicht genau was. Sie musste den Eltern noch ein paar Fragen stellen. Es war gemein, doch es ging nicht anders. Sie brauchte eine ungefähre Vorstellung von diesem Mädchen, ehe sie nach Italien fuhr.

Es dauerte zehn Minuten, bis Baumann mit Carolins Eltern zurückkehrte. Das Gesicht des alten Mannes war starr, seine Augen ein wenig gerötet. Er hatte geweint. Die Mutter nicht. Sie war sehr blass, aber auf eine Weise gefasst, die Lauras Aufmerksamkeit weckte. Als die beiden sich wieder gesetzt hatten, begann Laura sanft zu sprechen.

«Ich werde morgen nach Italien fahren, um den Tod Ihrer Tochter aufzuklären. Aber ehe ich fahre, muss ich Ihnen ein paar Fragen stellen. Ich muss mir ein Bild Ihrer Tochter machen – wie sie war, wie sie lebte. Ich weiß, dass es schwer ist, solche Fragen zu beantworten, wenn man gerade einen Menschen verloren hat. Aber es wird vielleicht helfen, den Schuldigen zu finden.»

Eva Wolf nickte mit geschlossenen Augen. Ihr Mann erhob sich mühsam, ging wieder zur Cognacflasche und goss sich ein neues Glas ein. Laura und Baumann warteten. Plötzlich öffnete Eva Wolf die Augen.

«Sie war eine ganz normale junge Frau. Da gibt es nichts zu erzählen. Sie war fröhlich, genoss ihr Studium und hatte viele Freunde. Bis vor zwei Monaten lebte sie in einer WG in Haidhausen. Es wurde ihr zu teuer, deshalb ist sie wieder zu uns gezogen. Aber hier hatte sie ja auch alle Freiheiten und ihr wunderbares Zimmer.»

Laura nickte leicht. Die Kralle in ihrem Nacken hatte sich ein wenig gelockert.

«Wie war das Verhältnis zwischen Ihnen und Ihrer Tochter?»

«Gut, wunderbar! Es hätte nicht besser sein können. Wir hatten nie Probleme. Carolin ist unsere einzige Tochter – wir haben spät geheiratet ...»

Laura sah, dass der alte Wolf einen großen Schluck Cognac trank, und wandte sich zu ihm. Er nahm die Drehung ihres Körpers wahr, und ehe sie eine Frage stellen konnte, murmelte er: «So war es. Genau wie meine Frau sagt. Carolin war eine wunderbare Tochter ... weiß nicht, wie wir ohne sie weiterleben sollen ... weiß wirklich nicht.»

«Hatte sie einen festen Freund?»

Eva Wolf schüttelte heftig den Kopf.

«Sie hatte nie einen festen Freund. Sie wollte ihr Studium beenden, ohne Verpflichtungen und ohne feste Bindungen.»

Laura fand, dass die Antwort zu schnell und zu laut kam, deshalb hakte sie nach.

«Aber lockere Freundschaften hatte sie vermutlich – eine hübsche, fröhliche junge Frau ...?»

«Sie haben ihr die Bude eingerannt!», stieß Carolins Vater hervor, verschüttete ein paar Tropfen Cognac dabei. «Aber sie hat nie nachgegeben! Dauernd klingelte das Telefon! Aber Carolin hatte ihre Prinzipien!» Plötzlich begann er zu lachen, ein stoßweises, abgehacktes Lachen, das eher einem Schluchzen glich. «Sie hat zu einem von denen gesagt, dass er in einem halben Jahr wieder anrufen könne. In einem halben Jahr! Stellen Sie sich das vor …! Dabei wollte er sie wahrscheinlich am gleichen Abend sehen! In einem halben Jahr …!» Er ließ sich wieder auf das geblümte Sofa fallen und zog die Schultern hoch.

«So war sie …», flüsterte er, «… hat sich einen Dreck um die geschert! In einem halben Jahr …»

«Könnte einer dieser Verehrer wütend auf sie geworden sein?», fragte Baumann. «Ich meine, es ist ja nicht besonders nett, wenn man so abgefertigt wird.»

«Niemand war auf sie wütend, niemand!» Eva Wolfs Stimme klang rau, brüchig. «Alle haben sie nur geliebt! Sie kann nicht ermordet worden sein! Es muss ein Unfall gewesen sein! Ganz sicher war es ein Unfall!»

Laura legte eine Hand auf den Arm der Frau.

«Wir werden es herausfinden. Ich verspreche es Ihnen.»

Es hat keinen Sinn, noch mehr Fragen zu stellen, dachte sie. Die beiden versuchen, ein Idealbild ihrer Tochter zu malen. Vielleicht ganz verständlich … würde ich anders reagieren, wenn man mich nach meinen Kindern fragte? Ja, das würde ich. Aber ich bin bei der Kripo. Ich weiß, dass es zu nichts führt, wenn man Idealbilder zeichnet. Es hilft nicht einmal den Toten.

«Könnten wir vielleicht noch kurz einen Blick in Carolins Zimmer werfen? Danach werden wir Sie nicht mehr länger belästigen. Haben Sie Freunde oder Verwandte, die Ihnen beistehen können?», fragte sie.

Wieder schüttelte Eva Wolf den Kopf.

«Wir brauchen niemanden.» Es klang schroff.

«Sind Sie sicher? Wir könnten den Anruf übernehmen.» Baumann warf Laura einen fragenden Blick zu. Sie zuckte leicht mit den Achseln und erhob sich.

«Das Zimmer ...»

«Ja, das Zimmer ... ich komme.» Diesmal stand Carolins Mutter auf, ohne zu wanken. Sehr aufrecht ging sie vor den beiden Polizeibeamten her, wies den Weg durch den Flur, die Treppe hinauf in den ersten Stock. Der alte Wolf blieb sitzen und starrte stumm in sein Glas.

Laura versuchte die Atmosphäre des Hauses noch genauer in sich aufzunehmen. Weinroter, weicher Teppichboden auf den Treppen, dem oberen Flur. Vergoldete florentinische Wandlampen. Weinroter Teppich auch in dem großen Zimmer, dessen Tür Eva Wolf nach kurzem Zögern öffnete. Auf dem breiten Bett eine Seidendecke in verschiedenen Rottönen, ein schwarzer Schreibtisch in einem Erker, der zum Garten hinausging, ein Bücherregal, ein antiker Kleiderschrank. Über dem Bett hing ein großes modernes Gemälde, ebenfalls in Rot. Laura glaubte, einen männlichen Akt darauf zu erkennen, und sah sich irritiert um. Sie konnte sich nicht vorstellen, dass dieses Zimmer von einer jungen Frau bewohnt wurde, von einer Studentin, die gerade aus einer WG ausgezogen war. Eigentlich wirkte das Zimmer unbewohnt – nichts lag herum, keine Hefte oder Bücher, keine Kleidungsstücke oder persönlicher Krimskrams.

«Ihre Tochter war sehr ordentlich!», stellte Baumann fest.

Eva Wolf seufzte und senkte den Kopf.

«Nein, sie ist nicht sehr ordentlich. Ich habe aufgeräumt … nachdem sie abgereist war. Ich habe auch das Zimmer für sie eingerichtet. Sie liebt Rot.»

«War Ihre Tochter damit einverstanden?», fragte Laura.

Eva Wolf ging zum Fenster und strich über die roten Samtvorhänge.

«Nein», erwiderte sie und sah Laura nicht an. «Nein, sie war nicht damit einverstanden. Aber ich wollte ihr eine Freude machen.»

Laura öffnete den Kleiderschrank, starrte auf die Stapel edler, säuberlich zusammengelegter Unterwäsche in den Fächern, auf die Blusen und Pullover, die Röcke, Kleider, Hosen, aufgereiht wie in einer Boutique.

«Ist Ihnen irgendetwas aufgefallen, als Sie hier Ordnung machten. Briefe, Zettel, ein Foto …?»

«Nein, nichts!»

Sie lügt, dachte Laura. Sie versucht ihre Tochter zu beschützen.

«Was war das für eine Gruppe, mit der Ihre Tochter in die Toskana gefahren ist?»

Eva Wolf fuhr plötzlich herum, und ihr Gesicht entgleiste für einen Augenblick.

«Ich weiß es nicht! Sie hat nichts gesagt! Dass sie etwas klären müsste, für sich selbst. Das hat sie gesagt. Etwas über sich herausfinden. Ich war dagegen, mein Mann auch!»

Die wunderbare Tochter bekommt ein paar Flecken, dachte Laura, und ihr Blick blieb an einem großen Foto hängen, das in einem Silberrahmen auf dem Schreibtisch stand. Es zeigte das lächelnde Gesicht eines jungen Mädchens. Aber nur der Mund lächelte. Um die Augen lag ein Schatten.

«Ist das Ihre Tochter?» Laura nahm das Bild in die Hand.

Eva Wolf nickte.

«Finden Sie es nicht seltsam, wenn eine junge Frau ihr eigenes Bild auf den Schreibtisch stellt? Normalerweise stehen da Bilder der Familie oder des Freundes.»

Carolins Mutter senkte den Kopf und strich wieder über den Vorhang.

«Ich habe es hingestellt», antwortete sie so leise, dass Laura und Baumann sie kaum verstehen konnten. «Ich stelle es immer hin, wenn sie nicht da ist.»

Horror!» Als sie wieder im Auto saßen, wartete Baumann ein paar Minuten, ehe er den Wagen anließ.

«Darf ich jetzt fahren?»

«Klar!» Laura lehnte sich zurück und massierte ihren Nacken.

«Kannst du dir vorstellen, dass deine Mutter ein Zimmer für dich einrichtet – in Rot, wie in einem eleganten Bordell? Und dass sie dein Bild auf den Schreibtisch stellt, wenn du nicht da bist?»

«Nein», antwortete Laura. «Aber wenn sie es getan hätte, dann wäre ich vermutlich ausgewandert.»

«Ist Carolin ja auch. In die Toskana.» Baumann bog schwungvoll in die Grünwalder Straße ein und grinste, als Laura die Stirn runzelte. Er wollte die Auseinandersetzung mit ihr fortsetzen und war enttäuscht über ihr Schweigen. Erst als sie das große Stadion des Fußballclubs 1860 erreichten, sagte sie wieder etwas.

«Glaubst du das Gerede über die wunderbare Tochter?»

Baumann zuckte die Achseln.

«Machen doch die meisten Eltern, oder?» Er war froh, dass sie wieder sprach.

«Mmmh», antwortete sie unbestimmt und verfiel wieder in Schweigen.

«Bist du immer noch sauer auf mich?» Er wagte einen Vorstoß.

«Quatsch!»

«Warum hüllst du dich dann in geheimnisvolles Schweigen wie eine Sphinx? Falls du dir Sorgen um deinen Vater machen solltest … ich werde nach ihm sehen, auch wenn seine Tochter es nicht verdient!»

Laura betrachtete ihren Kollegen von der Seite. Er war ein richtig netter Kerl und sein zerknautschtes Aussehen passte zu ihm. Warum musste er ausgerechnet seine Vorgesetzte anbaggern, warum konnte er sich nicht ein nettes Mädchen in seinem Alter suchen? Er war immerhin sechzehn Jahre jünger als sie, und sie fühlte sich mies, weil sie ihn unglücklich und wütend machte. Trotzdem hatte sie nicht die Absicht, eine Affäre mit einem jungen Kollegen anzufangen. Sie wollte überhaupt keine Affäre! Sie wollte arbeiten, ihre Kinder großziehen, ihren Vater betreuen, ab und zu ein gutes Buch lesen und ganz allein die Natur erleben. Sie musste es Baumann erklären, nicht in einem Dienstwagen – bei einer Tasse Kaffee und in aller Ruhe. Er würde es nicht verstehen, weil er jung und ungeduldig war und viel Zeit hatte. Aber dann wäre endlich alles klar, und sie könnten auf einer anderen Ebene miteinander umgehen. Als wirkliche Freunde vielleicht, falls so etwas zwischen Männern und Frauen möglich war.

«Hast du eigentlich gehört, was ich gesagt habe?», fragte Baumann, und Laura riss fragend die Augen auf.

«Du lieber Gott. Wie willst du komplizierte Ermittlungen in Italien durchstehen, wenn du nicht einmal mehr Deutsch verstehst! Ich hab gesagt, dass du dir keine Sorgen um deinen Alten Herrn machen musst!»

«Oh, danke! Das ist wirklich sehr nett von dir. Hoffentlich benimmt er sich anständig. Aber jetzt möchte ich doch noch genauer wissen, was du von den Eltern des Mädchens hältst.»

«Laura, der Glitschfisch», seufzte er.

«Kommissar Peter Baumann!», erwiderte sie ernst. «Wir sind nicht hier, um persönliche Dinge zu besprechen, sondern wir ermitteln. Außerdem haben wir verdammt wenig Zeit.»

Baumann schlug mit der Faust aufs Steuerrad.

«Sehr wohl, Frau Hauptkommissarin! Die Eltern des Mordopfers erscheinen mir sehr widersprüchlich. Auf der einen Seite erschüttert vom Tod ihrer Tochter. Auf der anderen Seite verbergen sie etwas, das mit der Tochter in Zusammenhang steht. Entweder gab's da Riesenprobleme: Vielleicht nahm Carolin Drogen, dealte, ging auf den Strich, hat das Studium hingeschmissen, oder sie konnte ihre Eltern nicht ausstehen und ist nur zurückgekommen, weil ihr das Geld ausgegangen war oder weil die Alten sie total unter Druck gesetzt haben. Aber das alles sind Vermutungen. Außerdem scheint der alte Wolf dem Alkohol zugeneigt und Mutter Wolf ist die Art Frau, bei der sich mir die Haare aufstellen: Bürgerlicher Vampir, vom Blut der eigenen Tochter lebend. Deshalb auch das rote Zimmer! Zufrieden?»

«Ja», antwortete Laura lächelnd. «Genau das wollte ich hören! Es deckt sich mit meinem Eindruck.» Sie warf einen kurzen Blick auf ihre Armbanduhr. «Wir werden eng zusammenarbeiten müssen. Du übernimmst die Ermittlungen hier. Versuch ein paar Freunde von Carolin aufzutreiben. Und dann kommt die Überprüfung der Gruppenmitglieder und all das. Ich werde dir die Details durchgeben, wenn ich in Italien bin.»

Baumann nickte und bog in den Hof des Polizeipräsidiums ein.

«Wirst du sehr wütend, wenn ich dir jetzt sage, dass ich trotzdem gern mitkommen würde?», sagte er beiläufig, während er rückwärts einparkte.

«Nein!», antwortete Laura. «Ich find's bloß überflüssig!»

Es ist einfacher, wir bleiben hier in deiner Wohnung. Wenn die Kinder in der Schule sind, kann ich ja rüber zu mir und arbeiten!» Ronald lehnte an Lauras Küchenschrank und schlürfte Espresso.

«Würdest du bitte heute schon das Abendessen übernehmen? Ich muss unbedingt noch zu meinem Vater. Wenn ich auch noch kochen soll, dann dreh ich durch!» Laura schüttete ihren Espresso ins Spülbecken. Schon der erste Schluck hatte in ihrem Magen eine Art Säureschock ausgelöst.

«Eigentlich hab ich eine Verabredung. Es kommt ein bisschen plötzlich!» Er ließ den Kaffee in seiner winzigen Tasse kreisen und beobachtete die schwarze Flüssigkeit so interessiert, als könnte er die Zukunft aus ihr lesen.

«Für mich kommt es auch ein bisschen plötzlich! Und ich glaube nicht, dass wir dich im letzten Jahr übermäßig in Anspruch genommen haben. Ich brauche dich, Ronald! Luca und Sofia brauchen dich!»

Ronald antwortete nicht, sondern starrte immer noch in die Tasse. Laura fiel auf, dass der Kragen seines dunkelblauen Hemds ein wenig abgestoßen war, und erinnerte sich gleichzeitig, dass er im letzten Monat die Alimente nicht bezahlt hatte.

Er hat wieder Mal kein Geld, dachte sie. Ich muss Haushaltsgeld dalassen, damit sie über die Runden kommen, solange ich weg bin. Eigentlich machte es sie wütend, aber sie schüttelte ihre Wut ab. Es hatte keinen Sinn, auch noch Kraft in Ärger über Ronald zu stecken, hatte noch nie Sinn gehabt, denn es änderte nichts. Er würde es nie lernen, rechtzeitig genügend Aufträge an Land zu ziehen, um einigermaßen leben zu können. Seit zehn Jahren strauchelte er von Auftrag zu Auftrag, fiel in tiefe Löcher, kletterte mühsam wieder nach oben, fiel wieder. Bei fast allen Freunden hatte er Schulden – bei Laura ebenfalls und bei seinem Schwiegervater. Laura wusste, dass er diese Schulden niemals zurückzahlen würde, und sie dankte insgeheim ihrem Vater, der bei der Eheschließung auf Gütertrennung bestanden hatte.

«Glaubst du wirklich, dass Luca und Sofia mich brauchen?» Ronald lächelte Laura unsicher zu.

«Natürlich brauchen sie dich! Sofia hat Probleme mit Mathe. Das muss nicht immer Luca ausbaden. Er ist nicht ihr Vater. Und Luca tut es ganz gut, wenn er mal eine Weile mit einem Mann lebt und nicht dauernd mit dieser weiblichen Übermacht!»

Laura ging an Ronald vorbei in den Flur, stellte sich vor den großen Spiegel und kämmte ihr Haar. Die braunen Locken standen nach allen Seiten ab. Ihre Mutter hatte immer gesagt, dass Laura sie an eine Katze erinnere, weil sich ihre Haare aufstellten, wenn sie sich aufregte.

O Mama, dachte Laura, und eine dunkle warme Woge aus Schmerz und Liebe durchflutete ihren Körper. Warum bist du nicht mehr da, Mama? Sie kniff die Augen zusammen, um die Tränen wegzupressen. Die Trauer um ihre Mutter kam stets wie eine Art Überfall, selbst nach all den Jahren. Schien in einem Winkel ihres Herzens zu lauern und immer dann hervorzubrechen, wenn sie nicht damit rechnete.

«Ist was?» Ronalds Stimme riss Laura aus ihren Gedanken.

«Nein!» Sie atmete vorsichtig ein. «Ich werd jetzt zu Vater fahren. In der Gefriertruhe ist Pizza. Die Kinder werden in einer halben Stunde nach Hause kommen.»

«Aber …»

«Ich wär dir sehr dankbar, wenn du deine Verabredung einfach vergessen würdest! Das kannst du doch sonst ganz gut, oder?»

Ronald senkte den Kopf und seine Lippen zuckten nervös.

Ich hab ihn getroffen, dachte Laura. Dabei wollte ich das gar nicht. Es ist mir einfach so rausgerutscht. Der volle Schlag auf eine seiner vielen Schwachstellen. Wie oft hatte er Verabredungen mit ihr einfach vergessen? Wie oft hatte sie eine Stunde oder mehr in einem Restaurant oder vor einem Denkmal auf ihn gewartet? Wie oft hatten andere gewartet?

«Ich mach das hier, weil ich meine Kinder gern habe!», sagte Ronald leise. «Aber ich mach es nicht, wenn ich mir deine verdammten Vorwürfe anhören muss!» Er zog ein zerknautschtes Zigarettenpäckchen aus der Brusttasche seines Hemds.

«Es tut mir Leid!» Laura griff nach ihrer Jacke.

«Es tut dir überhaupt nicht Leid!» Ronalds Stimme wurde lauter. Er klopfte eine krumme Zigarette halbwegs gerade und steckte sie in den Mundwinkel.

«Doch, es tut mir Leid! Ich wollte dich nicht verletzen! Es ist nur so, dass man dir nie die Wahrheit sagen darf, weil du es nicht aushältst!» Laura stand schon vor der Haustür. Er folgte ihr, heftig an seiner Zigarette ziehend.

«Kommt darauf an, wie man diese Wahrheit präsentiert! Wenn sie als Ohrfeige kommt, dann kannst du nicht erwarten, dass andere begeistert sind!»

«Okay! Es war nicht gut! Soll ich auf die Knie fallen?» Laura öffnete die Wohnungstür.

«Hau schon ab! Ich bleibe! Aber ich tu's nur für die Kinder, dass du klar siehst!»

«Für wen sonst?», murmelte Laura, knallte die Tür hinter sich zu, trat mit dem Fuß gegen das Treppengeländer und horchte gleichzeitig nach hinten. Aber die Tür blieb geschlossen. Die Auseinandersetzung war vorläufig beendet.

Sie rannte die Treppe nach unten, grüßte im Vorüberlaufen einen Nachbarn, verließ das Haus, sprang in ihren Wagen und fuhr mit quietschenden Reifen an, bremste kurz darauf, denn sie kam sich dumm und unbeherrscht vor – genau wie Peter Baumann ein paar Stunden zuvor. Sie zwang sich, langsam zu fahren, achtete bewusst auf den Verkehr, die Straßen, Häuser, Menschen. Lenkte den Wagen am Maximilianeum vorbei, von dem ihr Vater behauptet hatte, dass es ein Märchenschloss sei, mit einer Märchenkönigin und einem Märchenkönig, bis sie im Alter von acht Jahren herausgefunden hatte, dass es nicht stimmte. Dass es ein Versammlungsort für Leute war, über die Vater meistens schimpfte. Da musste sie plötzlich lachen, und als sie die Maximiliansbrücke überquerte, endlich am Fluss entlangfuhr, dachte sie an Italien und daran, dass sie bald Olivenbäume, Pinien und Zypressen sehen würde und die Hügel der Toskana. Und sie nahm sich vor, diese Ermittlungen als eine Art Urlaub zu nehmen, ohne ihre Familie, ohne Baumann, ohne den Dezernatsleiter – nur für sich, ganz heimlich.

Beinahe hätte sie die Abzweigung verpasst, die zu der stillen kleinen Straße am Englischen Garten führte, in der der Vater wohnte. Es wurde schon dunkel. Der September neigte sich seinem Ende zu. Laura bremste vor dem zweistöckigen Apartmenthaus und angelte die Rotweinflasche zwischen den Sitzen hervor, die sie am Nachmittag gekauft hatte. Ein besonders teurer Barolo, Vaters Lieblingswein. Als sie zum Haus ging, spürte sie den herbstlichen Hauch, der vom Park herüberwehte, zarter Geruch nach feuchten Blättern und eine Ahnung kommender Nebel. Sie hielt einen Augenblick inne und sog die Luft tief in ihre Lungen. In Italien war noch Sommer. Sie dachte plötzlich an das Foto der jungen Frau auf dem schwarzen Schreibtisch in dem roten Zimmer. Das Bild einer Fremden, einer Toten, die nichts mit ihr, Laura Gottberg, zu tun hatte. Und dann fiel ihr ein, was sie Luca sagen wollte, wenn er wieder über ihre vergammelten Leichen spotten würde. Ich bin neugierig, würde sie sagen. Ich will wissen, warum manche Menschen einen frühen, gewaltsamen Tod sterben. Mich interessiert, was sie in diese Situation treibt, was sie selbst dazu tun und was andere mit ihnen machen. Es ist der dunkle Teil des Lebens, der mich anzieht, der Teil, den die meisten Menschen verleugnen.

Sie lehnte sich gegen die Tür und lächelte über sich selbst. Ob Luca das verstehen würde? Einen Versuch wäre es immerhin wert. Sie klingelte, obwohl sie einen Schlüssel zur Wohnung ihres Vater besaß. Sie klingelte immer, als Zeichen des Respekts vor seiner eigenen Welt, wollte ihn nicht in einer Situation überraschen, die ihm unangenehm wäre. Es dauerte lange, ehe seine brüchige Stimme aus der Sprechanlage erklang.

«Bist du's, Laura?»

«Ja, Papa. Ich bin's!»

«Na endlich!»

Sie nahm zwei Stufen auf einmal. Seine Wohnungstür im ersten Stock stand offen, und er erwartete sie im Halbdunkel des Flurs, leicht gebückt, eine Hand auf der florentinischen Kommode, die ihre Mutter mit in die Ehe gebracht hatte.

«Komm rein! Aber schnell. Ich seh gerade meine Lieblingsseifenoper. Sie ist die Grundlage für eine Abhandlung über den Schwachsinn unserer Gesellschaft, an der ich arbeite!» Er lachte trocken auf, küsste Laura auf die Wange und humpelte ins Wohnzimmer zurück.

«Setz dich, setz dich! Schau's dir mit mir an. Dann können wir hinterher drüber reden. Magst du einen Schluck Wein? Da steht die Flasche. Aber sei jetzt ruhig. Ich will nichts versäumen!»

Laura zog ihre Lederjacke aus und warf sie über die Sofalehne. Sie nahm ein Glas aus der Vitrine, goss sich einen winzigen Schluck Wein ein und setzte sich neben ihren Vater. Er tätschelte abwesend ihren Arm, beachtete sie aber sonst nicht, sondern starrte angestrengt auf den Bildschirm. Laura nippte an ihrem Glas und beobachtete den alten Mann. Seit dem Tod ihrer Mutter arbeitete er ständig an irgendwelchen Abhandlungen über das Leben, die Gesellschaft, die Religion, den Tod. Sein weißes Haar war sehr dicht und stand ebenso widerspenstig um seinen hohen Schädel wie ihre eigenen Locken. Seine Augen lagen tief in den Höhlen und seine Gesichtshaut schien in den letzten Wochen schlaffer geworden zu sein, die Falten tiefer. Ihr Herz machte plötzlich einen schmerzhaften Sprung. Er durfte nicht wirklich krank werden. Sie brauchte ihn! Es war einfach noch nicht die

Zeit, Abschied zu nehmen. Sofia und Luca brauchten ihn auch.

«Ha!», rief er plötzlich und schlug mit der Faust auf seinen Oberschenkel. «Ich wusste, dass er was mit diesem Flittchen hat! Ich wusste es!»

«Wer, Papa?»

«Na, dieser Dr. Irgendwas! Er hat eine Frau und eine Mätresse und jetzt auch noch eine Geschichte mit diesem Flittchen. Dabei könnte die seine Tochter sein.»

«Oje», sagte Laura. «Dann ist er wahrscheinlich in Schwierigkeiten, der Dr. Irgendwas.»

«Das kann man wohl sagen. Geschieht ihm ganz recht, dem geilen Bock! Lass dich bloß nie mit solchen Männern ein, mein Kind!»

«Nein, Papa!», lächelte Laura. «Hast du schon was gegessen?»

Er schüttelte den Kopf und machte eine abwehrende Handbewegung. Laura stand leise auf, ging in die Küche und schaute sich prüfend um. Das Mittagsmenü hatte er offensichtlich zu sich genommen, denn die kleinen Edelstahlbehälter, die jeden Tag geliefert wurden, waren leer. Laura röstete zwei Weißbrotscheiben, belegte sie mit Käse und Tomatenstücken, trug sie ins Wohnzimmer hinüber.

«Hier, Papa. Du musst was essen. Wein allein reicht nicht!»

«Ssscht!» Der alte Gottberg runzelte unwillig die Stirn.

«Wie lange dauert die Sendung noch, Papa?»

«Zehn Minuten. Sei endlich still, Laura!»

Sie lehnte sich zurück und schloss die Augen. Kurz entspannen, darüber nachdenken, was sie einpacken musste. Feste Schuhe, Hosen, ein Kleid, Blusen (noch nicht gebügelt!), Badezeug (vielleicht konnte sie wenigstens einmal ans Meer fahren!). Das Flugzeug nach Florenz startete um halb sieben. Claudia hatte das Ticket am Flughafen hinterlegen lassen. Es bedeutete, dass Laura spätestens um halb vier Uhr aufstehen musste. Mehr als vier Stunden Schlaf waren nicht drin, vermutlich weniger! Das laute Gerede im Fernseher ging ihr auf die Nerven. Wie konnte Vater nur so einen Schwachsinn ansehen? Ob sich seine Nachbarn nie über die Lautstärke beschwerten? Er hörte nicht mehr gut und drehte den Ton voll auf. Sie musste ihm unbedingt Kopfhörer besorgen! Ob die Tote aus der Isar schon identifiziert war? Warum vermisste niemand diese Frau? Hatte sie allein gelebt? Dieser Commissario Angelo Guerrini (mit dem unglaublichen Namen!) würde sie in Florenz erwarten. Wahrscheinlich war er ein kleiner dicker Italiener mit Schnauzbart. Sie musste ihre Gedanken anhalten! Aber es ging nicht! Würden Sofia und Luca mit Ronald auskommen? Sie hatte ihrem Vater noch nicht gesagt, dass er mindestens zwei Wochen ohne sie aushalten musste. Vielleicht dauerte es ja nur eine Woche – aber insgeheim hoffte sie auf eine längere Zeit.

Plötzlich war es still, und Laura blinzelte verwirrt in das Gesicht ihres Vaters, der sich besorgt über sie beugte.

«Du solltest nicht so viel arbeiten, mein Kind! Mach nicht den gleichen Fehler wie dein Vater. Hinterher bereut man es, aber dann ist es zu spät!»

Laura versuchte ein Lächeln.

«Ich werd's mir zu Herzen nehmen, Papa!»

«Es ist kein Witz von mir, Mädchen. Ich meine es ernst. Wenn ich an die vielen Stunden denke, die ich nicht mit deiner Mutter und dir verbracht habe, dann könnte ich mir selbst eine runterhauen!»

Jetzt muss ich es ihm sagen, dachte Laura. Ich hab keine Ahnung, wie er reagieren wird.

«Hier, Papa. Ich hab dir ein Sandwich gemacht!»

Das Käsebrot lag noch unberührt auf dem Teller.

«Danke!» Doch Gottberg machte keine Anstalten, etwas zu essen. Seine tief liegenden Augen waren auf seine Tochter gerichtet.

«Sag schon!», knurrte er endlich. «Hast doch was auf dem Herzen, oder?»

«Ich muss morgen nach Italien, Vater. Es geht um den Mord an einer jungen Münchnerin. Ich bin die Einzige im Dezernat, die Italienisch spricht.»

Der alte Mann tastete vorsichtig mit zwei Fingern über das Käsebrot, streckte dann beinahe kämpferisch das Kinn vor.

«Dann fahr! Ich würd eine Menge geben, wenn ich nach Italien fahren könnte. Aber allein schaff ich es nicht mehr!»

«Es ist dienstlich, Vater. Kein Urlaub!»

«Dann mach einen draus. Du hast's nötig!»

«Hast du jemals aus einer Dienstreise einen Urlaub gemacht?»

«Nicht nur einmal!» Er lachte. «Ich hab sogar deine Mutter mitgenommen! Gibt nichts Besseres, als Aufträge im Ausland!»

«Ein Kollege von mir will jeden Tag bei dir vorbeischauen. Du kennst ihn flüchtig. Peter Baumann heißt er. Ich bin sicher, dass er gern mit dir zusammen fernsieht.»

«Falls ich ihn dazu einlade», murmelte Lauras Vater. «Ich sehe nicht mit jedem fern!»

«Ach, Vater!»

«Was, ach, Vater? In meinem Alter überlegt man sich genau, mit wem man seine Zeit verbringt.»

Angelo Guerrini lehnte an einer Säule in der Ankunftshalle des Flughafens. Die Maschine aus München war bereits gelandet, die ersten Passagiere eilten an ihm vorbei, und er fragte sich, warum sie so schnell gingen, obwohl die meisten vermutlich einen Urlaub vor sich hatten.

Vielleicht, dachte er, vielleicht liegt es am Fliegen. Das geht auch zu schnell. Die Passagiere sind zwar wieder auf der Erde, doch der Körper hat noch nicht zur normalen Geschwindigkeit zurückgefunden. Diese Erklärung befriedigte und erheiterte ihn. Er stellte sich vor, wie die Reisenden durch Florenz rasten und erst an den toskanischen Hügeln zum Stehen kamen, mit aufgeplatztzten Koffern. Crashlanding!

Ob die Kriminalhauptkommissarin ebenfalls an ihm vorbeifliegen würde? Guerrini war neugierig auf sie. Schon mehrmals hatte er mit deutschen Kollegen zusammengearbeitet, aber noch nie mit einer Frau. Vielleicht war sie blond, groß, viereckig, mit strengem Gesicht? Dann würde der Vorname nicht passen. Laura.

Achtundvierzig Passagiere waren an Bord der Lufthansa-Maschine gewesen, mindestens dreißig von ihnen bereits durch die Sperre. Hatte er sie übersehen? Prüfend musterte er die kurze Schlange von Menschen, die noch auf die Abfertigung wartete. Seine Augen blieben an einer großen, schlanken Frau mit halblangen braunen Locken hängen. Sie trug eine dunkle Lederjacke, schwarze Jeans und eine weiße Bluse. Als sie sich umwandte, dachte er: Sie sieht aus wie Anna Magnani! Und: Wenn ich nicht im Dienst wäre, würde ich diese Frau zu einem Cappuccino einladen. Warum, verdammt nochmal, bin ich immer im Dienst, wenn ich einer Frau begegne, die mich interessiert.

Sein Blick wanderte an den Wartenden entlang, wieder zurück zu Anna Magnani, die jetzt ihren Koffer aufnahm, einen Rucksack über die Schulter warf und direkt auf ihn zukam. So direkt, dass Guerrini zwei Schritte zurückwich.

«Commissario Guerrini?», fragte sie, und er dachte, dass ihre Stimme etwas heller war als die von Anna Magnani, aber wirklich nur eine Idee. Und dass sie unmöglich Laura Gottberg sein konnte.

«Laura Gottberg», sagte sie und streckte ihm die rechte Hand entgegen.

«Oh, herzlich willkommen in Florenz. Hatten Sie einen guten Flug? Einen schönen Blick über die Alpen? Bei diesem Wetter muss es wunderbar gewesen sein!» Und er hasste sich für diesen Wortschwall, hinter dem er seine Betroffenheit zu verbergen suchte, verstummte augenblicklich, als er den prüfenden Blick wahrnahm, mit dem sie ihn musterte.

«Es war kein schlechter Flug», antwortete sie langsam. «Aber ich fliege nicht gern.»

«Ich auch nicht. Es geht irgendwie zu schnell. Trotzdem schön, dass Sie gekommen sind!» Er war verlegen. Mein Gott, wieso war er verlegen? Im Alter von achtundvierzig Jahren! Aber er hatte nicht erwartet, dass die Deutschen ihm eine Anna Magnani schicken würden.

«Ich bringe Sie zum Wagen!», sagte er und nahm ihren Koffer.

«Danke, Commissario.»

Sie sah müde aus, war sicher vor Tau und Tag aufgestanden. Verstohlen streiften seine Augen über ihre Hände. Kein Ehering.

Ich bin ein Trottel, dachte er. Wir sind Kollegen, müssen einen Fall lösen. Aber aus seinem Inneren stiegen andere Gedanken und eine unerwartete Bitterkeit. Wie lange hatte er keine Frau mehr berührt? Zwei oder drei Jahre? Seit Carlotta ihn verlassen hatte, um in Rom als Chefsekretärin bei einer amerikanischen Firma zu arbeiten. Nein, er wollte jetzt nicht an Carlotta denken. Was hatte sie gesagt? Dass er sich mehr um seine Verbrecher kümmern würde als um seine Frau, dass es kein Problem sei, sich zu trennen, denn sie hätten ja keine Kinder ... Warum kamen ihm diese Sätze ausgerechnet jetzt in den Sinn? Seit einem Jahr – mindestens seit einem Jahr – hatte er nicht mehr daran gedacht ...

«Ich möchte als Erstes das tote Mädchen sehen. Ist das möglich, Commissario?»

«Ja, natürlich», murmelte er abwesend.

«Ist ihre Leiche hier in Florenz?»

«Nein. In Siena. Der Pathologe ist sehr gut. Wir werden direkt zu ihm fahren, wenn es Ihnen recht ist, Signora Gottberg.»

«Sagen Sie doch Laura zu mir – das ist einfacher!» Sie lächelte ihn kurz an. «Signora Gottberg klingt merkwürdig, finden Sie nicht?»

«Ein bisschen, vielleicht. Dann müssen Sie Angelo zu mir sagen und den Commissario weglassen.»

«Gut, Angelo!» Laura wich einer dicken Frau aus, die einen Gepäckwagen vor sich her schob.

Umständlich verstaute Guerrini Lauras Tasche im Kofferraum, setzte sich endlich hinters Steuerrad.

«Meinen Sie, dass wir vielleicht Zeit für einen Cappuccino in Florenz haben?», fragte sie, als er den Wagen anließ.

Guerrini nickte.

Eigentlich wollte ich dich zum Cappuccino einladen, dachte er und spürte, dass ihm ein Stück Kontrolle entglitt. Sollte er das gut oder schlecht finden?

Das Kutschpferd hob langsam den Schweif, sein After wölbte sich nach außen, und Laura lachte los, als die duftenden braunen Äpfel direkt vor dem runden Tischchen landeten, an dem sie und Guerrini saßen.

«Ich entschuldige mich im Namen aller italienischen Pferde!», murmelte Guerrini und lächelte ein wenig gequält. «Es ist nicht besonders höflich, Gästen sozusagen auf die Füße zu scheißen!»

«Aber es könnte Glück bringen», antwortete Laura. «Ich jedenfalls bin im Augenblick völlig zufrieden.»

«Und warum, wenn ich fragen darf?»

Laura wandte den Kopf und versuchte jedes Detail der Piazza della Signoria in sich aufzunehmen. Dann seufzte sie und sah Guerrini ernst an.

«Weil ich dieses alte bucklige Pflaster unter meinen Füßen spüre, dort drüben der David von Michelangelo steht, weil die Uffizien noch an ihrem Platz sind, der Medici-Brunnen, die Loggia dei Lanzi, weil die Tauben und Mauersegler um den Turm des Palazzo Vecchio kreisen, weil es nach Pferdeäpfeln riecht und weil es die Stadt meiner Mutter ist und damit auch meine Stadt! Reicht das?»

Guerrini starrte sie an, senkte dann verlegen den Blick.

«Ja, das reicht!»

Laura lehnte sich zurück, betrachtete den Commissario und fragte sich, warum er so verlegen war. Er sah viel zu gut aus, um verlegen zu sein. Männer wie er fingen normalerweise sofort einen heftigen Flirt an. Er trug keinen Ehering. Auch das war ungewöhnlich für einen Italiener seines Alters.

Vielleicht ist er schwul, dachte Laura. Eigentlich war sie froh, dass er nicht den Latin Lover spielte, froh, mitten in Florenz zu sitzen und den Schaum ihres Cappuccino aus der braunen Tasse zu löffeln.

Guerrini räusperte sich und blickte wieder auf.

Bernsteinaugen, dachte Laura. Wäre schade, wenn er schwul wäre. Sie musste über ihren Gedanken kichern, rief sich aber gleich wieder zur Ordnung.

«Ihre Mutter ist Florentinerin?»

Laura nickte.

«Deshalb Ihr Italienisch, nicht wahr?»

Wieder nickte Laura. Sie wollte ihm nicht erzählen, dass ihre Mutter tot war, beschloss, eine gewisse Distanz zu wahren, und war erleichtert, als Guerrini auf seine Uhr sah.

«Wir brauchen eine gute Stunde bis Siena. Doktor Granelli ist heute nur bis mittags in der Pathologie.»

Er bezahlte die Cappuccini, obwohl sie es nicht zulassen wollte. Dann ging er voraus, bahnte ihr den Weg durch die Touristenströme, die auch Ende September die Stadt füllten. Der Wagen stand in der Nähe des Bahnhofs.

Die Ausfallstraßen waren verstopft. Es war heiß, laut, stank nach Abgasen, aber Laura machte es nichts aus. Sie sah Rosen an abblätternden Hauswänden blühen, alte Frauen auf Stühlen neben der Straße sitzen, all die vertrauten italienischen Schilder. Wunderte sich, dass ein so lächerliches Wort wie «Bar» oder «Segafredo», nichts weiter als der Name einer Kaffeemarke, ein so außerordentliches Glücksgefühl in ihr auslösen konnte.

Es dauerte mehr als eine halbe Stunde, ehe sie endlich die Schnellstraße nach Siena erreichten. Guerrini schwieg, und Laura war dankbar dafür. Sie nahm die grünen Hügel in sich auf und ließ sich tief in den Sitz des Lancia sinken. Irgendwann, nach zehn oder zwanzig Kilometern, räusperte sich Guerrini.

«Ich sollte Ihnen ein wenig über den Fall erzählen. Denn es gibt schon einige Komplikationen. Meine Kollegen aus Montalcino sind überzeugt, dass ein junger Mann aus der Gegend der Täter ist. Er sitzt inzwischen in Untersuchungshaft. Und er war mit Sicherheit am Tatort. Seine Spuren waren überall. Er ist … wie soll ich es ausdrücken … etwas zurückgeblieben, geistig behindert. Und er hat mehrmals Frauen belästigt.»

Laura löste sich unwillig aus der köstlichen Erschlaffung und der Illusion, dass sie auf dem Weg in den Urlaub war.

«War er's?», fragte sie.

«Ich weiß es nicht.»

«Überhaupt nicht?»

Guerrini lächelte.

«Wenn ich meinem Instinkt folge, dann würde ich sagen, dass er es nicht war. Ich kann mir vorstellen, dass er sie gefunden hat, dass er sie auch berührt hat, weil er vermutlich noch nie eine Frau angefasst hatte, außer seiner Mutter vielleicht. Aber ich habe nicht mehr als eine vage Vorstellung und den Eindruck, den ich bei meinem Gespräch mit ihm bekam. Es war …», er warf Laura einen kurzen Blick zu, «… ein sehr merkwürdiges Gespräch.»

«Wieso merkwürdig?»

Guerrini antwortete erst, als er einen Lastwagen überholt hatte, der schwarze Rußwolken aus dem Auspuff stieß.

«Wir haben zusammen gesungen …» Er lächelte leicht.

«Gesungen?»

«Ja, gesungen. Laut. Der Polizist, der vor der Zelle auf mich wartete, hat mich hinterher angesehen, als hielte er mich auch für verrückt.»

Laura lachte leise.

«Und warum haben Sie gesungen?»

«Es war die einzige Art, an ihn heranzukommen.»

Laura nickte.

«Hat er was gesagt? Nach dem Singen?»

«Nein, eigentlich nicht. Er sagt nicht viel. Nur dass das Mädchen tot und kalt war. Das schien ihn sehr zu erschüttern.»

Monteriggioni, dachte Laura und schaute begeistert zu der kleinen mittelalterlichen Siedlung hinüber, die auf der rechten Seite der Schnellstraße auftauchte. Wie vor Hunderten von Jahren verbargen sich die Häuser hinter einer hohen Stadtmauer.

«Schön anzusehen, nicht wahr!», bemerkte Guerrini. «Aber nur aus der Ferne. Ist besetzt von Touristen, da hilft auch die Mauer nichts.»

Er ist nett, dachte Laura. Nett und ein bisschen seltsam. Wieder betrachtete sie ihn verstohlen von der Seite. Seine Nase war sehr gerade, wie die eines Römers, seine Lippen voll, der Mund kein bisschen verkniffen.

Ich sollte mich nicht für seine Lippen interessieren, dachte Laura, sondern für den Fall. Und sie gab diesem Land die Schuld daran, dass ihre Gedanken ständig abschweiften.

«Erzählen Sie mir von dieser deutschen Gruppe, Angelo.» Laura öffnete das Seitenfenster und hielt ihr Gesicht in den warmen Fahrtwind. Aber es fiel ihr noch immer schwer, sich zu konzentrieren, denn nun lag Siena vor ihr auf einem Hügel, und ihr Herz klopfte ein bisschen schneller.

«Jetzt sind es nur noch sieben Personen. Fünf Frauen und zwei Männer. Die Gruppe wird von einer Therapeutin geleitet. Soweit ich verstanden habe, handelt es sich um eine Selbsterfahrungsgruppe. Die trifft man immer wieder hier in der Toskana.»

«Ich weiß», murmelte Laura. «Die Zeitungen bei uns

sind voll von Angeboten. Es reicht von Trommeln über Meditation, Töpfern, Malen bis zu Psychogruppen aller Art.»

«Dann wissen Sie ja ungefähr Bescheid. Diese Gruppe hat sich einen ganz besonderen Platz ausgesucht. Ein aufgelassenes Kloster auf einem einsamen Hügel. Die Einheimischen halten den Ort für – na ja – verwünscht. Es gibt Leute, die behaupten, sie hätten nachts betende Mönche gesehen, obwohl das Kloster schon seit zweihundert Jahren verwaist ist.»

«Glauben Sie daran?», fragte Laura.

Guerrini bremste an einer roten Ampel und wandte sich ihr zu. Aus seinem offenen Hemdkragen lugten ein paar schwarze Härchen. Laura schaute weg.

«Nein», sagte er ruhig. «Nein, ich glaube nicht daran. Aber es ist trotzdem ein ungewöhnlicher Ort. Sie werden es selbst sehen.»

«Gibt es sonst noch jemanden in diesem Kloster?»

«Eine Menge Katzen und drei Französinnen, die eine separate Wohnung gemietet haben. Ich habe bisher nur kurz mit ihnen gesprochen. Die Deutschen sind ihnen unheimlich. Eine von ihnen hat gesagt, dass sie sich nicht über den Mordfall wundere. Sie hätten häufig Schreie gehört und schon überlegt, die Polizei zu informieren.»

«In Selbsterfahrungsgruppen wird hin und wieder geschrien», antwortete Laura. «Für Außenstehende kann das erschreckend sein.»

«Haben Sie mal eine mitgemacht?»

«Ja, vor ein paar Jahren.»

«Oh!», machte Guerrini und gab Gas. «Dann kennen Sie sich ja aus.»

«Ein bisschen.»

Sie hatten inzwischen die schmalen, dunklen Gassen

der Altstadt erreicht. Es ging steil bergan, über grobes Kopfsteinpflaster, die hohen Häuser schienen über ihren Köpfen zusammenzuwachsen, sperrten die Sonne aus.

«Wie geht es den Leuten, ich meine der Gruppe?», fragte Laura, während Guerrini den Wagen vor dem Spedale di Santa Maria della Scala, einem ehemaligen Krankenhaus gegenüber dem Dom von Siena, einparkte. Diese Gebäude wirkten, als wären sie aus dem toskanischen Boden gewachsen, die hellen Säulen des Doms ließen Laura an gedrechselte Knochen denken.

«Doktor Granelli hat seine Pathologie in einem Seitenflügel des Spedale», erklärte Guerrini. «Erschrecken Sie nicht, wenn Sie in sein Kabinett kommen. Es ist voller Horrorgestalten in Gläsern.»

Sie betraten den Haupteingang des Spedale, das eher wie ein riesiges Museum wirkte. Eine der gewaltigen Türen stand offen, und Laura erhaschte einen Blick in den ehemaligen Krankensaal auf der rechten Seite. Sie hatte es noch in Betrieb erlebt: Die Betten der Patienten waren damals nur durch Wandschirme voneinander getrennt gewesen, der Raum überdimensional, mindestens fünf Meter hoch, und sie hatte sich gefragt, wie man sich dort fühlen mochte, wenn man krank war. Vermutlich wie ein Zwerg, der von der Geschichte des Landes aufgesogen wurde. Mit einem leichten Schauder wandte sie sich ab und begegnete Guerrinis Augen.

«Ich bin hier geboren worden», sagte er leise. «Direkt aus den Mauern dieser Stadt.»

«Mit gedrehten Marmorknochen, nicht wahr?»

Er lachte auf.

«Hoffentlich mit geraden!»

Sie folgte ihm die breite Marmortreppe hinauf, durch endlose hohe Gänge, über schmale Stufen und durch kleine Flure und hatte bald das Gefühl, dass sie niemals aus diesem Labyrinth herausfinden würden. Endlich klopfte Guerrini an einer schweren Holztür und öffnete sie, nachdem von drinnen ein dumpfes, fernes *«Entrare»* zu hören war. Ein strenger Geruch nach Formaldehyd schlug ihnen entgegen. Der große Raum war so voll gestellt mit Vitrinen und Regalen, dass sie hintereinander gehen mussten. Laura starrte auf die unzähligen großen Glasbehälter, in denen tote Embryos mit riesigen Köpfen schwammen, übergroße Herzen, geschwollene Lebern, schwarze Lungenflügel, Tumore aller Arten und Größe.

Guerrini drehte sich zu ihr um und sah sie besorgt an.

«Ich habe Sie gewarnt, Laura. Es ist wirklich ein Horrorkabinett!»

«Gehen Sie weiter!», flüsterte Laura. «Nicht stehen bleiben.»

Hinter den Vitrinen öffnete sich der Raum in einen weiten Erker, vor dessen Fenstern ein riesiger Schreibtisch stand. Der Mensch hinter dem Tisch hob seinen runden kahlen Schädel und blickte ihnen entgegen. Die Brille hatte er auf seine spitze Nase geschoben.

«Ah, Guerrini!», rief er fröhlich. «Und das ist sicher die Commissaria aus Deutschland!» Er streckte Laura beide Hände entgegen, dünne, blau geäderte Greisenhände, die unerwartet warm waren, als sie nach ihnen griff.

«Setzt euch, setzt euch!», rief er geschäftig. «Ich habe nicht viel Zeit. Meine Vorlesung beginnt um zwei Uhr, und ich muss noch was essen. Meine Frau wartet auf mich.» Er schob einen unordentlichen Papierstapel hin und her, betastete mit einer Hand seinen kahlen Schädel, murmelte etwas Unverständliches, zog endlich ein Blatt hervor, las es kurz durch und richtete seine tiefblauen Augen auf Laura.

«Euer Opfer ist an einer massiven Gehirnblutung gestorben. Die Kopfverletzung war äußerlich nicht so schlimm. In einem günstigeren Fall hätte die Frau mit einer Gehirnerschütterung davonkommen können. Aber es gibt eben nicht nur günstige Fälle auf dieser Welt – niemand weiß warum. Ich kann nicht genau sagen, ob sie auf einen Stein gestürzt ist oder ob jemand versucht hat, sie zu erschlagen. Sie könnte noch ein paar Minuten bei Bewusstsein gewesen sein, mit Sicherheit hat sie noch mindestens eine oder zwei Stunden gelebt, ehe der Exitus eingetreten ist. Aber sie hat sich nicht selbst in diese Höhle zwischen den Wurzeln geschleppt. Es sieht so aus, als hätte jemand sie an den Beinen gezogen, denn im Gesicht, an Brust und Schultern habe ich minimale Abschürfungen festgestellt, sie hatte Sand in der Nase, zwischen den Zähnen und in einem Ohr.» Dr. Granelli legte das Blatt Papier auf den Schreibtisch und seufzte.

«Wurde sie sexuell misshandelt?», fragte Guerrini.

«Nein.» Der alte Mann schüttelte langsam den Kopf. «Hätte man sie nicht in dieser Höhle gefunden, dann würde ich diesen Tod für einen Unfall halten. Der Täter hat einen großen Fehler gemacht. Wenn er sie einfach liegen gelassen hätte, wäre niemals ein Mordverdacht aufgekommen.»

«Bis auf Ranas Spuren», murmelte Guerrini.

«Ja, bis auf Ranas Spuren. Aber ich habe mich kurz am Tatort umgesehen!» Der Dottore lächelte listig. «Ist dir aufgefallen, Guerrini, dass die Stiefelspuren direkt zur Höhle und wieder zurück verlaufen? Wenn du mich fragst, dann hat Rana die junge Frau in der Höhle gefunden, weil er nachts aus irgendwelchen Gründen umherstreift. Geistig Behinderte machen so etwas, und wenn mich nicht alles täuscht, war Vollmond, nicht wahr?»

«Aber die Spurensicherung hat keine anderen Abdrücke gefunden, nicht mal neben den Schleifspuren. Die Spuren der Deutschen, die Carolin Wolf gefunden haben, konnte man deutlich von älteren Spuren unterscheiden.» Guerrini stützte beide Ellbogen auf seine Oberschenkel und betrachtete seine gefalteten Hände.

«Es war trotzdem jemand da!», rief Granelli und wedelte aufgeregt mit einer Hand. «Jemand, der die Frau in das Versteck gezogen hat! Und was passiert, wenn du einen Körper hinter dir herschleifst?»

«Der Körper verwischt die Fußabdrücke!», erwiderte Laura langsam.

«Genau!», Granellis Augen blitzten triumphierend.

«Aber dann hätte der Körper auch Ranas Stiefelabdrücke verwischen können. Außerdem ist eine Besinnungslose sehr schwer. Rana ist kräftig. Ihm hätte es keine Mühe gemacht!»

Granelli runzelte missbilligend die Stirn, schaute dann auf seine Uhr und stand ein wenig mühsam auf. Erst jetzt sah Laura, wie klein er war.

Ein klein bucklig Männlein, dachte sie.

«Ich kann nur sagen, was mir aufgefallen ist!», brummelte er. «Den Täter müsst ihr suchen. Aber findet den Richtigen! Ich muss jetzt gehen, sonst mache ich meine Frau unglücklich.»

«Die Commissaria würde gern die Tote sehen!»

«Kann sie doch, kann sie doch! Sie liegt unten im Kühlfach und wartet auf euch. Ich kann euch leider nicht begleiten. Wenn ihr euch noch meine Trophäen ansehen wollt, dann tut das. Ich hoffe, wir sehen uns bald wieder! *Arrivederci!*» Erstaunlich behende lief er zwischen den Vitrinen hindurch zur Tür und war verschwunden, ehe sie seinen Gruß erwidern konnten.

«Das war Dottore Granelli!», lächelte Guerrini. «Er sagt nur, was nötig ist, hat immer sehr klare Vorstellungen und meistens Recht.»

«Haben Sie schon einmal erlebt, dass er Unrecht hatte?», fragte Laura und ging um den Schreibtisch herum zu den hohen Fenstern. Der Blick über die toskanische Landschaft war atemberaubend. Frisch gepflügte Felder tauchten die Hügel in ein warmes Rotbraun, das an manchen Stellen zu Ocker wurde.

Terra di Siena, dachte Laura, der Name der Farbmischung, die Mutter besonders gern für ihre Ölgemälde benutzt hat. Erde von Siena.

«Bisher nicht!», sagte Guerrini. Er stand neben ihr und schaute ebenfalls über das Land.

«Was?»

«Bisher habe ich nicht erlebt, dass er mal Unrecht hatte. Danach haben Sie mich doch gerade gefragt, Laura.»

«Ach so, ja», murmelte sie und folgte mit den Augen einer Reihe von Zypressen, die wie Ausrufezeichen einen Hügel vom Himmel trennten. Die Olivenbäume sahen von oben aus wie silbergrüne Schwämme, dicht und rund. Dorfnester drängten sich auf den Bergen zusammen, schmale Wege schlängelten sich zu ihnen hinauf.

«Sie waren lange nicht mehr hier, nicht wahr?», fragte Guerrini leise.

«Sehr lange», antwortete Laura und wandte sich um. «Gehen wir!»

«Keine Lust auf Granellis Gruselkabinett?»

«Nein! Ich werde auf den Boden schauen und ihren Füßen zur Tür folgen. Mir reicht der Anblick einer Leiche im Kühlfach. Ich brauche keinen eingeweckten Horror!»

Guerrini lachte leise und ging vor ihr zur Tür. Laura schenkte Granellis Gläsern keinen einzigen Blick und atmete auf, als sie wieder auf dem Flur standen.

«Als ich den Doktor zum ersten Mal besucht habe, wurde mir schlecht», gestand Guerrini. «Er hat mich nämlich herumgeführt und jedes Detail erklärt, der alte Schurke. Hinterher hat er mir einen Grappa eingeschenkt, der wie Formaldehyd schmeckte, und ich hatte den Verdacht, dass er mich auch präparieren wollte.»

Laura schüttelte sich und folgte ihm über endlose Treppen nach unten.

«Wollte er vielleicht auch. Aber ich finde, dass der Doktor ganz gut zu diesem Haus passt. Er ist der letzte Alchemist, ein Wiedergänger aus dem Mittelalter. Haben Sie schon eine seiner Vorlesungen gehört? Vielleicht lehrt er gar keine Pathologie, sondern Alchemie!»

«Möglich!», grinste Guerrini und hielt ihr eine schwere Eisentür auf, die zum Keller führte. «Davon abgesehen ist er aber einer der besten Gerichtsmediziner Italiens. Früher war er ständig auf internationalen Kongressen. Jetzt hat er keine Lust mehr dazu.»

Laura antwortete nicht. Sie spürte die plötzliche Kälte, das nackte Licht der Neonröhren. Der Totenkeller, dachte sie. Totenkeller sind überall gleich. Immer kalt, mit kaltem Licht und kalten Gängen und kalten Leibern, an deren Zehen ein Zettel hängt.

Der Totenwächter war blass, auf seinen Wangen und seinem Kinn zeichneten sich winzige schwarze Bartstoppeln ab. Er kannte Guerrini, nickte ihm zu.

«Die Deutsche?», fragte er.

«Ja, die Deutsche», antwortete der Commissario.

Der Totenwächter führte sie in einen großen Raum, dessen Wände aus Kühlfächern für Leichen bestanden, ging ohne zu zögern nach rechts und zog eine der Schubladen auf.

«Bitte!», sagte er und trat einen Schritt zurück.

Laura starrte auf den entsetzlich weißen Fuß, an dessen großem Zeh ein Zettel mit der Aufschrift «Carolin Wolf» befestigt war. Die Zehennägel waren orangefarben lackiert. Nur dieser Fuß lugte unter dem grünen Tuch hervor, mit dem die Leiche bedeckt war.

«Soll ich?», fragte Guerrini leise und näherte seine Hand dem Tuch.

«Warten Sie. Ich mach es selbst.»

Laura trat neben den Kopf der Toten und zog behutsam das Laken von ihrem Gesicht. Carolin trug im Tod einen beinahe trotzigen Ausdruck. Die blauen Lippen waren ein wenig zusammengekniffen, spöttisch, die Nase trat spitz hervor. Trotzdem war sie schön. Falls Granelli ihren Schädel geöffnet hatte, und das hatte er wohl, so konnte man nichts davon sehen. Das dunkelblonde Haar fiel weich um ihr Gesicht, die Schürfwunden zogen sich wie feine Nadelstreifen über ihre Wangen.

Laura betrachtete sie eine Weile, deckte sie dann wieder zu, setzte den nackten Körper der jungen Frau nicht ihren Blicken aus. Und dann fielen ihr plötzlich Sofias Worte ein, als sie von der Toten in der Isar erzählt hatte.

«Wenn jemand sie gestoßen hat, dann musst du den Mörder finden, Mama!»

Vielleicht, dachte sie, vielleicht ist auch Carolin gestoßen worden und fiel auf einen Stein. Das wäre eine Möglichkeit.

«Gehen wir!», sagte sie zu Guerrini. «Ich wollte nur ihr Gesicht sehen. Es ist eine Schande, dass sie so früh sterben musste!»

Guerrini nickte.

«Es ist immer eine Schande, wenn Menschen von anderen ermordet werden, nicht wahr? Ganz egal, ob im Krieg, aus Geldgier, Eifersucht oder sonst einem Grund. Ich werde mich nie daran gewöhnen!»

Als sie dem Totenwächter zunickten, ertönte aus Lauras Rucksack der schrille Ton ihres Handys. Sie musste eine Weile wühlen, ehe sie das Ding fand.

«Ja!», rief sie endlich in den Hörer.

«Wer ja? Bist du das, Laura?»

«Vater», seufzte sie. «Du hast ein echtes Talent, mich anzurufen, wenn ich gerade vor einer Leiche stehe.»

«Warum stehst du auch dauernd vor Leichen! Deine Mutter wäre nicht glücklich darüber. Es ist nicht gut für dich! Leichen haben etwas Deprimierendes!»

«Okay! Was hast du auf dem Herzen? Anrufe ins Ausland sind teuer, Vater! Für dich und für mich!»

«Es ist mir ganz egal, wie teuer das ist. Ich wollte deine Stimme hören und sicher sein, dass dieser verdammte Flieger dich gut nach Florenz gebracht hat!»

«Hat er, Vater. Ich bin inzwischen in Siena und wünschte, du könntest die Landschaft sehen!»

«Ich auch. Werd bloß nie so alt wie ich, mein Kind.»

«Wie geht's dir?»

«Schlecht! Wenn du nicht da bist, geht's mir immer schlecht. Soll ich diesen Baumann reinlassen, wenn er kommt?»

«Lass ihn rein, Vater. Er ist nett. Vielleicht könnt ihr Karten spielen. Das kann er nämlich auch!»

«Trinkt er Wein?», fragte Lauras Vater misstrauisch.

«Klar!»

«Na ja. Vielleicht lass ich ihn rein.»

«Bitte, Vater. Lass ihn rein und mach dir einen netten

Abend mit ihm. Ich bin sicher, dass er sogar was zu essen mitbringt!»

«Ich brauch nichts. Hab noch die Hälfte von dem Fraß, den sie heute Mittag abgeliefert haben. Wir müssen unbedingt einen Beschwerdebrief schreiben! Schweine kriegen besseres Fressen als wir alten Leute. Weißt du, was sie heute gebracht haben? Trockenen Schweinebraten mit dunkelbrauner Sauce und zermatschten Bohnen aus der Dose.»

«Schrecklich», sagte Laura.

«Ja, schrecklich! Die wollen uns umbringen mit ihrem Fraß, damit wir schnell abkratzen und der Staat Renten spart. Es ist ein Komplott. Da solltest du mal ermitteln. Bin sicher, dass du jede Menge Leichen findest, wenn du dem Mann folgst, der die Töpfe an die Alten liefert!»

«Jetzt übertreibst du, Vater.»

«Ach was! Die Leute essen das Zeug, bekommen einen Leberkollaps und sterben eines natürlichen Todes. Keiner kommt darauf, dass es Mord war!»

«Vater! Du wirst einen Kollaps bekommen, wenn du deine nächste Telefonrechnung siehst! Wir hören jetzt auf, ja? Neben mir steht ein italienischer Kollege und wird schon ganz ungeduldig!»

«Lass die dummen Ausreden. Was ist das für ein Kerl? Will er sich an dich ranmachen? Pass auf! Deine Mutter hat immer gesagt, dass man italienischen Männern …»

«Es reicht, Vater. Ich liebe dich, ich küsse dich, und jetzt mach dir einen schönen Abend mit Baumann. Aber vorher legst du dich noch zu einem Mittagsschlaf!»

«Kann ich nicht. Luca will mich in einer halben Stunde besuchen!»

«Dann leg dich hinterher hin. Ciao!»

Laura drückte entschlossen auf den Knopf, der das Gespräch unterbrach, und schloss kurz die Augen.

«Familie?», fragte Guerrini mitfühlend.

«Mein Vater.»

«Oh!», lächelte Guerrini mit ernsten Augen. «Ich habe auch einen.»

Im Hof der Abbadia war es unerträglich heiß. Selbst die Katzen hatten sich in den Schatten verzogen, kauerten unter den dichten Büschen der Nachtviolen, in Mauervertiefungen, unter den Autos, streckten erschlafft die Pfoten von sich. Katharina Sternheim lag auf dem schmalen Bett in ihrem Zimmer. Die Fensterläden waren geschlossen, sperrten die Hitze aus, verdunkelten den Raum. Siestazeit. Wie die Katzen hatten sich alle Mitglieder der Gruppe nach der Morgensitzung verkrochen.

Katharina schloss die Augen, lauschte den Schwalben, die auf der Telefonleitung über ihrem Fenster saßen, und fragte sich, was sie übersehen hatte. Es gab keinen Zweifel, dass sie etwas übersehen hatte. In dieser Gruppe lief etwas ab, was sie nicht fassen konnte. In der Vergangenheit hatte sie sich stets auf ihren Instinkt verlassen können. Aber diesmal ... Sie legte einen Arm über die Augen, um auch das letzte bisschen Licht abzuschirmen, begann eine Atemübung, doch es gelang ihr nicht, die rastlosen Gedanken anzuhalten, die wie Blitze schmerzhaft durch ihren Kopf jagten.

Am meisten war sie über sich selbst beunruhigt. Die Bestürzung über Carolins Tod hatte sich in eine seltsame Lust auf Rache verwandelt. Ja, geradezu in eine Wonne, die Mitglieder der Gruppe gnadenlos zu ihrer inneren Wahrheit zu führen, ihnen allen den Spiegel vorzuhalten, bis sie zusammenbrechen würden, bis der Mörder sich offenbaren musste. Aber Katharina kannte sich selbst zu gut, um nicht zu spüren, dass noch etwas anderes hinter diesem unbezähmbaren Antrieb steckte, den sie seit Carolins Tod in sich trug. Es war ... Sie erschrak so sehr, dass die verschwommene Ahnung sich in Nebel hüllte.

Ich muss schlafen, dachte sie. Ich brauche Ruhe. In zwei Stunden beginnt die Nachmittagssitzung. Wenn ich nicht schlafe, habe ich nachher zu wenig Kraft.

Sie konzentrierte sich auf den Atem, nur den Atem. Er strömte durch ihre Lungen, tief in ihren Bauch, bis zu den Zehen, entwich sanft, kehrte zurück. Atem ist Leben, dachte sie. Mit dem Atem kommen wir, mit dem Atem gehen wir. Im Atem finden wir Ruhe. Aus dem Atem wird unser Selbst geboren. All das hatte sie gelernt, bei vielen Meistern.

Katharina glitt in einen sanften Dämmerzustand, fuhr aber jäh zusammen, als ein Schlag durch ihren Körper fuhr, ein Gefühl zu stürzen.

«Mein Gott», flüsterte sie und richtete sich benommen auf. «Ich hasse sie. Alle. Ich hasse, wie sie mich aussaugen. Wie sie alle ihre Probleme auf mir abladen. Keiner von ihnen hat sich jemals die Mühe gemacht, sein Leben wirklich zu ändern. Sie suchen nur Bestätigung, dass sie nicht anders sein können!» Ihre Stimme wurde lauter, doch sie war sich dessen nicht bewusst. «Sie suhlen sich zwei Wochen lang in ihrer Verzweiflung und fahren dann nach Hause, um genau so weiterzumachen wie zuvor. Aber es geht ihnen besser, weil sie sich auf meine Kosten gesuhlt haben.»

Plötzlich hörte sie ihre eigene Stimme, die von den Wänden widerhallte, und verstummte erschrocken. Hatte jemand sie gehört? Rolf Berger und der geheimnisvolle Hubertus Hohenstein wohnten ebenfalls in diesem Seitentrakt des Klosters. Wieder durchfuhr eine Welle des Hasses ihren Körper. Dieser Berger provozierte sie, ließ sich auf nichts ein und schmolz ständig vor Selbstmitleid. Und Hubertus …? Er verbarg sich hinter einer Nebelwand. Verriet noch nicht einmal seinen Beruf.

Katharina rollte sich zur Seite und schaute auf den Wecker neben ihrem Bett. Fast drei Uhr. In einer Stunde würden sie sich wieder im Gruppenraum zusammenfinden. Sie fühlte sich zerschlagen. Es gab nicht einmal die Möglichkeit, das Ganze abzubrechen. Sie waren in diesem Kloster gefangen. Die Polizei hatte ihnen verboten abzureisen. Und die Gruppe hatte beschlossen weiterzumachen. Alle hatten für diesen Aufenthalt bezahlt, also wollten sie auch den Gegenwert, egal, ob jemand zu Tode kam oder nicht.

Katharina ließ sich wieder zurückfallen.

Vielleicht, dachte sie, ist der Tod dieses Mädchens ein Zeichen. Nichts geschieht ohne Grund. Auch das hatten die Meister immer wieder betont. Vielleicht musste sie, Katharina, diese Gruppe von Menschen zur Wahrheit führen, durfte es nicht zulassen, dass sie sich suhlten.

Seit Carolins Tod beobachtete sie jeden einzelnen genau, suchte Anzeichen von Schwäche oder Schuld. Sie war sicher, dass Rolf Berger eine sexuelle Beziehung zu Carolin gehabt hatte, und nicht nur zu ihr. Berger war in München Katharinas Patient. Einzeltherapie. Sie kannte seine Sucht nach Frauen. Er schreckte nicht einmal davor zurück, der krebskranken Rosa den Hof zu machen, flirtete mit der Krankenschwester Britta, ließ nur Monika, die burschikose Sekretärin, links liegen, was diese offensichtlich schmerzte, und behandelte Susanne, die Steuerbeamtin, auf eine sehr verletzende Weise ablehnend. Susanne war in diesem Spiel die eiskalte Beobachterin. Kannten sich die beiden? Katharina war sich nicht sicher. Und wo stand Hubertus? Er beobachtete ebenfalls, eher staunend, wie jemand, dem das Leben fremd ist, der aus einem tiefen Schlaf erwacht. Ein grauhaariger Gentleman mit gut verborgenem Lebenshunger. Wie er Carolin manchmal angesehen hatte …

Was war mit Britta und Monika? Britta schien ziemlich selbstbewusst und ließ Berger auf eine Weise abblitzen, die Katharina amüsierte. Ihn schien Brittas Art zu reizen, jedenfalls gab er nicht auf. Monika war ein eher harmloser Mensch, litt ständig an sich selbst und den anderen. Fühlte sich nicht in die Gruppe integriert. Und Rosa?

Der Atem. Ich vergesse den Atem, dachte Katharina. Ich vergesse, was ich meinen Klienten ständig einbläue. Sie zählte bis sieben, machte eine winzige Pause, wieder sieben. Einatmen, ausatmen.

Rosa, die Malerin, die vor dem Tod davonlief, direkt in Bergers Arme. Katharina hatte die beiden gesehen, in enger Umarmung, hinter den großen Schirmpinien auf der Nordseite der Abbadia.

Ich will sie nicht sehen, dachte Katharina. Keinen von ihnen. Ich sollte sie lieben und verstehen, aber ich kann es nicht. Liebte sie Carolin, die tote Carolin? Nein, nicht einmal sie. Carolin war stark gewesen, so heftig in ihren Wutausbrüchen, dass Katharina sie kaum halten konnte. Ihre Beziehung zu Berger war Ausdruck dieser Destruktivität, die bis zur Selbstzerstörung reichte. Sie war von einer ähnlichen Sucht besessen wie Berger – der Sucht nach Eroberung und Selbstbestätigung, nach jedem Mann, der in ihre Nähe kam.

Atmen, vergiss den Atem nicht! Tief in den Leib und

sanft wieder hinaus. Katharina setzte sich auf und kreuzte die Beine, versuchte zu meditieren. Es gab ein höheres Selbst, das ihr bisher stets geholfen hatte. Sie musste nur das Seil in die Hand nehmen, das dieses Wesen stets für sie bereithielt. Mit geschlossenen Augen, atmend, das Seil ergreifen und um Hilfe bitten, um Erleuchtung. Das Seil war da, sie fühlte es.

«Hilf mir, meinen Hass zu überwinden. Hilf mir, diese Menschen zu sich selbst zu führen!», flüsterte sie, ließ das Seil fahren und sank auf die Matratze zurück.

Das Schrillen des Weckers schreckte sie auf. War sie eingeschlafen? Zehn vor vier. Sie musste sich schnell frisch machen, durfte die anderen nicht warten lassen. Hatte sie Kraft? Sie wusste es nicht, war zu benommen. Bürstete einfach ihr Haar, wusch das Gesicht mit kaltem Wasser, zog eine frische Bluse an.

Drei vor vier. Katharina starrte in den Spiegel, über dessen Ränder sich blinde Schwären ausbreiteten, die sie an eine ansteckende Krankheit erinnerten. An Pocken oder Lepra.

Von draußen drang das Geknatter eines Mopeds herein, verstummte unter ihrem Fenster.

Wahrscheinlich ein Bauer, der telefonieren wollte. Sie stand ein paar Sekunden lang mit hängenden Schultern vor der Zimmertür, richtete sich endlich auf und legte die Hand auf die Klinke.

«Du hast die Kraft!», flüsterte sie tonlos. «Du wirst die Kraft haben. Du hast sie immer gehabt. Warum sollte sie dich jetzt verlassen?»

Sie kniff die Augen zusammen, öffnete die Tür und trat in den kühlen Flur hinaus. Ihre Beine bewegten sich. Sie würde die Treppe hinuntergehen, auf den heißen Hof hinaus, vielleicht eine Katze streicheln. Sie würde den

Hof überqueren, die Treppe zur Loggia hinaufsteigen, die große alte Holztür zum Gruppenraum aufmachen und ihre Arbeit tun. Als sie den Seitentrakt des Klosters verließ, begegnete sie dem neugierigen Blick des Bauern, der gerade die Telefonzelle betrat. Er starrte sie an. Katharina nickte und brachte ein Lächeln zustande. Doch er erwiderte es nicht, nickte nur und starrte hinter ihr her.

Keine der vielen Katzen ließ sich blicken, ein paar Tauben gurrten auf dem Dach. Die Blüten der Nachtviolen waren noch geschlossen, neben der Treppe leuchtete ein Büschel orangefarbener Ringelbumen. Katharina nahm all das in sich auf, sogar den feinen Sprung in einer der steinernen Stufen, den riesigen eisernen Türgriff und den löwenköpfigen Klopfer. Sie tastete mit ihren Fingern kurz über den Löwenkopf, umschloss ihn dann fest mit ihrer Hand und ließ ihn gegen die Tür knallen. Gut, wenn sie wussten, dass sie kam. Dass etwas sich verändert hatte.

Als sie den Gruppenraum betrat, waren alle Augen auf sie gerichtet. Vollzählig saßen ihre Klienten auf dem großen Teppich, den Katharina bei ihrer Ankunft vor einer Woche über den rohen Ziegelboden gebreitet hatte. Sie neigte den Kopf, nahm auf ihrem Meditationskissen Platz und sagte leise: «Zehn Minuten mit geschlossenen Augen sitzen. Auf den Atem achten. Wirbelsäule gerade, Hände offen auf die Oberschenkel.» Sie nahm die kleine Glocke auf, die vor ihr auf dem Boden stand, ließ sie einmal erklingen und schloss die Augen. Kein Laut war zu hören. Ein plötzliches Gefühl von Macht durchströmte Katharina, verdrängte die Kraftlosigkeit. Als die zehn Minuten um waren, schlug sie erneut die Glocke an und betrachtete lange und forschend jeden der Menschen, die im Kreis um sie herum saßen. Einige hielten ihrem Blick stand, andere senkten die Augen, ruckten unruhig umher.

Erleichtertes Seufzen ging durch die Runde, als Katharina endlich die Augen abwandte und die übliche Frage stellte:

«Was liegt an?»

Rosa räusperte sich.

«Ja?» Katharina richtete erneut ihren Blick auf die Malerin, durchdringend, genoss die Beunruhigung, die ihre Augen auslösten. Rosa neigte zum Plaudern, zu tausend Geschichten, die sie immer weiter weg von sich selbst, weg vom Eigentlichen führten. Katharina würde nicht mehr zulassen, dass sie plapperte. Hatte es satt.

Rosa zog die Schultern hoch.

«Lass sie fallen!», sagte Katharina. «Spürst du, was du machst? Atme!»

Gehorsam atmete Rosa, versuchte die Schultern zu senken, ihre Schlüsselbeine traten deutlich hervor und die Sehnen ihres Halses. Ihr Atem wurde schneller, ging in ein trockenes Schluchzen über.

«Atme weiter!», sagte Katharina.

Die anderen starrten vor sich hin. Eine Katze warf sich gegen eines der Fenster, forderte Einlass, schrie. Sie achteten nicht darauf.

«Ich kann nicht mehr in meinem Zimmer schlafen», flüsterte Rosa. «Ich bin die Einzige, die allein schläft, außer dir, Katharina. Jede Nacht habe ich Albträume. Dieses Bett mit den Säulen und der schwarze Schrank. Ich habe es schon ein paar Mal gesagt, dass ich mir vorkomme wie in einer Totenhalle. Als würde ich selbst in einem Sarg liegen. Ich halte das nicht mehr aus.»

Katharina spielte mit der kleinen Glocke, hielt den Klöppel fest, ließ Rosa warten. Eine Minute, zwei.

«Du selbst hast dir dieses Zimmer ausgesucht», sagte sie schließlich langsam. «Du bist als eine der Ersten hier angekommen und warst ganz wild darauf, ein Einzelzimmer zu bekommen. Du wolltest allein sein, oder irre ich mich?»

Rosa schluckte, rang nach Luft.

«Ich weiß. Ja, ich hab es mir ausgesucht. Aber jetzt hat sich die Situation verändert. Ich finde das Zimmer grauenvoll. Dabei stimmt alles – die Architektur, die Farben, die antiken Möbel. Aber es macht mir Angst, verstehst du? Richtig Panik. Ich könnte schreien, wenn ich nur daran denke!»

«Du kannst schreien! Hier ist der Ort zum Schreien. Atme und lass es kommen!»

Rosa krampfte ihre Hände ineinander. Tränen liefen über ihre eingefallenen Wangen.

«Ich will aber nicht schreien! Ich habe keine Lust, mich vor allen hier zu exhibitionieren. Alles was ich will, ist ein anderes Zimmer. Nichts als ein anderes Zimmer. In meinem wohnt der Tod, ein schwarzer schrecklicher Tod. Vielleicht ist dort einer der Mönche gestorben oder ermordet worden. Ich halte es nicht mehr aus!» Jetzt schrie sie doch, oder jedenfalls beinahe.

«Lass sie in Ruhe!», sagte Rolf Berger in die Stille hinein, die Rosas Ausbruch folgte. Er strich die Haarsträhne zurück, die ihm stets über die Stirn rutschte, und sah Katharina herausfordernd an.

«Halt den Mund!», erwiderte sie knapp. «Ich arbeite mit Rosa! Oder bist du hier der Therapeut?»

Er presste die Lippen zusammen und schüttelte den Kopf.

«Ich finde es nur schlimm, wie du mit Rosa umgehst. Wir wissen alle, dass sie krank ist!»

«Ja, das wissen wir!» Katharinas Stimme klang eisig.

«Ach ja? Warum handelst du dann nicht danach?» Rolf Bergers Lippen zitterten.

«Weil niemand durch Schonung gesund wird! Du auch nicht!»

Bergers Lippen zitterten noch heftiger, dann liefen Tränen über seine Wangen, Zeitlupentränen, sammelten sich an seiner Nasenspitze, tropften auf sein T-Shirt.

Ich hasse dich, dachte Katharina. Ich hasse deine Sentimentalität und dieses ewige Selbstmitleid. Ich habe es schon in München gehasst, mir nur nicht erlaubt, es zu hassen. Wahrscheinlich sitzt du genauso vor deiner Frau, wenn sie dich wegen deiner Affären zur Rede stellt. Ein armer unverstandener Junge, der mit seiner unendlichen Sensibilität alle anderen terrorisiert.

«Können wir das so stehen lassen?», fragte sie und erschrak über die Routine, mit der sie diesen Therapeutensatz in den Raum stellte.

Bergers Tränen flossen weiter, doch er sagte nichts mehr. Hubertus reichte ihm ein Stück von der Küchenrolle, die stets bereitlag. Rosa lehnte mit geschlossenen Augen und gekreuzten Beinen an der Wand.

«Hast du Lust, ein bisschen mehr zu machen?», fragte Katharina. «Dann würde ich dich bitten aufzustehen. Aber nur, wenn du wirklich willst!»

Rosa nickte leicht und erhob sich unsicher. Katharina stand ebenfalls auf und stellte sich eine Armlänge entfernt von Rosa auf. Die anderen schauten weg, auf ihre Füße, auf die Wand, das Fenster.

«Lass dich atmen, einfach nur atmen!» Katharinas Stimme war jetzt sanft.

Rosa atmete. Es fiel ihr schwer. In den Lungen schien ein Widerstand zu sitzen, ein Klumpen. Sie atmete flach, keuchend.

«Beug dich nach vorn und lass die Arme hängen!», sagte Katharina.

Rosa knickte ein, ihr Oberkörper neigte sich, ihre Hände berührten beinahe den Boden. So ging das Atmen leichter. Aber ihr wurde schwindlig. Die Angst, die sie seit Tagen gewaltsam zurückdrängte, kroch wie ein kaltes schwarzes Tier durch ihren Körper.

«Ich kann nicht!», flüsterte sie.

«Doch, du kannst», erwiderte Katharina.

«Nein, ich kann nicht! Nein, nein, nein!» Rosa schrie auf den Boden, mit rotem Gesicht. Spucke lief aus ihrem Mund. Niemand sah hin, nur Katharina.

«Doch, du kannst!», wiederholte sie. «Was macht dir solche Angst, Rosa?»

Rosa krümmte sich zusammen, warf sich auf den Boden, schlug kraftlos mit den Fäusten auf den Teppich. Katharina kniete neben ihr, legte eine Hand auf ihren Rücken.

«Atme!», befahl sie, fühlte Schweiß zwischen ihren Brüsten und über ihren Rücken rinnen.

«Lass es raus, Rosa. Warum kämpfst du so dagegen? Es kostet so viel Kraft. Du brauchst deine Kraft für andere Dinge, wichtigere!»

Plötzlich verstummte Rosa, lag still. Katharinas Hand ruhte auf ihrem Rücken, sanft und doch spürbar, massierte jetzt leicht.

«Ich sterbe!» Rosas Stimme war so leise, dass die anderen sich ein wenig vorbeugten, um sie zu verstehen. «Ich sterbe, aber ich bin eigentlich schon tot. Ich tu nur so, als würde ich leben. Ich bin tot, weil ich nichts empfinde – nur diese Angst. Ich tu so, als würde ich die Meditationen genießen, unsere einsamen Spaziergänge. Ich tu so, weil alle anderen auch so tun! Aber ich tu nur so!» Sie drehte den Kopf zur Seite, und ihr Gesicht verzerrte sich vor Schmerz.

«Atme!»

«Sag das nicht!» Rosa schrie jetzt, doch Katharina zuckte nicht einmal zusammen. Nur die anderen zuckten. «Sag nicht, dass ich atmen soll! Ich kann nicht atmen. Ich ersticke. Ich ersticke daran, dass ich nichts empfinde. Wisst ihr, was ich gedacht habe, als ich Carolin fand? Gut, dass es nicht mich getroffen hat, hab ich gedacht!» Rosa lachte heiser auf und drehte sich auf den Rücken, schlug Katharinas Hand weg.

«Ich liebe niemanden, versteht ihr? Nicht meinen Mann, nicht meine Tochter und auch nicht den Hund. Aber ich bleibe bei ihnen, weil ich mich sicherer fühle, wenn sie da sind … Es hält diese schwarze Angst ein bisschen ab, wenn ich einen Mann und eine Tochter habe … Aber jetzt hat sie sich in meiner Brust festgefressen, diese schwarze Angst, und sie sitzt in diesem verdammten Zimmer!»

«Was ist mit dem Zimmer?» Katharina ließ Rosa nicht aus.

Rosa warf sich hin und her, als litte sie unter starken Schmerzen.

«Ich bin allein in dem Zimmer», flüsterte sie endlich. «Zu Hause bin ich auch allein in meinem Zimmer. Ich schlafe allein, arbeite allein. Ich bilde mir ein, dass ich es so will. Aber es ist eine verdammte Lüge!» Sie richtete sich auf und starrte Katharina an. «Ich will nicht allein sein! Ich bin allein, weil ich diese Angst habe. Weil ich niemanden ertrage. Wenn jemand bei mir ist, dann spüre ich so deutlich, dass ich nicht liebe. Es ist …»

«Was ist?» Katharina warf einen schnellen Blick in die Runde. Berger weinte noch immer. Die anderen starrten vor sich hin.

«Ich … habe so viel Wut in mir. Manchmal denke ich,

dass ich jemanden umbringen könnte ... nur, um endlich diese Wut loszuwerden!»

«Du musst niemanden umbringen, Rosa. Du musst sie nur zulassen, diese Wut. Sie kann sich verwandeln, verstehst du? Mit deiner Wut kannst du andere Bilder malen als bisher. Anders leben. Vielleicht sogar wieder lieben.»

Rosa schüttelte heftig den Kopf.

«Ich habe Krebs», sagte sie heiser. «Mir bleibt keine Zeit mehr.»

«Wir bekommen alle die Zeit, die wir brauchen, Rosa.» Katharina lauschte ihren eigenen Worten nach. Stimmte das? Es entsprach der Lehre der Meister. Aber stimmte es wirklich? Hatte Carolin die Zeit bekommen, die sie brauchte? Würde die Zeit für Rosa ausreichen? Für sie selbst?

«Mist!» Rolf Bergers Stimme klang schneidend. «Ich bin wirklich neugierig darauf, was du sagst, wenn du einmal Krebs bekommst!»

Katharina wandte ihm langsam ihr Gesicht zu.

«Es reicht!», sagte sie müde. «Wenn du nicht begreifst, dass wir keine Diskussionsrunden haben, sondern Therapie machen, dann ist hier nicht der richtige Platz für dich!»

Er hob den Kopf und lächelte plötzlich unter Tränen. Es war kein freundliches Lächeln.

«Du kannst mich nicht loswerden!», meinte er. «Wir müssen zusammenbleiben, bis die Polizei uns scheidet, nicht wahr?»

Katharina atmete. Der Atem half ihr, eine Antwort zu finden.

«Was für diesen Augenblick gilt, hat nichts mit der Zukunft zu tun. Ich möchte die Einzeltherapie mit dir nicht mehr fortsetzen.»

Rolf Berger starrte sie an, die anderen vergaßen zu atmen.

«Ich auch nicht!», murmelte er endlich, und seine Tränen flossen scheinbar unaufhaltsam.

Katharina legte ihre Hand auf Rosas Schulter.

«Wo möchtest du in Zukunft schlafen, Rosa?»

Rosa wischte mit dem Handrücken über ihre Nase und schloss kurz die Augen.

«Hier im Gruppenraum!», antwortete sie. «In der Nähe der anderen Frauen. Hier … unterm Fenster könnte ich mir ein Bett machen. Dann kann ich nachts den Mond sehen und eine Katze reinlassen. Ich mag Katzen.»

«In Ordnung», murmelte Katharina. «Ich möchte dich nur davor warnen, dass in einem Gruppenraum starke Energien herrschen. Aber vielleicht brauchst du das.»

«Danke!» Rosa wollte an ihren Platz zurückkriechen, doch Katharina hielt sie fest.

«Ich glaube, wir sind noch nicht fertig!»

Rosa setzte sich auf, senkte den Kopf.

«Mir reicht's», flüsterte sie.

«Ich würde gern mit dir noch einmal zu deiner Ankunft zurückgehen. Versuch dich zu erinnern. Wie war es, als du aus dem Wagen deines Mannes gestiegen bist, der ja immerhin so freundlich war, dich hier abzusetzen. Was hast du gemacht?»

Verwirrt schüttelte Rosa den Kopf, sah Hilfe suchend zu Rolf Berger hinüber, doch der hielt seine Augen geschlossen. Tränen glänzten auf seinen Wangen. Er machte sich nicht die Mühe, sie abzuwischen. Rosa knetete verlegen ihre nackten Füße.

«Ich weiß nicht genau. Ich … bin eben ausgestiegen. Und dann hab ich mich umgesehen und diesen Platz sehr schön gefunden. Ich habe die Katzen gestreichelt, und du hast mich begrüßt, da war auch Rolf … und, ich glaube, Britta und Susanne. Wir haben uns unterhalten.»

Katharina schloss kurz die Augen und seufzte kaum hörbar.

«Was hast du gemacht?»

«Was soll ich denn gemacht haben?», schrie Rosa.

«Versuch dich zu erinnern.»

«Ich … ich bin rumgelaufen, hab mir die Gebäude angesehen und …»

«Ja?» Katharina richtete ihre großen, durchdringenden Augen auf Rosa.

«Ich hab dieses Zimmer entdeckt und gesagt, dass ich es haben will.»

Katharina nickte.

«Du hast nicht einmal gefragt, ob es frei ist. Du hast es dir einfach genommen.»

«Aber es war ja frei! Weil alle anderen mit jemandem das Zimmer teilen wollten.»

«Ja, Rosa. Aber das hast du erst hinterher erfahren. Du warst die Einzige, die freiwillig allein blieb. Klar, bei einer Gruppe von sieben Leuten muss einer allein bleiben, falls er oder sie nicht in ein Zimmer mit zwei anderen ziehen will. Warum aber du, Rosa?»

Rosa umklammerte beide Füße.

«Weil … weil ich so eine Nähe nicht aushalte. Ich brauche Raum. Am liebsten würde ich allein leben. Aber ich trau mich nicht, weil ich es finanziell nicht schaffe. Ich verdiene nicht genug mit meinen Bildern … Schau mich nicht so an. Ich bin feige! Ja! Ich gehe den bequemen Weg! Ist das so schlimm?»

«Nein», erwiderte Katharina sanft, «es ist nicht schlimm. Es könnte dich nur umbringen, Rosa.»

So still war es in dem großen Raum, dass das Summen einer Fliege schmerzhaft laut erschien. Nach einigen endlosen Minuten räusperte sich Rosa, fuhr mit den Fingern durch ihr kurzes nass geschwitztes Haar und wisperte endlich:

«Ja, das könnte es. Es könnte mich umbringen.»

Blaue Schatten bildeten sich am Waldrand und zwischen den Hügeln, wuchsen mit dem Sinken der Sonne. Laura Gottberg stand neben dem Wagen und betrachtete ihren eigenen Schatten, der immer länger wurde und ganz am Ende einen lächerlich kleinen Kopf zeigte. Guerrinis Schatten sah nicht besser aus. Sie hatten sich in zwei seltsame Riesen verwandelt, mit Spinnenarmen und Spinnenbeinen.

«Ombra della sera», sagte Guerrini. «Kennen Sie die etruskische Skulptur aus dem Museum von Volterra?»

Laura nickte lächelnd.

«Auf meinem Schreibtisch steht sogar eine Nachbildung. *Abendschatten.* Ein Geschenk meiner Mutter.»

«Meine Nachbildung steht auf dem Fensterbrett im Wohnzimmer. Ich hab sie mir selbst geschenkt. Für zwanzigtausend Lire.»

«Wie groß ist sie?»

Guerrini beschrieb mit seinen Händen einen Abstand von etwa zwanzig Zentimetern.

«Meine auch!»

Sie lachten gleichzeitig los, senkten gleich darauf verlegen die Köpfe. Die Schattenriesen auf der rötlichen Erde schrumpften ein wenig. Guerrini räusperte sich.

«Da oben liegt die Abbadia.»

Laura legte den Kopf in den Nacken und schaute zu

dem mächtigen Gebäude hinauf, das von der tief stehenden Sonne in grelles Licht getaucht wurde.

«Und da unten …», Guerrini wandte sich um und wies auf das bewaldete Tal und das Bachbett, «… da unten wurde die Tote gefunden.»

«Ich würde mir den Ort gern ansehen, ehe wir zur Abbadia fahren.»

Guerrini nickte und betätigte die Zentralverriegelung seines Wagens. Sie folgten einem Feldweg, der zwischen den verdorrten Grasbüscheln kaum noch zu erkennen war, überquerten die vertrocknete Wiese und standen endlich am Bachbett. Guerrini reichte Laura eine Hand, um ihr über Wurzeln und Steinbrocken zu helfen. Sie spürte die Wärme dieser Hand bis in die Schulter strömen. Er hielt ihre Hand länger als nötig, erklärte dabei die Spuren, die gesichert worden waren, schien diesen Augenblick des Zulange nicht zu bemerken.

Laura zog ihre Hand weg. Der eine Arm fühlte sich noch immer wärmer an als der andere.

Ich will nicht, dachte sie. Ich kenne das, und ich will nicht. Es hat keinen Sinn.

Schweigend folgten sie dem ausgetrockneten Bachbett, der Sand knirschte unter ihren Füßen.

«Hier!» Guerrini beugte sich zu einer Wurzelhöhle hinab.

«Und wo begannen die Schleifspuren?», fragte Laura.

«Dort drüben!» Er richtete sich wieder auf und ging vor ihr her zum anderen Ufer. An dieser Stelle hatte der Bach große runde Steine aus der Erde gewaschen. Sie schimmerten ein wenig im letzten Licht, das durch die Blätter drang. Laura drehte sich langsam, nahm den Ort in sich auf. Die überhängenden Bäume, die verschlungenen Äste, das Dämmerlicht, den leichten Modergeruch, der von den Tümpeln aufstieg. Es war ein Platz, um von der Hitze des Tages auszuruhen, um auf Steinen und Wurzeln zu sitzen. Eigentlich ein Ort, um Leben zu spüren, kein Ort zum Sterben.

«Vielleicht ist sie ausgerutscht, und Giuseppe hat sie gefunden. In seinem Schrecken hat er sie dann zwischen den Wurzeln versteckt. Giuseppe hat ungeheure Angst. Vielleicht wollte er sie genau ansehen. Eine Frau, die ihn nicht vertreibt ...» Guerrini machte eine vage Handbewegung.

«Sie wünschen sich, dass der Junge nichts damit zu tun hat, nicht wahr, Angelo?»

Er senkte den Kopf und strich sich übers Haar, ließ dann die Hand fallen.

«Ja. Ja, ich wünsche mir, dass er nichts damit zu tun hat. Ich weiß selbst nicht warum. Ich kenne ihn kaum. Er ... hat etwas sehr Ursprüngliches. Eine unfassbare Verbindung zu diesem Land. Er singt alte Lieder, und er kann das Weinen der Stachelschweine imitieren, als wäre er selbst ein trauriges ängstliches Stachelschwein ...»

«Wie weinen Stachelschweine?», fragte Laura.

Guerrini spreizte die Finger beider Hände und betrachtete sie lange.

«Es ist ein Ton, der keinen Menschen unberührt lässt. Nicht einmal Jäger, die auf Stachelschweine aus sind. Eine Art Urton der Trauer vielleicht ... ein Klagen über die Grausamkeit, den Tod, die Angst ... Vielleicht werden Sie das Weinen vernehmen, wenn Sie ein paar Tage und Nächte hier verbringen, Laura.»

«Ich würde ihn gern kennen lernen, diesen Giuseppe Rana», antwortete Laura leise.

«Vielleicht nehme ich Sie mit, wenn ich ihn das nächste Mal in seiner Zelle besuche», murmelte Guerrini.

«Vielleicht?»

«Ja, vielleicht. Es kommt darauf an, wie es ihm geht. Er ist es nicht gewöhnt, eingesperrt zu sein. Er muss umherstreifen, wenn Sie verstehen, was ich meine.»

Laura konnte Guerrinis Gesicht mehr erahnen als erkennen. Im Schatten der Bäume breitete sich bereits die Nacht aus.

«Seltsam, dass Sie ihn so gut verstehen, obwohl Sie ihn kaum kennen», sagte sie.

«Ja, seltsam!», antwortete er beinahe schroff. «Gehen wir zum Auto. Ich bin gespannt, was Sie von den Menschen in der Abbadia halten!»

Sie kehrten zügig zum Wagen zurück. Wieder reichte Guerrini ihr die Hand, doch die Wärme der ersten Berührung blieb diesmal aus. Erst als der Lancia den steilen Hügel erklomm, fielen die nächsten Sätze.

«Diese Frau. Diese Katharina Sternheim ist auch ungewöhnlich», meinte Guerrini. «Ich glaube, dass sie etwas weiß oder ahnt. Aber ich bin mir nicht sicher, dass sie etwas sagen wird. Es ist ihre Gruppe, und sie fühlt sich verantwortlich. Jedenfalls hat sie eine merkwürdige Andeutung gemacht, als ich mit ihr zu sprechen versuchte. Sie sagte: ‹Ich glaube nicht, dass es ein Fremder war!› Diese Feststellung hat ihr sofort Leid getan, sie ist erschrocken. Deshalb ist es so wichtig, dass Sie hier sind, Laura.»

Laura antwortete nicht. Sie starrte auf die großen Gebäude, die jetzt im letzten Sonnenlicht vor ihnen lagen. Die Gruppe hatte sich tatsächlich einen phantastischen Platz ausgesucht, der unendlich weit von der übrigen Welt entfernt schien. Als der Wagen auf den Innenhof des Klosters rollte, nahm Laura eine Bewegung auf der großen Veranda wahr. Köpfe reckten sich, Menschen erhoben sich halb.

«Sie sind gerade beim Abendessen», bemerkte Guerrini. «Ich würde wirklich gern wissen, wie es denen geht.»

«Das werden wir jetzt herausfinden!» Laura öffnete die Wagentür. «Dazu bin ich schließlich gekommen, oder?»

Guerrini verzog das Gesicht zu einem Lächeln, das seine Augen nicht erreichte. Und Laura fragte sich, was sich bei ihrem Gespräch am Tatort verändert hatte. Doch es spielte jetzt keine Rolle. Sie stieg langsam aus und schaute währenddessen zu den Menschen auf der Veranda hinüber. Die starrten zurück. Als Laura auf die breite Steintreppe zur Veranda zuging, lief eine Katze vor ihr her, weiß, mit zwei schwarzen Flecken auf dem Rücken. Ein großer Busch Nachtviolen bewegte sich leicht im Wind. Süßer Blütenduft stieg auf, begleitete Laura auf den Stufen, an deren Ende eine etwa sechzigjährige Frau sie erwartete.

«Ich bin Katharina Sternheim.» Aufrecht stand sie vor Laura, mit wachsamen forschenden Augen, und streckte ihr langsam eine Hand entgegen. «Ich nehme an, dass Sie die deutsche Kollegin sind, die von Commissario Guerrini angefordert wurde.»

Laura nickte und drückte ihr kurz die Hand. Ein fester, beinahe harter Griff.

«Laura Gottberg. Ich bin von der Kripo München. Essen Sie nur weiter. Guerrini und ich werden warten.»

«Nein, bitte setzen Sie sich zu uns. Es gibt Käse, Brot, Wein und Obst. Sie können gern mit uns essen. Essen hilft, wenn man sich kennen lernen muss!» Katharina Sternheim winkte Guerrini zu, der nun ebenfalls auf der Treppe stand. Laura registrierte die Wortwahl der Therapeutin: kennen lernen *muss*! Sie hatte Recht. Vermutlich wollte niemand eine Kommissarin kennen lernen – hier in der Toskana, in einem verwunschenen Kloster.

«Danke», antwortete Laura deshalb. «Ich bin tatsächlich etwas hungrig. Wir können uns ja später einzeln vorstellen, nicht wahr?»

Die Menschen auf den beiden langen Bänken rückten ein wenig zur Seite, um den Polizeibeamten Platz zu machen. Niemand sagte etwas. Als Laura sich setzte, sprang eine Katze neben sie und drängte heftig den Kopf gegen ihren Arm.

«Geben Sie ihr einen Schubs!», sagte Katharina. «Sie betteln auf unverschämte Weise, und außerdem haben sie Flöhe!»

Laura sah in das lächelnde Gesicht des Mannes, der ihr gegenübersaß. Er hatte rosige Wangen und kaum Falten, obwohl er sicher Ende fünfzig war. Sein graues Haar war voll und gut geschnitten, seine Augen hell und freundlich.

«Es stimmt!», sagte er mit weicher Stimme. «Sie haben wirklich Flöhe. Und die beißen! Mein Name ist Hubertus Hohenstein.» Er deutete mit seinem Oberkörper eine leichte Verbeugung an.

Laura schob die Katze sanft von der Bank. Das Tier antwortete mit einem klagenden Aufschrei.

«Hören Sie nicht auf diesen Protest», sagte Hohenstein. «Wir füttern sie reichlich. Außerdem kommt jeden Tag die Verwalterin des Klosters und füttert sie ebenfalls.»

«Danke für den Tipp», erwiderte Laura und lächelte. «Ich bin nicht scharf auf Flöhe!»

Katharina reichte Guerrini und Laura Teller, wies auf die Käseplatte und den Obstkorb und schenkte beiden ein Glas Rotwein ein.

«Zum Wohl! Salute! Willkommen im Kreis der Verdächtigen!» Alle starrten den zweiten Mann der Gruppe an, der sich halb erhoben hatte und sein Glas hochhielt. Laura empfand spontanen Widerwillen gegen ihn. Er sah nicht schlecht aus, beinahe hübsch. Groß, schlaksig, braunes Haar, das ihm ein wenig in die Stirn fiel. Doch seine Augen unter den langen Wimpern waren zu klein, sein Mund zu weich. Als niemand seinen Toast erwiderte, trank er einen großen Schluck und setzte sich wieder.

«Dann eben nicht!», sagte er mit brüchiger Stimme. «Meiner Meinung nach sollten wir das Beste aus dieser verrückten Situation machen. Mein Name ist übrigens Berger, Rolf Berger! Für Ihre Akten!»

«Ich denke, das hat Zeit!», erwiderte Laura kühl. «Ich kann mir vorstellen, dass Sie alle unter großer seelischer Anspannung stehen. Ich werde mich in den nächsten Tagen mit Ihnen unterhalten. Mit jedem einzeln, vielleicht aber auch mit der Gruppe. Das wird sich ergeben. Ich bin mit Commissario Guerrini nur hergekommen, um mich vorzustellen und Ihnen zu erzählen, dass die deutsche und die italienische Polizei in diesem Fall zusammenarbeiten.»

Eine große, magere Frau sprang auf, hielt sich an einer der Säulen fest und murmelte, dass ihr nicht gut sei. Eine zweite Frau stützte sie und führte sie ins Haus.

Laura warf Katharina Sternheim einen fragenden Blick zu.

«Das war Rosa Perl. Sie ist wirklich krank. Britta Wieland ist Krankenschwester und kümmert sich um sie. Wirklich ein Glück, dass wir zufällig eine Krankenschwester in der Gruppe haben.»

«Was fehlt Rosa Perl?», fragte Laura.

«Sie hat Krebs!» Es war Rolf Berger, der antwortete, und seine Antwort klang scharf, beinahe schrill, wie eine Kampfansage.

Laura nickte leicht. Die Anstrengung der letzten Tage ergriff plötzlich von ihrem Körper Besitz. Ihr Rücken schmerzte, irgendwo in der Gegend der Lendenwirbel.

Sie fragte sich, warum dieser Berger so angriffslustig war, sich derartig hervortat. Nach Lauras Erfahrungen hatte irrationale Wut meist etwas mit Schuldgefühlen zu tun. Sie trank einen Schluck Wein, nahm vom Käse, brach eines der großen Stücke Ciabatta, die in einem Korb lagen. Der Wein war gut, samtig und trocken zugleich.

Vater würde ihn schätzen, dachte sie. Ich werde ihm ein paar Flaschen mitbringen. Rosso di Montalcino.

Ein sanfter Wind wehte von den entfernten Hügeln im Westen, zauste die Geranien, die in großen Terrakottakübeln wuchsen. Am Himmel gingen die ersten Sterne auf, unversehens blitzten sie in der noch rosigen Dämmerung.

«Haben Sie mit Carolins Eltern gesprochen?» Eine schüchterne Stimme brach das Schweigen. Sie gehörte einer kleinen rundlichen Frau um die dreißig mit praktischem Haarschnitt und kräftigen Oberarmen.

«Ja, das habe ich», antwortete Laura.

«Es muss schlimm gewesen sein.» Die Frau zuckte zusammen, als eine Katze neben ihr auf die Bank sprang, erstarrte sie.

Hubertus Hohenstein verjagte das Tier.

«Danke!», flüsterte die Frau. «Sie müssen wissen, dass ich an einer Katzenphobie leide.»

«Dann ist das hier genau der richtige Platz, um sie loszuwerden», lächelte Laura.

«Vielleicht», seufzte die Frau. «Es ist schon ein bisschen besser geworden. Aber sagen Sie, wie haben Carolins Eltern die Nachricht aufgenommen? Ich hab viel an sie denken müssen in den letzten Tagen.»

«Sie waren erschüttert, ja verzweifelt, aber letztlich sehr gefasst. Ich habe mich gewundert, wie gefasst sie waren», antwortete Laura.

«Oh!», machte die junge Frau. «Mein Name ist übrigens Monika Raab. Mir tut Carolins Tod so Leid. Ich hatte mich ein bisschen mit ihr angefreundet.»

Rolf Berger ließ einen verächtlichen Laut hören, ein scharfes Zischen, das auch ein verschlucktes Lachen hätte sein können. Laura sah zu Guerrini, der den Deutschen mit leicht zusammengekniffenen Augen musterte.

Er kann ihn auch nicht leiden, dachte sie und: Bisher hat nur eine Person an diesem Tisch nichts gesagt, die kühle Blonde, die rechts von Monika Raab sitzt. Die schweigsame Blonde trug ein schwarzes Baumwollkleid, reichen Silberschmuck um Hals und Arme, ihre Haut war golden gebräunt, ihr Gesicht sorgfältig geschminkt. Sie war eindeutig die attraktivste Frau in der Runde, obwohl ihre Züge trotz des weichen Dämmerlichts etwas scharf wirkten. Sie gab sich den Anschein, nicht zur Gruppe zu gehören. Nur hin und wieder schickte sie einen beobachtenden Blick zu den anderen am Tisch, vor allem zu Guerrini und Laura.

Katharina Sternheim schien Lauras Neugier zu ahnen, denn sie stellte plötzlich alle Menschen an der Tafel vor. Die schweigsame Blonde hieß Susanne Fischer.

«Ich arbeite beim Finanzamt!», ergänzte sie Katharinas Worte mit einem spöttischen Lächeln. «Als Inspektorin – das ist beinahe so etwas wie Kriminalkommissarin!»

«Ach», lächelte Laura zurück, «dann können Sie mir ja bei der Aufklärung dieses Falls helfen, nicht wahr?»

«Möglicherweise!», antwortete Susanne und spielte mit dem Silberreif an ihrem rechten Handgelenk. «Jedenfalls habe ich mir meine Gedanken gemacht.»

«Die können Sie mir dann morgen erzählen. Ich werde am Vormittag wiederkommen. Heute Abend würde ich mich gern noch ein wenig mit Frau Sternheim unterhalten.»

«Hören Sie nur gut zu! Der große Guru weiß alles!» Rolf Berger stand abrupt auf, stieß beinahe eine Flasche Wein um und begann die Teller abzuräumen.

«Eine halbe Stunde», sagte Laura und sah Guerrini an. «Höchstens eine halbe Stunde, dann können wir fahren.»

Ich würde ganz gern mit Ihnen ein Stück gehen», sagte Laura.

Katharina Sternheim nickte, hängte sich einen bestickten Schal über die Schultern, obwohl es noch immer sehr warm war. Langsam überquerten sie den Klosterhof, erreichten die Pinien- und Zypressenallee, die zu den Hügeln im Westen führte. Ein verfrühtes Käuzchen strich mit schrillem Schrei über sie weg.

«La civetta», murmelte Katharina.

«*La civetta.* Künderin des Unheils, nicht wahr?», entgegnete Laura leise. «Ich war einmal mit meinen Eltern in einem kleinen Ort an der toskanischen Küste. Im Nachbarhaus starb eine alte Frau, und das Käuzchen rief die ganze Nacht. Ich habe nie vergessen, wie meine Mutter auf diese Laute reagierte. Sie hielt mich ganz fest und betete leise zur Heiligen Jungfrau Maria. Die Leute im Dorf kamen und gingen, um Totenwache zu halten. Wenn sie das Käuzchen hörten, duckten sie sich und murmelten ebenfalls Gebete.»

Katharina lächelte.

«Manchmal wird das Wissen der Alten wieder lebendig», sagte sie. «Traurig, dass es allmählich verloren geht. Hat es nicht etwas Tröstliches, wenn ein Vogel ruft und eine Seele wegführt? Man kann es Unheil nennen, aber auch Heimkehr. Würden Sie nicht gern mit einem Vogel wegfliegen, wenn es so weit wäre?»

«Doch!» Laura schaute Katharina von der Seite an. «Ich würde gern mit einem Vogel fortfliegen, aber ungern vom Weinen der Stachelschweine begleitet werden.»

Katharina blieb stehen.

«Wie kommen Sie auf Stachelschweine?»

«Weil ich glaube, dass Carolin Wolfs Seele von Stachelschweinen beweint wurde und nicht mit einer *civetta* davonflog.»

«So?» Es war ein scharfes «So», das Katharina entkam. «Wieso Stachelschweine?»

«Es war nur so eine Idee. In dieser Gegend gibt es doch ziemlich viele. Commissario Guerrini hat mir von ihnen erzählt. Auch von dem Jungen, der verhaftet wurde ...»

Katharina zog den Schal enger um ihre Schultern.

«Sie wollen wissen, ob ich einen Verdacht habe, nicht wahr? Deshalb gehen wir hier spazieren. Und deshalb erzählen Sie mir von Käuzchen und Stachelschweinen.» Sie blieb stehen und sah zu den Sternen. Atmete tief und gleichmäßig.

«Quatsch!», sagte Laura leise. «Ich habe Ihnen von dem Käuzchen erzählt, weil ich mich plötzlich daran erinnerte, und Stachelschweine habe ich noch nie erlebt. Ich bin nur neugierig auf sie.»

Katharina ging langsam weiter.

«Nun gut», sagte sie. «Ich kann Ihnen nicht viel erzählen. Ich weiß selbst nicht, was in dieser Gruppe vor sich geht. Meiner Ansicht nach kann es durchaus sein, dass Carolin einem Unfall zum Opfer gefallen ist. Kann aber auch sein, dass sie ermordet wurde. Ich weiß es nicht. Ich will nicht daran glauben, dass einer aus der Gruppe sie umgebracht hat. Es wäre ... ich kann es schwer ausdrücken ... wahrscheinlich müsste ich dann meine Arbeit aufgeben!»

«Warum?»

Wieder blieb Katharina stehen, ihr Atem ging schwer.

«Weil ich das Vertrauen in meine eigene Kraft verlieren würde. In die Kraft, Menschen zu sich selbst zu führen.»

Laura hob einen Zypressenzapfen auf, hielt ihn an die Nase und genoss den harzigen Duft.

«Vielleicht schaffen auch Morde Klarheit», sagte sie. «Vielleicht spielt sich zwischen einigen Mitgliedern Ihrer Gruppe etwas ab, das weder Sie noch irgendjemand anderes ahnen kann?»

«Haben Sie jemals eine Selbsterfahrungsgruppe mitgemacht?», fragte Katharina.

«Ja, vor ein paar Jahren, als ich in einer tiefen persönlichen Krise steckte», antwortete Laura.

«Dann kennen Sie das Risiko jeder Gruppe. Fremde Menschen kommen zusammen und erleben gemeinsam einen seelischen Prozess, der überallhin laufen kann. Niemals läuft ein solcher Prozess nach bestimmten Regeln ab. Nie weiß der Therapeut, was auf ihn zukommt.»

«Ich weiß», murmelte Laura.

«Dann können Sie sich vorstellen, welche Belastung es sein kann.»

«Ja, aber Sie haben sich diesen Beruf freiwillig ausgesucht, oder?»

Katharina wandte sich ab und ging schnell weiter.

«Okay», sagte Laura nach einer Weile. «Das war nicht ganz fair von mir. Fangen wir anders an. Haben Sie den Eindruck, dass einige Mitglieder Ihrer Gruppe sich kennen? Ich meine, dass sie in München – sie sind ja alle aus München – eine Beziehung zueinander hatten?»

«Warten Sie», sagte Katharina. «Sie haben ja Recht. Ich habe mir diesen Beruf ausgesucht, und ich gehe einen anderen Weg als die meisten Therapeuten. Ich mache es gern, aber es strengt mich sehr an. Es ist schwer, mit Menschen zu arbeiten, die vieles ins Unbewusste verdrängt haben, wenn man selbst einen Zipfel Klarheit erwischt hat. Ich sehe so viele Dinge, die falsch laufen, und würde sie natürlich gern ändern. Aber Menschen ändern sich nicht so leicht. Sie fangen erst damit an, wenn sie vor einer Mauer stehen oder wenn das Leben sie schwer getroffen hat. Wenn sie wirklich seelische Schmerzen oder unerträgliche Angst verspüren. Aber selbst dann erwarten sie, dass man sie repariert … wie ein Auto. Oder dass ich ihnen sage, wie sie wieder funktionieren, ohne etwas an sich selbst zu ändern. Man braucht unendliche Geduld … und manchmal habe ich sie nicht mehr. Vielleicht liegt es an meinem Alter. Ich weiß nicht.»

«Na ja», murmelte Laura. «Ich bin ein paar Jahre jünger, aber ich verliere auch leicht die Geduld.»

Katharina zog das Tuch enger um sich.

«Sehen Sie, zu mir kommen Menschen, die ihre Seele reparieren lassen wollen. Ich soll etwas tun. Die meisten sind nicht bereit, selbst etwas zu unternehmen. Viele reagieren sogar ärgerlich, wenn sie ein Stück Wahrheit über sich selbst erfahren. Ich leite seit vielen Jahren Selbsterfahrungsgruppen. Mindestens die Hälfte der Leute wollen nichts, aber auch gar nichts über sich selbst wissen. Sie wollen sich in ihrem Unglück suhlen, tanken auf, und ich bleibe mit ihrem Seelenmüll zurück.»

«Ist das hier auch so?»

«Natürlich, was denken Sie. Zwei aus der Gruppe habe ich in Einzeltherapie, die anderen hatte ich vorher noch nie gesehen.»

«Kennen sich die beiden, die bei Ihnen in Therapie sind?»

«Flüchtig. Sie sind sich im Wartezimmer begegnet. Rosa Perl und Rolf Berger.»

«Alle anderen waren nie zuvor mit Ihnen in Kontakt?»

«Nie. Sie haben sich auf eine Anzeige hin, die ich in Therapiezentren ausgehängt hatte, angemeldet.»

«Sind Sie sich da ganz sicher? Ich meine, Sie als Therapeutin haben doch ein Gespür für die Schwingungen zwischen Menschen.»

Katharina löste den Schal von ihren Schultern und ließ ihn hinter sich herschleifen.

«Nein», sagte sie. «Ich bin mir nicht sicher. Ich fühle mich seit Carolins Tod total verunsichert. Vielleicht kannte Carolin Rolf Berger. Zwischen den beiden lief etwas …»

«Was?»

«Ich hatte den Eindruck, dass sie sexuellen Kontakt hatten. Vielleicht war es ganz spontan. Berger ist so. Ich kenne ihn seit zwei Jahren. Er braucht ständig Bestätigung von Frauen …»

«Seit zwei Jahren?», fragte Laura. «Hat er sich in diesen zwei Jahren irgendwie verändert?»

«Ich kann Ihnen über den Inhalt von Therapien keine Auskunft geben», antwortete Katharina abweisend.

«Hat er eine Beziehung zu Rosa Perl?»

«Das weiß ich nicht. Manchmal sieht es so aus. Vielleicht will er nur eine Beschützerrolle übernehmen. Das bringt auch eine Menge Befriedigung.» Katharina lachte kurz auf.

«Und die anderen Frauen, Britta Wieland, Monika Raab, Susanne Fischer?»

Katharina zögerte einen Augenblick.

«Nein, ich glaube nicht, dass er sie kannte.»

«Und dieser Hubertus Hohenstein?»

«Ist meiner Ansicht nach ein völlig unbeschriebenes Blatt – in jeder Beziehung.»

«Was heißt das?»

«Er … kommt mir vor, als bestaune er das Leben. Als hätte er bisher in einer Art schalltotem Raum gelebt. Wie ein Mönch etwa. Das trifft es vielleicht am besten.»

«Wissen Sie etwas über ihn?»

«Seinen Namen, was er in den Gruppensitzungen zeigt … mehr nicht. Er verrät nicht einmal seinen Beruf.»

«Und was haben Sie für einen Eindruck von ihm?»

«Er ist ein feiner, beinahe nobler Mensch, wenn Sie verstehen, was ich damit sagen will.»

«Gut. Und diese Susanne Fischer? Ich hatte den Eindruck, dass sie sich von der Gruppe distanziert. Was ist mit ihr?»

Katharina seufzte und machte eine ungeduldige Handbewegung.

«Ich weiß es nicht. Sie ist tatsächlich sehr distanziert. Beobachtet, lässt nichts raus. Es ist fast unmöglich, mit ihr zu arbeiten. Sie ist anwesend, aber auch wieder nicht. Sie macht Kommentare, die manche in der Gruppe verletzen. Ihre Kommentare sind allerdings meistens richtig. Im Grunde spielt sie sich wie eine zweite Therapeutin auf. Ich habe sie schon mehrmals zurechtgewiesen. Sie ist ziemlich anstrengend.»

Laura wandte sich um. Die Abbadia war nicht mehr zu sehen. Zypressen und Pinien warfen schwarze Schatten auf den sandigen Weg, schwache Schatten, denn der Mond war noch nicht aufgegangen.

«Ich bin müde», sagte Katharina. «Geben Sie mir noch eine Nacht zum Nachdenken. Vielleicht weiß ich morgen mehr.»

«Nur noch eins … erzählen Sie mir ein wenig von Carolin Wolf. Ich habe ihre Eltern gesprochen, ihr Zimmer gesehen, ihr Foto und ihre Leiche. Aber eigentlich weiß ich noch immer nichts über die junge Frau …»

Katharina lehnte sich gegen den Stamm einer Schirmpinie.

«Sie ist tot. Und trotzdem hat sie ein Recht auf Schutz. Doch vielleicht entbindet mich ihr Tod von der Schweigepflicht als Therapeutin …»

«Sie müssen mir keine intimen Einzelheiten erzählen. Einfach nur den Eindruck, den Sie von ihr hatten. Was für ein Mensch war Carolin Wolf?»

Katharina antwortete lange Zeit nicht, schaute zu den schwarzen Ästen der Pinie hinauf, als hätte sie die Kommissarin vergessen. Laura wartete, spürte bleierne Müdigkeit in ihren Gliedern, roch den Duft der Pinien, hörte das leise Knistern der Rinde, die sich im kühlen Abendwind zusammenzog, und hätte sich am liebsten auf die Erde gelegt, um auszuruhen. Endlich begann Katharina zu sprechen, stockend suchte sie nach Worten.

«Carolin war … unklar. Ja, vielleicht ist es das richtige Wort. Sie hatte eine gewaltige Verwirrenergie … Können Sie sich darunter etwas vorstellen? Ein Mensch, der ständig andere Vorstellungen von sich selbst hat, einmal fröhlich, dann deprimiert, dann gelassen. Sie war gierig, auf erschreckende Weise gierig nach Bestätigung, nach einem Beweis für ihre Lebendigkeit, für ihre Existenz. Und sie war aggressiv. Sie hat gegen mich gekämpft. Jede Art von Intervention war ihr zu viel … Jetzt wird mir klar, dass es nicht nur Berger war, der eine Beziehung mit ihr wollte. Sie war es auch. Sie war gierig nach männlicher Bestätigung. Vielleicht hätte sie sogar etwas mit dem sanften Hubertus angefangen, wenn der nicht so weltfremd wäre … Sie war … unbeherrschbar. Sehr stark. Eine Frau, die jedes Risiko eingeht ... Ihr Tod hat für mich etwas Folgerichtiges ... Mein Gott ... ich habe ihr diesen Tod bestimmt nicht gewünscht ... aber er passt zu ihr ... Es ist ... ich kann es nicht anders ausdrücken ... es ist nicht absolut erstaunlich. Es ist so radikal wie sie selbst.»

Laura versuchte Katharinas Worte mit dem roten Zimmer in Verbindung zu bringen, mit den Eltern, die ein ganz anderes Bild von ihrer Tochter gezeichnet hatten. Sie dachte an Baumanns Worte, seine Mutmaßungen, dass Carolin Drogen nahm, dealte oder auf den Strich ging.

«Glauben Sie, dass Carolin Wolf Drogen nahm?»

«Nein. Jedenfalls habe ich nichts davon bemerkt. Sie war einfach eine extreme Persönlichkeit.» Katharina löste sich vom Stamm der Pinie, für einen winzigen Augenblick wurde ihr Gesicht von einem Sternenschimmer beleuchtet, das Gesicht einer alten Weisen, deren Haar silbern aufleuchtete.

«Wir sollten zurückgehen», sagte sie.

Angelo Guerrini wartete an der Treppe zur Veranda auf die beiden Frauen. Die Mitglieder der Gruppe hatten sich zurückgezogen, mieden den Kontakt mit ihm. Er saß da und streichelte die Katzen, schaute nach Westen, wo die Sonne einen feinen violetten Schimmer am Horizont zurückgelassen hatte. Ab und zu schlug er nach einem Moskito. Er versuchte nicht zu denken, versuchte zu erspüren, was in diesem Gemäuer nicht stimmte. Aber er kam nicht weiter. Was er spürte, war nur dieser weiche, wunderbare Abend, das Fell der Katzen und der Wein auf seiner Zunge. Wenn er anfing zu denken, dann tauchte als Erstes Laura Gottberg auf. Dieses Bild wollte er lieber unterdrücken. Doch seine Gedanken waren stärker als sein

Wille. So rief er sich ins Gedächtnis, was Laura zuletzt gesagt hatte.

«Seltsam, dass Sie ihn so gut verstehen, obwohl Sie ihn kaum kennen.» Verstand er Giuseppe? Den Teil des Jungen, dem er sich verwandt fühlte? Den Ruhelosen, der die Stachelschweine belauschte? Der sich nach der Nähe einer Frau sehnte?

Guerrini scheuchte die Katzen fort, doch sie setzten sich nur wenige Schritte entfernt auf die Stufen und starrten ihn aus funkelnden Augen an.

Dummes Zeug. Verrückte Gedanken. Vielleicht stimmte doch etwas nicht mit diesem Kloster. Die Blicke der Katzen waren ihm plötzlich unangenehm. Er stand auf und schaute zum Fenster des großen Raums neben der Veranda hinüber. Was diese Deutschen wohl machten? Schwaches Kerzenlicht flackerte hinter den Scheiben. Eine Fledermaus zickzackte durch den Hof. Guerrini hatte plötzlich das heftige Verlangen nach einem Espresso, nach einer Bar mit Zigarettenrauch, Männerstimmen und laufendem Fernseher.

Als er Laura und Katharina Sternheim kommen sah, zwei Schattenrisse im schwachen Licht der Sterne, ging er ihnen erleichtert entgegen. Dieser Ort machte ihn unruhig. Vielleicht war doch etwas dran an den Geschichten der Bauern. Er konnte sich plötzlich sehr gut vorstellen, dass manche hier einen Zug schwarzer Mönche zu sehen glaubten. Dieses Kloster war irgendwie aus der Zeit herausgefallen.

Guerrini lächelte über seine Gedanken. Es gab niemanden, dem er sie erzählen konnte. Höchstens Giuseppe Rana oder Doktor Granelli. Laura Gottberg würde ihn auslachen. Oder nicht? Er war sich nicht sicher.

Er wartete neben dem Lancia auf sie, beobachtete, wie

sie sich von Katharina Sternheim verabschiedete. Die Therapeutin winkte ihm kurz zu und verschwand im Seitentrakt des Klosters. Laura blieb in der Mitte des Hofs stehen, streckte ihre Arme den Sternen entgegen und seufzte laut. Dann trat sie zu ihm und sagte: «Ich brauche einen Espresso, sonst schlafe ich sofort ein!»

«Ich brauche zwei Espressi, einen Grappa, viel Zigarettenrauch und das Gefühl, dass es die normale Welt noch gibt! Außerdem habe ich Hunger!», murmelte er.

Laura ließ sich auf den Beifahrersitz fallen.

«Wie lange haben die Restaurants in Buonconvento geöffnet?», fragte sie.

«Bis zehn. Jetzt ist es halb zehn. Wir müssen uns beeilen.»

Guerrini fuhr los. Die Scheinwerfer streiften über die Klostermauern, dann gab es nur noch Büsche und Baumstämme, die rechts und links vom Weg aufleuchteten und wieder verschwanden. Laura schaute durchs Rückfenster. Aufwirbelnder Staub verschleierte die wenigen Lichter der Abbadia.

«Warum fahren Sie so schnell?», fragte sie.

«Weil ich Hunger habe», antwortete Guerrini grimmig.

«Sind Sie ärgerlich, weil ich so lange fort war?»

«Nein. Nur hungrig.»

Die Autoreifen knatterten über die gesäumte Schotterstraße. Laura kam es vor, als rasten sie durch einen engen Tunnel. Sie schloss die Augen, weil das schnell sich brechende Licht der Scheinwerfer sie schwindlig machte. Als Guerrini plötzlich so scharf bremste, dass der Lancia sich quer stellte und seitlich über den Schotter rutschte, schrie sie auf.

Gerade noch sah sie drei seltsame Kreaturen im Unterholz verschwinden. Borstenbedeckte runde Gestalten, ungelenke Gnome mit stumpfen Nasen. Und dann hörte sie durch das offene Seitenfenster des Wagens ein klagendes Weinen – hoch, fiepend, herzzerreißend. Sie löste den Sicherheitsgurt, sprang auf die Straße.

«Wir müssen eins angefahren haben!» Ihre Stimme war aufgeregt. Sie suchte den Weg ab, schaute unter den Wagen. Aber da war nichts. Das Weinen verebbte, entfernte sich, verstummte endlich. Jetzt hörte man nur noch das Zirpen der Zikaden.

«Steigen Sie ein!» Es klang wie ein Befehl. «Ich konnte rechtzeitig bremsen. Wir haben sie nur erschreckt.»

Laura lauschte in die Dunkelheit. Sie waren tatsächlich fort. Ein leichter Schauder lief über ihren Rücken. Zögernd kehrte sie zum Wagen zurück. Kurz darauf erreichten sie die Hauptstraße.

«Jetzt wissen Sie, wie das Weinen der Stachelschweine klingt», sagte er leise. «Können Sie sich vorstellen, dass ein Mensch es perfekt nachmacht? Giuseppe Rana kann es.»

«Können Sie es?»

«Nein.»

Laura versuchte sich zu entspannen. Plötzlich wünschte sie sich nichts mehr als das Klingeln ihres Handys. Guerrinis Einsilbigkeit machte sie nervös. Als die Lichter von Buonconvento auftauchten, atmete sie auf. Sie sehnte sich nach einem Teller Spaghetti, einem Glas Wein und ganz normalen Menschen. Guerrini hielt direkt vor einer Osteria.

«Es ist ein sehr einfaches Lokal», sagte er und stützte beide Arme auf das Lenkrad. «Die Küche ist gut. Schlicht und gut. Der Fernseher läuft die ganze Zeit, die meisten Gäste sind Männer, und es wird viel geraucht. Ich hoffe, Sie mögen das.»

«Ich bin sicher», murmelte Laura.

Ihre Stimme klang so müde, dass er gern die Hand auf ihren Arm gelegt hätte. Aber er wagte es nicht. Verstand sich selbst nicht so recht. Früher, noch vor wenigen Jahren, hätte er die Hand auf ihren Arm gelegt. Aber er hatte sich verändert. Die Dinge waren nicht mehr so einfach wie früher. Er misstraute Entwicklungen, die sich aus unüberlegten Berührungen ergaben. Langsam stieg er aus, ging um den Wagen herum und öffnete ihr die Tür.

«Danke», sagte sie.

Nebeneinander betraten sie das Lokal, wurden geblendet von grellem Neonlicht. Der Speisesaal war riesig, voll gestellt mit Resopaltischen und Plastikstühlen, in der rechten Ecke stand auf einem Schrank ein großer Fernseher. Sechs Männer saßen davor, die Köpfe in den Nacken gelegt. Nur zwei Tische waren besetzt. An den Wänden hingen Bilder der Großeltern und anderer Vorfahren der Wirtsleute. Männer und Frauen mit Bauerngesichtern und scharfen Zügen. Aus der Küche lugte eine junge Frau, deren üppiger Leib mit einer weißen Schürze bedeckt war.

«Gerade noch rechtzeitig!», rief sie. «Aber ich mache keine Crostini mehr!»

«Wir wollen nur einen großen Teller Pasta und Salat!», antwortete Guerrini. «Was gibt's für einen Sugo?»

«Funghi porcini!», antwortete die Frau und rückte das weiße Käppchen auf ihren Haaren zurecht. «Ganz frische Steinpilze. Alberto hat sie heute Morgen am Monte Amiata gesammelt.»

«Wunderbar, Serafina. Wir brauchen außerdem als Erstes zwei Espressi, dann einen halben Liter Wein, Wasser und Brot.»

«*Subito, subito,* Commissario!» Serafina warf Laura einen neugierigen Blick zu und verschwand.

«Ihre Stammkneipe?», fragte Laura.

«Nein, aber ich komme regelmäßig her, wenn ich in der Gegend zu tun habe. Es gibt nicht mehr viele einfache Osterie. Man muss sie ehren und genießen, solange sie noch existieren.»

Sie setzten sich an einen Tisch, der möglichst weit vom Fernseher entfernt war. Eine kleine ältere Frau eilte aus der Küche, breitete mit scheuem Lächeln eine Tischdecke vor ihnen aus, legte sorgsam Servietten und Besteck vor ihre Gäste, brachte eine Karaffe Wein. Danach ging sie zur Bar und setzte die Kaffeemaschine in Gang, ein glänzendes Ungetüm, das sicher schon zwanzig Jahre gedient hatte. Laura lauschte den vertrauten Geräuschen, dem Zischen, dem Ausklopfen des Filters.

Guerrini zündete eine Zigarette an.

«Ich rauche eigentlich nicht», sagte er entschuldigend. «Nur manchmal.»

Laura lächelte.

«Kann ich auch eine haben? Eigentlich rauche ich auch nicht, nur wenn es gerade passt.»

Guerrini reichte ihr das Päckchen.

«Was hat Ihnen diese Katharina erzählt?» Er goss ihnen Wein ein.

«Sie hat versucht, die Mitglieder der Gruppe zu beschreiben. Klagte über die Belastung durch ihre Arbeit.»

«Gibt es irgendwelche Ansätze? Erzählen Sie, Laura. Ich bin ganz auf Ihre Vermittlung angewiesen – ein Sprachloser.»

Laura drückte ihre Zigarette nach dem dritten Zug aus und spülte den bitteren Geschmack mit Wein hinunter.

«Ich weiß es nicht», sagte sie. «Ich bin zu müde, um klar denken zu können. Vielleicht gibt es einen Ansatz. Zwischen den Mitgliedern der Gruppe scheint ein reges

Liebesleben geherrscht zu haben. Im Zentrum stand dieser Berger. Was ich zwar nicht verstehen kann, aber vielleicht hat er ja seine Qualitäten.»

Guerrini blies bedächtig eine lange Rauchfahne in den Raum, nickte dankend, als die kleine Frau zwei Tässchen mit schwarz schäumendem Espresso auf den Tisch stellte.

«Ist das üblich in solchen Gruppen?», fragte er langsam. «Sie haben doch Erfahrung, oder?»

«In den Gruppen, die ich mitgemacht habe, gab es auch solche Momente ... Die Menschen sind sehr offen, sehr bedürftig, wenn sie anfangen, etwas über sich selbst zu erfahren. Manche begreifen zum ersten Mal, was sie bisher versäumt haben, wonach sie sich sehnen ... und sie haben vermutlich niemals zuvor andere so genau kennen gelernt. In so einer Gruppe kommen Fremde sich näher als ihrem Ehepartner. Klingt verrückt, aber es ist tatsächlich so.»

Guerrini betrachtete Laura aus halb geschlossenen Augen, schlürfte den schwarzen Kaffee, überlegte, ob auch sie eine solche Affäre hinter sich hatte. Sie strich ihre Locken zurück und lächelte.

«Ich habe mich zurückgehalten, falls es Sie interessiert. Habe mich mit Phantasien begnügt ...»

«Mit welchen?» Er beugte sich vor, sein Arm streifte beinahe ihre Schulter.

«Ich glaube nicht, dass ich Ihnen darüber Auskunft geben muss, Commissario!»

Guerrini schob die kleine braune Tasse hin und her.

«Sind Sie verheiratet, Laura?»

«Geschieden, zwei Kinder, ein alter Vater! Und Sie, Angelo?»

«Getrennt, keine Kinder, ein alter Vater!»

Zwei Teller mit dampfenden Spaghetti Funghi wurden

vor sie hingestellt. Laura war froh über diese Unterbrechung. Das Gespräch wurde zu intim. Sie rückte ihren Stuhl ein bisschen von ihm ab.

«Buon appetito», sagte er.

Laura nickte abwesend, drehte Spaghetti über ihre Gabel.

«Gut», murmelte Guerrini nach dem ersten Bissen. «Es ist also üblich, dass in Selbsterfahrungsgruppen gewisse Abenteuer ablaufen. Ist es denkbar, dass hier ein Motiv liegen könnte?» Er fischte eine große Pilzscheibe aus seinen Nudeln und kaute genüßlich.

Laura schüttelte den Kopf.

«Ich glaube nicht. Es sei denn, einer der Beteiligten wäre ein echter Psychopath. Meine Überlegungen gehen eher dahin, dass einige der Mitglieder sich bereits aus München kannten. Dieser Berger, den Sie offensichtlich auch sofort ins Herz geschlossen haben, und die kranke Rosa Perl sind beide Klienten der Therapeutin. Sie sind beide noch am Leben. Warum sollte Berger eine junge Frau umbringen, die seinem Bedürfnis nach sexueller Bestätigung diente?»

«Sexuelle Bestätigung klingt schrecklich», murmelte Guerrini und ließ seine Gabel sinken. «Es entbehrt jeglicher Romantik. Eine sehr deutsche Formulierung.»

Laura lachte auf.

«Glauben Sie, dass ein italienischer Papagallo etwas anderes sucht als sexuelle Bestätigung? Ich denke, da ist überhaupt nichts Romantisches dabei!»

«Gut, gut!» Guerrini hob beide Hände. «Sie haben wahrscheinlich Recht. Was ist mit dieser Rosa Perl? Könnte sie eifersüchtig sein?»

Laura zuckte die Achseln.

«Kaum. Die Frau ist offensichtlich sehr krank und

nicht besonders kräftig. Sie dürfte nicht in der Lage sein, einer jungen Rivalin einen Stein auf den Schädel zu hauen und sie durch den Sand zu schleifen. Ich denke, dass mein Kollege in München kräftig recherchieren muss und dass wir lange Gespräche im Kloster vor uns haben.»

«Sie!», grinste Guerrini. «Ich falle für diese Gespräche aus!»

«Ich werde übersetzen, Commissario. Außerdem haben wir noch immer Ihren Giuseppe Rana, nicht wahr?»

«Ja», sagte Guerrini leise und schob seinen Teller zurück. «Und ich hoffe, dass wir ihn bald aus dem Gefängnis holen können. Er sitzt Tag und Nacht in einer Ecke, verweigert jede Nahrung.» Er beugte sich weit vor. «Ich will nicht, dass er so entwürdigt wird, verstehen Sie das? Die italienischen Gefängnisse sind nicht der richtige Ort für hilflose Menschen. Ich traue den Wärtern nicht. Sie fühlen sich zu mächtig!»

Wieder wich Laura zurück. Sie konnte ihn riechen, fast spüren. Doch in diesem Augenblick klingelte das Handy in ihrem Rucksack. Ihr Herz schlug heftig.

«Gottberg!», flüsterte sie.

«Bist du das, Laura?»

«Ja, Papa!»

«Stehst du schon wieder vor einer Leiche?»

«Nein, Papa! Ich sitze in einer Osteria und habe gerade Pasta gegessen!»

«Allein?»

«Mit einem Kollegen. Wie war dein Abend mit Baumann?»

«Es ging. Ich habe Karten mit ihm gespielt. Er ist ganz brauchbar. Lässt dich grüßen. Sitzt übrigens neben mir und will dich sprechen.»

«Dann gib ihn mir.»

«Halt, halt. Geht's dir gut? Du klingst müde!»

«Ich bin müde, Vater.»

«Dann geh ins Bett!»

«Es wird noch eine Weile dauern.»

«Wieso? Was ist das für ein Italiener, mit dem du da herumsitzt?»

«Keine Gefahr, Papa. Wir besprechen nur den Fall.»

«Ah ja! Trinkt ihr Wein?»

«Ja, Papa.»

«Dann pass auf! Du fehlst mir, mein Kind. Aber Baumann ist in Ordnung. Ich übergebe!»

«Ciao, Papa. Schlaf gut!»

Laura warf Guerrini einen entschuldigenden Blick zu. Er nickte und bestellte zwei Grappe.

«Hallo!» Baumanns Stimme klang belegt. «Ist es schön in Italien?»

«Ja, es ist schön – abgesehen davon, dass ich total übermüdet bin und keine Ahnung habe, was in diesem verdammten Kloster abläuft. Aber diese Carolin Wolf scheint ein komplizierter Mensch gewesen zu sein. Hast du schon etwas über sie rausgefunden?»

«Ich habe eine Studienkollegin von ihr aufgetrieben. Die hat erzählt, dass Carolin Wolf mit fast jedem Kommilitonen, der einigermaßen gut aussah, eine Bettgeschichte hatte. Sie muss so was wie eine Nymphomanin gewesen sein. Die Kommilitonin meinte sogar, dass Carolin Wolf manchmal aus Spaß auf den Strich gegangen ist.»

«Das deckt sich mit deinen Vermutungen, was?»

«Ja, aber ich hab noch etwas Interessantes für dich! Wir konnten heute die Tote aus der Isar identifizieren. Ihr Name ist Iris Keller. Sie arbeitete in einem besonders feinen Modehaus in der Maximilianstraße. Der Geschäftsführer hat Vermisstenanzeige erstattet und sie am Nachmittag identifiziert. Sie lebte allein, ist geschieden, und wir werden morgen ihre Wohnung ansehen. Ihre Kollegen halten einen Selbstmord für ausgeschlossen. Iris Keller sei eine sehr lebensfrohe Frau gewesen.»

«Du warst ja ganz schön fleißig», antwortete Laura. «Danke, dass du meinen Alten Herrn besucht hast!»

«Was soll ich denn sonst machen, wenn du nicht da bist?» Baumann lachte auf, um seiner Bemerkung ein wenig Ironie zu verleihen.

«Musst du immer launige Kommentare abgeben, die mich betreffen?», gab Laura ärgerlich zurück.

«Oh, Frau Hauptkommissarin ist schon wieder empfindlich …»

«Ich bin müde. Humor ist heute Abend nicht angesagt!»

«In Ordnung. Dann lass uns Schluss machen.»

Laura seufzte leise.

«Tut mir Leid, Peter. Aber ich bin wirklich erschöpft. Morgen gebe ich dir die Personalien der Gruppenmitglieder durch. Es gibt eine Menge zu tun für dich.»

«Bin ich doch gewöhnt.»

Ein paar Sekunden lang blieb es still in der Leitung. Baumann war offensichtlich beleidigt.

«Gute Nacht», sagte Laura leise. «Grüß meinen Vater, und ich hoffe, er benimmt sich anständig!»

«Besser als seine Tochter!», erwiderte Baumann.

Laura drückte auf den roten Knopf. Es reichte. Sie griff nach dem Grappaglas und setzte es an die Lippen.

«Warten Sie», lächelte Guerrini. «Nicht kippen! Erst anstoßen, dann ganz langsam die Kehle runterrinnen lassen. Das ist ein besonders alter Grappa. Sie sollten ihn nicht aus Ärger trinken. Das wäre Verschwendung!»

Laura lag angezogen auf dem Bett, betrachtete das karge Zimmer. Ein kitschiges Gemälde, Maria mit Jesus und Lämmchen, war der einzige Schmuck. Ihr Koffer stand noch neben der Tür, genau dort, wo Guerrini ihn abgestellt hatte. Ein Windhauch bewegte die gelblichen Vorhänge, an der Decke saßen mindestens fünf Moskitos.

Ich hab zu viel getrunken, dachte sie. Guerrini auch.

Er hatte das Zimmer neben ihr bezogen. Auch mit Jungfrau Maria, aber ohne Lämmchen. Entscheidung einer Münze, die er hochgeworfen hatte. Als er den Koffer in ihr Zimmer trug, waren sie zusammengestoßen, mussten über ihre erschrockenen Gesichter lachen. Danach war Guerrini stehen geblieben, hatte auf ihre Entscheidung gewartet. Sie hatte ihn hinausgeschoben, die Tür geschlossen, den Schlüssel zweimal umgedreht. So war sie sicher. Allein mit Maria, dem Jesuskind und dem Lämmchen.

Sie vergrub das Gesicht im Kopfkissen und versuchte sich vorzustellen, dass es Guerrinis Brust wäre. Scheiße!, dachte sie und: Es ist zu spät, die Kinder anzurufen. Ich muss es gleich morgen früh tun, ehe sie in die Schule gehen. Trotzdem griff sie nach ihrem Handy und wählte. Ronald war sicher noch auf. Sie wollte wissen, wie es Sofia und Luca ging. Irgendwie schienen sie unendlich weit weg zu sein. Oder war sie es, die so weit weg war?

Die grelle Deckenlampe schmerzte in ihren Augen. Während sie auf die Verbindung wartete, versuchte sie die kleine Lampe auf dem Nachttisch anzuknipsen. Die flackerte, verlosch, flackerte wieder. Warum ging niemand ans Telefon?

Endlich erklang ein verschlafenes «Ja?» am anderen Ende.

«Bist du das, Ronald? Hier ist Laura!»

«Hallo, Mama! Ich bin's, Luca. Wie spät ist es denn?»

Laura warf einen Blick auf ihre Armbanduhr. Fast zwölf.

«Entschuldige, Luca, hab ich dich geweckt?»

«Klar!»

«Ich wollte nur wissen, wie es euch geht. Wo ist denn euer Vater?»

Luca gähnte.

«Ich glaube, er wollte sich noch mit einem Bekannten treffen. Aber er kommt bald wieder.»

«Am ersten Abend läßt er euch allein?»

«Reg dich ab, Mama. Er muss uns nicht die Hand halten, wenn wir schlafen.»

«Habt ihr ordentlich gegessen?»

«Ja, Kartoffelbrei und Spiegeleier. Papas Spezialmenü. Fast wie früher!»

«Wie geht's Sofi?»

«Gut, warum?»

«O Mann, weil ich mir Sorgen mache, deshalb!»

«Und warum machst du dir Sorgen?»

«Weil ich … ach, Luca! Weil ich einfach so weggefahren bin und …!»

«Ach, Mama. Könntest du dir vielleicht zur Abwechslung mal keine Sorgen machen!» Lucas Stimme klang abweisend.

«Ja, ich weiß, es ist dumm von mir.»

«Es ist dumm. Uns geht's gut. Mach dir lieber eine schöne Zeit da unten! Gute Nacht, Mama. Ich schreibe morgen eine Schulaufgabe. Ich muss jetzt wieder ins Bett.»

«Entschuldige, dass ich dich geweckt habe, Luca. Schlaf gut und viel Glück morgen. Grüß Sofi. Sie kann mir ja eine SMS schicken!»

Er hatte schon aufgelegt. Laura warf das Handy neben sich aufs Bett und starrte auf die Moskitos an der Decke. Die Nachttischlampe flackerte noch immer.

Er braucht mich nicht mehr, dachte Laura. Luca ist beinahe erwachsen. Ich hab es nur noch nicht gemerkt. Sie fühlte sich plötzlich alt, gab der Lampe einen Stoß, doch das Flackern hörte nicht auf. Langsam begann sie sich auszuziehen, war zu müde, um noch zu duschen. Danach stieg sie aufs Bett und versuchte die Mücken zu erschlagen. Zwei erwischte sie, die anderen ließen sich fallen und verschwanden einfach. Laura suchte die Wände ab, entdeckte eine Mücke neben dem Schrank, doch als sie ihre Augen auf das Insekt richtete, flog es davon und schien sich unsichtbar zu machen. Nach zehn Minuten gab Laura ihre Jagd auf, löschte das Licht und wartete auf die Angriffe. Aus dem Nebenzimmer klang das dumpfe Klatschen einer Zeitschrift. Guerrini focht offenbar denselben Kampf. Laura lächelte.

Sie schlug, blind in die Dunkelheit hinein, nach einer Mücke. Draußen knatterte ein Moped vorbei. Dann kam ihr wieder die Tote aus der Isar in den Sinn und dass sie herausfinden musste, wer sie in den Fluss gestoßen hatte. Schon Sofias wegen. Sofia brauchte sie noch. Sie lauschte dem aggressiven Surren der Mücken, spürte den leisen Lufthauch, wenn sie sich auf ihrer Haut niederließen, schlug um sich, zog dann die Decke über den Kopf und ließ nur ein winziges Luftloch.

So würde sie nie einschlafen. Die Decke lastete auf ihr, heiß und schwer. War es vielleicht doch möglich, dass dieser Berger Carolin Wolf umgebracht hatte? Er wäre immerhin kräftig genug. Hatte sie sich über ihn lustig gemacht, über seine Männlichkeit ... hatte sie ihn beleidigt? Es würde zu ihr passen, wenn Katharina Sternheim sie richtig beschrieben hatte, und Laura zweifelte nicht daran.

Schon halb zwei Uhr. Sie arbeitete sich aus ihren Kissen, schaltete die Deckenlampe an und machte sich erneut auf die Mückenjagd. Wirklich irritierend, dass die Mücken ihr Nahen anscheinend ahnten. Es genügte, sie anzusehen, irgendeine strömende Energie schien diese Insekten rechtzeitig zu warnen, sodass sie sich unsichtbar machen konnten. Der Kampf war zwecklos.

Gegen vier Uhr morgens fiel Laura endlich in einen unruhigen Schlaf, träumte von Luca, der sie ansah wie eine Fremde und über eine weite Ebene davonging, immer kleiner wurde. Sie erwachte mit schwerem Kopf, völlig verschwitzt. Stand auf und trank Wasser aus dem Hahn am Waschbecken. Die Sonne war schon aufgegangen, und durchs Fenster drang Leben. Plötzlich kam ihr die Erleuchtung. Sie würde auf die Abbadia umziehen, würde die Gruppe belagern und beobachten. Es hatte keinen Sinn, nur Besuche abzustatten, denn das gab den Menschen zu viel Zeit, sich zu erholen.

Halten Sie das wirklich für eine gute Idee?» Guerrinis Gesicht war verschlossen. Seine Hände lagen locker auf dem Lenkrad, ließen dem Wagen ein wenig Spielraum, sich seinen Weg über die löcherige Straße zum Kloster zu suchen, griffen nur fester zu, wenn die Lenkung ausbrach.

«Ich halte es für eine hervorragende Idee. Es gibt ein schönes Bild dafür: Der Wolf umkreist die Schafherde.»

Guerrinis Hände machten Laura nervös. Warum, zum Teufel, hatte er auch noch schöne Hände?

«Sind Sie der Wolf?»

«Nein, aber ein Spürhund. Sie doch auch, nicht wahr?»

Ich rede völligen Quatsch, dachte sie.

Guerrini runzelte die Stirn.

«Warum sind Sie bei der Polizei?»

«Darüber sollten wir uns bei einem Glas Wein unterhalten. Das kann ich nicht in einem Satz beantworten.»

«Ich dachte, Sie könnten es. Weil Sie so gut über Wölfe und Spürhunde Bescheid wissen.»

«Blödsinn», murmelte sie. «Ich rede einfach so, weil mir im Augenblick nichts anderes einfällt.»

Guerrini warf ihr einen raschen Blick zu.

«Gut, reden wir wieder über unseren Fall. Wie beim Frühstück. Also, Ihr Kollege hat interessante Dinge über die Tote herausgefunden. Sie war eine junge Frau, die extrem lebte ...»

«Lassen wir das!», unterbrach Laura. «Reden wir über Moskitos. Wussten Sie, dass Moskitos Gedanken lesen können? Falls ein letzter Beweis für Telepathie fehlt, dann sollte jemand Versuche mit Mücken anstellen. Sie denken an eine Mücke an der Wand, und die Mücke verschwindet. Sie weiß, dass Sie ihr nachstellen, genau diese Mücke, nicht die Mücke einen halben Meter weiter rechts oder links!»

Guerrini brach in Gelächter aus.

«Ergebnis einer Nacht in Buonconvento?»

«Ja, und gar nicht so schlecht», erwiderte Laura. «Wenn Sie das auf Verbrecher übertragen, dann kann es sogar sehr hilfreich sein. Denken Sie nie an den Hauptverdächtigen, sondern immer an den rechts oder links von ihm. Dann fühlt er sich sicher.»

«Funktioniert aber nur, wenn man schon einen Hauptverdächtigen hat, nicht wahr?»

«Stimmt», gab Laura zu. «Also suchen wir uns einen aus, an den wir nicht denken!»

«Diesen Berger?»

«Wir könnten es versuchen. Sie mögen ihn auch nicht, hab ich Recht?»

«Das bedeutet noch nicht, dass er ein Mörder ist», lächelte Guerrini. «Es gibt eine Menge Leute, die ich nicht mag.»

Der Wagen nahm die Steigung zur Abbadia, schlitterte über den feinen Schotter der letzten Kurve und hielt neben den Autos der Deutschen. Niemand war zu sehen, nur ein einsames Moped lehnte an der Telefonzelle.

«Vormittags ist Gruppensitzung», sagte Guerrini nach einem Blick auf seine Armbanduhr. «Sollen wir sie ein bisschen aufschrecken?»

Laura schüttelte den Kopf.

«Ich würde mich ganz gern ein wenig umsehen. Bisher kenne ich das Kloster nur bei Nacht. Sie haben mir doch von irgendwelchen Französinnen erzählt, die ebenfalls hier wohnen.»

Guerrini antwortete nicht, sondern schaute zur Telefonzelle. Dort tauchte plötzlich ein untersetzter dunkelhaariger Mann in Arbeitskleidung auf und kam mit großen Schritten auf sie zu.

«Das ist Giuseppe Ranas Bruder», flüsterte Guerrini.

«Commissario?» Der Mann vor ihnen schaute auf seine Schuhe.

«Ja?»

«Ich, äh … habe auf Sie gewartet. Hoffte, Sie zu treffen …»

«Was ist, Rana?»

Der Mann trat unruhig hin und her, sah nur einmal auf, senkte sofort wieder den Blick.

«Wegen Giuseppe. Können Sie nicht was für ihn tun?

Er gehört nicht ins Gefängnis. Auch wenn er nicht ganz richtig im Kopf ist. Unsere Mutter betet den ganzen Tag. Gestern hat sie vergessen, die Hühner und Enten zu füttern. Das ist noch nie passiert, Commissario …»

Guerrini seufzte und strich sich nervös übers Haar.

«Wir können ihn noch nicht entlassen. Der Untersuchungsrichter ist der Meinung, dass es schwere Verdachtsmomente gibt. Er will keinen Fehler machen. Aber wir arbeiten an der Sache, und ich hoffe, dass es für Giuseppe gut ausgeht.»

Rana zog die Schultern hoch und steckte beide Hände in die Hosentaschen. Dann drehte er sich ungelenk um, wies dabei mit dem Kinn auf die Veranda und die Fenster des Gruppenraums.

«Sie sollten diese ausländischen Hexen ins Gefängnis stecken. Meine Mutter sagt, dass sie es waren …»

«Ich würde mich an Ihrer Stelle hüten, solche Geschichten in die Welt zu setzen!», erwiderte Guerrini ärgerlich. «Diese Frauen sind keine Hexen. Es sind ganz normale Frauen, die hier zusammen die Natur erleben, tanzen und über ihr Leben nachdenken.»

«Aber Mutter …»

«Sag deiner Mutter, sie soll ihre Zunge hüten. Es hilft Giuseppe gar nichts, wenn sie böse Geschichten über die Deutschen herumerzählt! Im Gegenteil, es könnte ihm sogar schaden!»

Rana zog den Kopf zwischen die Schultern.

«Aber Giuseppe muss raus! Er … er ist ein guter Kerl, nur ein bisschen anders. Er bringt niemanden um. Wenn ich ein Huhn schlachte, dann schreit er und rennt weg! Einmal ist ein Schaf auf der Weide gestorben. Da blieb er sitzen und starrte es stundenlang an. Gesungen hat er dabei. Ganz traurige Lieder. So ist das!»

Guerrini steckte ebenfalls seine Hände in die Hosentaschen und senkte den Kopf.

«Ja, ich glaube dir das alles. Ich mag deinen Bruder, Rana. Sobald wir Beweise haben, dass er nichts mit der Sache zu tun hat, wird er freigelassen. Ich versprech's dir!»

Laura fiel auf, dass Guerrini den Bauern plötzlich duzte.

«Es ist nur so», fuhr Guerrini fort, «dass Giuseppe die Tote wohl gefunden hat, überall waren seine Spuren und von seinem verdammten Pullover hingen sogar Fäden an den Wurzeln. Aber niemand kann bisher beweisen, ob die Frau da schon tot war oder nicht! Verstehst du?»

Der Bauer stieß mit seiner Stiefelspitze ein paar Steinchen an, drückte sie in den weichen Sand.

«Ja», antwortete er leise. «Wenn er nur nachts nicht immer herumlaufen würde, wenn er im Bett bliebe, wie andere Menschen. Aber er braucht das, Commissario. Ich kann ihn ja nicht festbinden!»

«Nein», murmelte Guerrini, «das sollst du nicht.»

Ein paar Minuten lang blieb der Bauer unschlüssig vor Guerrini und Laura stehen, als warte er noch auf etwas. Dann schaute er plötzlich auf, nickte und sagte: «Ich geh dann wohl besser», machte ein, zwei Schritte in Richtung seines Mopeds, drehte sich dann aber noch einmal um.

«Passen Sie auf Giuseppe auf, Commissario? Ich mein, dass ihm nichts passiert, dort!»

«Ich werde auf ihn aufpassen», antwortete Guerrini. «Ich verspreche es dir!»

Rana nickte wieder, ging mit schweren Schritten zu seinem Moped, ließ umständlich den Motor an und fuhr davon. Eine bläuliche Abgaswolke blieb im Innenhof des Klosters hängen.

«Können Sie das?», fragte Laura.

«Was?»

«Auf Giuseppe aufpassen?»

Guerrini rieb seine rechte Schulter.

«Nein. Nicht wirklich. Ich kann versuchen, eine Auge auf ihn zu haben ... Deshalb werde ich jetzt dann nach Siena fahren. Ich komme gegen Abend wieder her.»

Laura schüttelte den Kopf.

«Kommen Sie nicht zurück. Machen Sie sich einen gemütlichen Abend zu Hause, Angelo. Ich möchte diesen Ort genau kennen lernen. Bei Tag und bei Nacht. Ich möchte in Ruhe mit den Leuten sprechen ... Kommen Sie morgen Nachmittag wieder.»

Guerrini verzog sein Gesicht zu einem missglückten Lächeln.

«Ich dachte, Sie wollten mir erzählen, warum Sie Polizistin geworden sind. Bei einem Glas Wein ...»

«Geht doch morgen auch noch, oder?»

«Ja, wahrscheinlich.» Guerrini öffnete den Kofferraum und stellte Lauras Gepäck an die Hauswand.

«Fahren Sie nur. Ich werde hier warten, bis die mit ihrer Gruppensitzung fertig sind.»

«Aber was ist, wenn kein Zimmer frei ist?»

«Dann schlaf ich im Schuppen oder unter einem Baum. Oder bei den Französinnen, von denen Sie mir erzählt haben.»

«Sicher?»

«Sicher!» Laura setzte sich auf die Treppe neben dem Telefonhäuschen.

«Sie haben meine Telefonnummer?»

«Madonna», lächelte Laura. «Sie sind ja beinahe so schlimm wie mein Vater!»

«Entschuldigung», beeilte sich Guerrini nachzusetzen

und versuchte erneut ein gezwungenes Lächeln. «Das lag nicht in meiner Absicht … Wir sehen uns also morgen?»

«Ja, morgen. Auf ein Glas Wein und ein Abendessen, falls Ihnen das recht ist.»

«Mal sehen», murmelte Guerrini, stieg in den Lancia und winkte Laura kurz zu. Diesmal blieb eine Staubwolke im Innenhof zurück.

Laura sah auf die Uhr. Beinahe elf. Wenn sie Pech hatte, dauerte die Sitzung noch mindestens eine Stunde. Sie wunderte sich ein bisschen, dass Katharina Sternheim nicht auf ihre Ankunft gewartet hatte, fragte sich, ob dies eine Verweigerung zur Zusammenarbeit andeuten sollte.

Es war heiß. Das Gebäude warf kurze, scharf konturierte Schatten, kühles Blau gegen den warmen Ton der Steine. Die Katzen waren verschwunden. Laura döste. Sie hatte in der letzten Nacht zu wenig geschlafen. Nach zwanzig Minuten hörte sie Motorengeräusch, das näher kam. Ein kleiner Peugeot parkte neben den anderen Autos. Drei Frauen stiegen aus, alle mittleren Alters, mit kurzem Haarschnitt, alle in Shorts und bunten T-Shirts, alle braun gebrannt und sehr schlank.

Die Französinnen, dachte Laura.

Zögernd kamen die Frauen auf sie zu, musterten den Koffer, wollten mit einem *«Bon jour»* weitergehen, hielten dann aber doch neugierig an und erkundigten sich, was Laura suche. Laura sprach nur wenig Französisch. Die Frauen immerhin leidlich Italienisch. So war nach kurzer Zeit klar, dass Laura gekommen war, um den Tod des Mädchens aufzuklären. Ob sie nicht Lust habe auf einen Kaffee in ihrer Wohnung im Seitentrakt des Klosters?

Die Küche war riesig und sehr gemütlich. Ein alter Tisch stand vor dem Fenster, Wildblumen in einem Krug, dunkelrote Steinfliesen, ausgetreten und gerundet von der Zeit, ein alter Spülstein, ein Herd, der mit Holz zu heizen war, und obendrauf ein Gaskocher.

«Und was machen Sie hier?», stellte Laura die Gegenfrage, als sie endlich alle mit einer Tasse Espresso um den Tisch saßen. Ein Hauch von Verlegenheit hing im Raum.

«Warum?» Die älteste der drei reckte angriffslustig ihr Kinn. «Ist es verboten, Urlaub zu machen?»

«Nein», Laura lächelte freundlich. «Es kommt mir nur ungewöhnlich vor, dass drei Frauen an einem so einsamen Ort wohnen. Ich meine, es gibt hier keine Restaurants, keine Unterhaltung. Wahrscheinlich ist es sogar mühsam einzukaufen. Der nächste Laden ist vermutlich in Buonconvento.»

«Ja! In Buonconvento!», sagte die Angriffslustige. «Aber das macht uns Spaß. Es ist ein wunderbarer Platz, und wir lieben die Natur. Hier können Sie nachts Stachelschweine beobachten. In den Pinien hinter dem Kloster nisten Eulen. Es gibt seltene Fledermäuse, und jeden Abend kommen Füchse vorbei, um zu sehen, ob die Katzen Futter übrig gelassen haben.»

«Aha!» Laura verrieb nachdenklich einen Kaffeetropfen auf der Tischplatte. «Und deshalb machen Sie hier Urlaub?»

«Nein», sagte eine der anderen Frauen. «Es ist nur ein guter Platz für unsere Aufgabe.»

«Aufgabe?» Laura überlegte, ob es an den Sprachschwierigkeiten lag, dass sie «Aufgabe» verstanden hatte.

«Ja, Aufgabe», wiederholte die Frau, deren Augen von unzähligen Fältchen eingerahmt wurden. «Wir sind Aktivistinnen im Kampf gegen Hühner-KZs.»

«Hühner-KZs?» Laura starrte die Frau verwirrt an.

«Als Deutsche wissen Sie doch, was KZs sind», warf die Angriffslustige ein.

Laura trank einen Schluck Espresso und überlegte, was sie darauf antworten sollte.

«Meine Mutter ist Italienerin», sagte sie endlich.

«Die waren auch Faschisten!»

Laura versuchte ihren aufsteigenden Ärger zu unterdrücken. «Ich glaube nicht, dass es darum im Augenblick geht.»

«Doch! Viele Menschen verhalten sich gegenüber Tieren wie die Faschisten gegenüber schwächeren Menschen. Sie sperren sie unter unsäglichen Bedingungen ein, foltern sie und bringen sie am Ende um. Es gibt kaum einen Unterschied!» Die Stimme der Älteren wurde lauter und schärfer.

«Vielleicht», murmelte Laura. «Aber was hat das mit Ihrem Aufenthalt in diesem Kloster zu tun?»

Die dritte Frau versuchte ein versöhnliches Lächeln.

«Nehmen Sie meiner Freundin die harten Worte nicht übel. Wir kommen gerade von einer Hühnerfarm zurück und haben schreckliche Dinge gesehen. Das macht traurig und wütend.»

«Ja, das kann ich verstehen», antwortete Laura. «Aber ich weiß noch immer nicht, was Sie hier tun!»

Die drei Frauen wechselten schnelle Blicke.

«Wir fahren die Gegend ab und verzeichnen die Hühner-KZs in einer Landkarte. Unsere Organisation will alle Formen von Massentierhaltung in Europa dokumentieren und dann der Öffentlichkeit zugänglich machen!»

«Gibt es denn hier in der Toskana so viele Hühnerfarmen?», fragte Laura erstaunt.

«Allein in der Umgebung von Buonconvento haben wir schon zehn Betriebe gefunden. Und wir sind erst seit fünf Tagen hier!»

Laura hatte das Gefühl, als erzählten die Frauen nur

einen Teil der Geschichte, aber sie ging darüber hinweg. Sie wollte eigentlich nicht über Hühner reden, sondern über die Gruppe.

«Das ist eine wichtige Sache, die Sie sich da vorgenommen haben», sagte sie deshalb freundlich. «Vielleicht können Sie auch mir ein wenig helfen. Haben Sie irgendetwas beobachtet, das mit dem Tod der jungen Frau zusammenhängen könnte?»

«Oh!», sagte die Ältere mit spitzer Stimme. «Mich wundert es nicht, dass hier ein Mord geschehen ist! Diese Leute sind sehr seltsam. Sie schließen sich täglich mindestens fünf Stunden in diesen großen Raum ein. Dann hört man merkwürdige Musik, seltsame Gesänge, und mindestens einmal am Tag schreit jemand, als würde er gefoltert!»

«Aber Sie wissen doch sicher, dass es sich um eine Selbsterfahrungsgruppe handelt, oder?», fragte Laura und verkniff sich ein Lächeln.

«Ja, das haben wir erfahren, als wir kurz davor waren, die Polizei zu rufen!»

«Und was für einen Eindruck machen die Mitglieder dieser Gruppe, wenn sie nicht gerade schreien?» Das unterdrückte Lächeln saß wie ein Krampf in Lauras Wangen.

«Auch merkwürdig! Sie sprechen kaum, wandeln geistesabwesend umher, strecken die Arme in die Luft. Normal sind sie eigentlich nur beim Essen. Dann grüßen sie auch. Einmal haben sie uns sogar eingeladen, aber wir haben abgelehnt. Es ist … einfach unheimlich. Sie können sich nicht vorstellen, was ich vor ein paar Tagen im Morgengrauen erlebt habe, noch vor der Ermordung der jungen Frau …» Die Aktivistin starrte Laura mit aufgerissenen Augen an.

«Was haben Sie erlebt?»

«Ich machte einen Spaziergang, weil ich es liebe, wenn der Tag erwacht … Etwa hundert Meter unter der Abbadia wurde am Abend zuvor gepflügt. Als ich auf dem Weg um eine Kurve kam und auf diesen Acker sehen konnte … da … hockte dieser eine Mann, einer der Deutschen … in einer Furche und … ja, wie soll ich sagen … er schiss. Das ist ja eigentlich nichts Ungewöhnliches, deshalb wartete ich, um ihn nicht zu stören. Aber dann, als er fertig war … da sprang er hoch und lachte und streckte die Arme aus … und dann hüpfte er über den Acker davon wie ein Verrückter …»

In Lauras Bauch begann es zu zucken, und obwohl sie den Mund zusammenpresste und tief durchzuatmen versuchte, brach sie nach wenigen Sekunden in schallendes Gelächter aus. Die drei Französinnen schauten sie verblüfft an und stimmten ebenso plötzlich in ihr Lachen ein.

«Ich meine … finden Sie das normal?», prustete die Angriffslustige, wischte sich Lachtränen aus den Augen und sah Laura erstaunt an. «Bisher habe ich die komische Seite daran nicht sehen können, so sehr hat mich dieser Anblick verwirrt. Aber jetzt … nach Ihrer Reaktion … es ist wirklich komisch!»

«Vielleicht …», kicherte Laura, «… war es der erste elementare Schiss seines Lebens! Ein wahres Erlebnis von Selbsterfahrung!»

«Sie glauben also nicht, dass er verrückt ist? Ich heiße übrigens Catherine!»

«Nein, ich glaube nicht, dass er verrückt ist. Er hatte nur einen Ausbruch von Anarchie. Wer weiß, was er sich dabei vorgestellt hat. Vielleicht war die Ackerfurche der Schreibtisch seines Chefs!»

Wieder prusteten die drei Französinnen los. Laura räusperte sich und versuchte, ernsthaft zu werden. Ihr Körper fühlte sich angenehm locker an – lange hatte sie nicht mehr so hemmungslos gelacht.

«Es war wahrscheinlich der lange, jüngere der beiden Männer», mutmaßte Laura.

«Ja, der Jüngere», bestätigte Catherine.

«Gut!», sagte Laura schließlich. «Jetzt möchte ich Sie aber trotzdem bitten, genau nachzudenken, ob Sie etwas bemerkt haben, das nicht mit den Verrücktheiten einer Selbsterfahrungsgruppe zusammenhängt, sondern mit dem Tod von Carolin Wolf.»

Catherine legte ihr Gesicht in viele Falten, auch die anderen beiden wurden plötzlich still.

«Mein Name ist Francine», sagte die kleine Frau, die bisher nur einen Satz von sich gegeben hatte. «Ich habe etwas gesehen, das vielleicht wichtig sein könnte. Diese Carolin Wolf ist am Abend, bevor sie ... ich meine, bevor sie tot gefunden wurde ... habe ich sie weggehen sehen. Und sie hat unterhalb des Klosters, bei den ersten Bäumen, diesen Mann getroffen.»

«Welchen?», fragte Laura gespannt.

«Na, den Mann, über den wir gerade gelacht haben.»

«Sind Sie sicher?»

«Ganz sicher. Ich war nämlich auch spazieren. Sie gingen zusammen zu dem Bach hinunter, an dem sie auch gefunden wurde.»

«Haben Sie das der italienischen Polizei erzählt?»

Francine schüttelte den Kopf und verschränkte verlegen ihre Finger.

«Ich war mir nicht ganz sicher, ob es wirklich wichtig ist. Ich hatte die beiden schon ein paar Mal zusammen gesehen. Und der Mann kam nach einer Stunde zurück. Außerdem habe ich gesehen, dass auch diese junge Frau kurz nach ihm wieder da war. Wahrscheinlich ist sie später noch einmal fortgegangen.»

«Haben Sie an diesem Abend noch jemanden gesehen, der Richtung Bach ging?»

Die drei Frauen schüttelten die Köpfe.

«Nur eines», murmelte Francine, «dieser Mann trifft sich ständig mit verschiedenen Frauen der Gruppe. Darüber haben wir uns auch schon Gedanken gemacht.»

«O ja», kicherte die Frau mit den Lachfältchen, die bisher ihren Namen verschwieg. «Wir haben uns ausgemalt, dass er einen heimlichen Harem unterhält. Der eine ist ein Pascha, der andere ein Eunuch!»

«Und wie passen dann die komischen Geräusche und die Schreie in dieses Bild?», fragte Laura. «Sie haben doch gesagt, dass die Gruppe Ihnen Angst macht. Jetzt klingt das plötzlich nicht mehr so!»

«Ach», sagte Catherine schnell, «die Idee mit dem Harem war nur so ein Einfall. Wir waren wirklich beunruhigt. Lachen beruhigt, nicht wahr?»

Laura nickte und stand langsam auf.

«Ich danke Ihnen für Ihre Hilfe. Wie lange werden Sie noch bleiben?»

«Ungefähr eine Woche, dann müssten wir mit unserer Arbeit fertig sein.»

«Das ist gut», murmelte Laura. «Vielleicht brauche ich Sie noch. Ich werde die nächsten Tage hier im Kloster wohnen. Falls Ihnen etwas einfällt oder auffällt ... bitte sagen Sie es mir! Und ... viel Glück mit Ihren Hühnern!»

Sie drückte kurz die Hände der drei Frauen. Jetzt, ganz zuletzt, verriet auch die dritte ihren Namen: Cloë.

Als Laura wieder in den Innenhof des Klosters trat, dachte sie kurz an ihren Vater. Die Geschichte der drei

Hühner-Aktivistinnen würde ihn begeistern, denn er liebte das Absurde. Aber dann musste sie wieder überlegen, ob Berger zum Mörder taugte, kam aber zu keinem Ergebnis. Er war ungefähr so verdächtig wie Giuseppe Rana. Und auf gewisse Weise vielleicht ähnlich verrückt. Sie würde mit ihm sprechen, noch heute. Und mit dieser Rosa Perl, die offensichtlich ein Verhältnis mit ihm hatte. Inzwischen war Laura neugierig auf Berger. Er musste etwas haben, was ihn anziehend machte ... all diese Frauen konnten ja nicht total blöde sein.

Als Angelo Guerrini das Untersuchungsgefängnis von Siena betrat, hatte er ein ungutes Gefühl. Er hätte gestern schon nach Giuseppe Rana sehen sollen.

«Ah, Commissario!», begrüßte ihn der Wachhabende grinsend. «Wollen Sie wieder singen?»

Guerrini kniff die Augen zusammen, ging nicht auf diese Bemerkung ein.

«Wie geht es Rana?»

«Wie wird es ihm gehen. Er singt, hält uns alle wach und wirft das Essen an die Wand! Ich hoffe, dass er bald hier verschwindet! 'ne Klapsmühle wär der bessere Ort für den!»

«Ich hoffe, Sie machen Ihre Arbeit ordentlich!» Guerrini musterte den Mann von oben bis unten. «Wenn ich rausfinde, dass Sie den Gefangenen schlecht behandeln, bekommen Sie Schwierigkeiten. Ist das klar?!»

Der Wachhabende biss die Zähne zusammen. Seine Wangenmuskeln traten hervor, der Mann hatte einen unangenehm kräftigen Unterkiefer.

«Wir machen unsere Arbeit immer ordentlich, Commissario!», stieß der Mann zwischen seinen Zähnen hervor. «Wir behandeln die Leute genauso, wie sie's verdienen!»

Guerrinis Sorge um Rana wuchs mit jedem Satz, den der Wachhabende von sich gab.

«Führen Sie mich zu Rana!»

«Wenn Sie meinen, dass Sie ein Wort aus dem rauskriegen …»

Hohn schwang in der Stimme des Wachhabenden. Guerrini konnte sich der Befürchtung nicht erwehren, dass sich Menschenverachtung in der Polizei breit machte, als hätte die neue Regierung Ventile geöffnet, die bisher nur notdürftig unter Kontrolle gewesen waren. Schweigend ging er neben dem Beamten durch die schmalen Gänge, bis sie vor Ranas Zelle angekommen waren.

«Bitte, Commissario!»

Die spöttische Stimme des Beamten ließ Guerrinis Hand zucken. Am liebsten hätte er dem Kerl eine Ohrfeige verpasst. Stattdessen nickte er nur und betrat die Zelle, wandte sich kurz um und sagte: «Ich brauche Sie nicht! Gehen Sie in den Wachraum zurück und lassen Sie uns allein. Verstanden?!»

«Wenn Sie meinen …», antwortete der Beamte langsam. «Ich würde nicht zu lange mit dem Kerl allein bleiben. Er ist gefährlich!»

«Lassen Sie das meine Sorge sein!»

Der Wachhabende zog sich mit provozierender Langsamkeit zurück. Guerrini wartete, bis er verschwunden war, lehnte sich dann neben der Zellentür an die Wand und schaute auf Giuseppe. Der Bauernjunge kauerte in der rechten Ecke der schmalen Zelle, hielt beide Hände schützend über seinen Kopf, als erwarte er Schläge. Guerrini kam es vor, als sei die Zeit stehen geblieben, seit er das letzte Mal hier gewesen war.

«Ciao, Giuseppe», sagte er leise. «Ich bin's, Angelo Guerrini. Wir haben zusammen gesungen, erinnerst du dich?»

Giuseppe kroch noch tiefer in seine Ecke.

«Du hast mir von den Stachelschweinen erzählt.»

Der Junge stieß ein Wimmern aus.

«Ich habe heute deinen Bruder gesehen. Er lässt dich grüßen.»

Keine Antwort. Wie beim ersten Besuch setzte Guerrini sich auf das schmale Bett, das seltsam unbenutzt aussah, sprach weiter, wie damals, erzählte, fragte, erwartete keine Antwort. Nach einer Weile schwieg er, ließ die Arme zwischen seinen Knien hängen und fühlte Müdigkeit in seinen Knochen, oder war es Resignation? Er schaute auf den runden Rücken des Jungen, das schmutzige Hemd, die Finger mit den schwarzen Rändern unter den Nägeln. Seit zwei Tagen hatte der Junge sich nicht mehr gewaschen, nicht mehr gegessen und wahrscheinlich auch nicht geschlafen.

Guerrini blieb einfach sitzen und schwieg, zehn Minuten, zwanzig, dreißig. Er sah nicht mehr auf die Uhr. Als der Wachmann in der Tür auftauchte, schickte er ihn mit einer schroffen Bewegung fort.

Nach einer Dreiviertelstunde hob Giuseppe den Kopf und ließ ganz langsam seine Arme sinken. Er drehte sich zu Guerrini um, starrte ihn an, sagte nichts, sang nicht, jammerte nicht, starrte nur ins Leere. Und Guerrini hielt den Atem an, denn das Gesicht zeigte blaue Flecken, ein Streifen getrockneten Bluts klebte an seinem Mundwinkel und seine Oberlippe war geschwollen.

Sie sahen sich lange an, der Commissario und Giuseppe. Guerrini fühlte Hitze und Übelkeit in sich aufsteigen, denn in den Augen des Jungen schienen sich die Qualen und Ängste aller Gepeinigten zu spiegeln. Keine Wut, nicht einmal Auflehnung, nur dunkle Traurigkeit.

«Ich hab verstanden», sagte Guerrini endlich leise. «Ich werde dich hier rausholen, Giuseppe. Und bis dahin werde ich jeden Tag wiederkommen. Das verspreche ich dir. Keiner wird dich mehr schlagen!» Er stand auf, mit bewusst langsamen Bewegungen, um Rana nicht zu erschrecken, und ging rückwärts zur Zellentür. Er hatte Angst, dass Giuseppe ihm folgen würde, ihn anflehen würde. Doch der Junge blieb hocken. Nur seine Augen folgten Guerrini aus der Zelle, begleiteten ihn durch den Gang bis zur Wachstube, und Guerrini schüttelte den Kopf, um diese Augen nicht mehr zu sehen, schloss leise die Tür hinter sich und packte den Wachhabenden an der Schulter. Der Mann drehte sich erschrocken um. Er war inzwischen nicht mehr allein, zwei Kollegen saßen an Schreibtischen in dem viel zu engen Raum. Guerrini war es egal.

«Wer hat das gemacht?», brüllte er.

«Was gemacht?» Der Mann wich ein wenig zurück, doch Guerrini hielt ihn fest.

«Wer hat Rana geschlagen?»

«Niemand, Commissario!» Der Mann drehte seinen Kopf zu den Kollegen. «Oder wisst ihr was?»

Die beiden zuckten die Achseln.

«Wahrscheinlich hat er sich selbst den Schädel angehauen», sagte der eine undeutlich. «Verrückt, wie der ist!»

«Er hat sich nicht selbst den Schädel angehauen!» Guerrini brüllte weiter. «Er ist geschlagen worden! Ich kann sehr genau unterscheiden, ob jemand sich selbst verletzt oder misshandelt wird!» Er versetzte dem Wachhabenden einen Stoß und ließ ihn gleichzeitig los. Der Mann taumelte gegen die Wand. Guerrini fuhr sich mit beiden Händen übers Gesicht.

«Wenn Rana noch ein Haar gekrümmt wird, solange er hier in Untersuchungshaft sitzt, dann Gnade euch Gott! Ich werd euch wegen Körperverletzung vor Gericht bringen, und wenn ich bis zum Obersten Gerichtshof in Rom gehen muss! Ich werde dafür sorgen, dass ihr vom Dienst suspendiert werdet. Gibt es euch ein gutes Gefühl, wenn ihr einen geistig Behinderten schlagt? Fühlt ihr euch dann mächtig? Richtig gut? Ihr kotzt mich an!» Guerrinis Beine bewegten sich plötzlich von allein, ließen ihn im Raum auf und ab gehen. Einer der Wachmänner wollte etwas sagen, doch der Commissario schnitt ihm mit einer heftigen Handbewegung das Wort ab.

«Ich gebe euch jetzt klare Anweisungen! Hört genau zu! Ihr werdet das Essen für Rana neben der Tür abstellen und die Zelle nicht betreten. Ihr werdet ihn zu nichts zwingen! Zu gar nichts! Ist das klar? Weder dazu, sich zu waschen, noch zu essen oder etwas zu sagen oder sonst was! Ihr lasst ihn einfach in Ruhe!» Guerrini sah auf seine Armbanduhr. «In zwei Stunden komme ich wieder und sehe nach!»

Er verließ den Raum und knallte noch einmal die Tür hinter sich zu, blieb kurz stehen, um Luft zu holen, und machte sich auf den Weg zum Untersuchungsrichter. Sein Herz schlug zu schnell.

Als die Tür zum Gruppenraum des Klosters sich gegen Mittag endlich öffnete, saß Laura Gottberg auf der Treppe zur Veranda und streichelte junge Katzen. Zum Teufel mit den Flöhen. Katharina Sternheim ließ sich neben ihr nieder. Ihr Gesicht wirkte schlaff und erschöpft.

«Haben Sie noch ein Zimmer frei?», fragte Laura.

Katharina ließ ihre Augen zu dem Koffer wandern, der

noch immer an der Hauswand neben der Telefonzelle stand.

«Halten Sie das für eine gute Idee?»

«Ja!», antwortete Laura.

«Es wird die Gruppenarbeit stören.»

«So? Ich denke, dass die Gruppenarbeit kaum mehr gestört werden kann als durch einen Mord, oder?»

Katharina stützte den Kopf in beide Hände und schloss die Augen.

«Natürlich», flüsterte sie. «Aber ich versuche gerade, ein bisschen Ruhe in die Gruppe zu bekommen. Die Sache aufzuarbeiten. Wenn Sie hier wohnen, wird keine Ruhe einkehren. Alle werden sich beobachtet fühlen ... Nichts gegen Sie. Aber Sie sind Kriminalkommissarin. Können Sie sich eine Gruppenarbeit unter den Augen der Polizei vorstellen?»

«Nein», erwiderte Laura mit einem dezenten Lächeln. «Ich habe auch gar nicht vor, an den Gruppensitzungen teilzunehmen. Ich möchte nur hier sein, um in Ruhe mit den Leuten reden zu können und meine Ermittlungen durchzuführen. Sie können weitermachen wie bisher. Nur hin und wieder in kleinerer Besetzung!»

«Was wollen Sie damit sagen?»

«Ich will damit sagen, dass ich mit jedem Einzelnen längere Gespräche führen muss – auch während der Gruppensitzungen. Ich mache hier schließlich nicht Urlaub, sondern ich versuche einen Mord aufzuklären!»

Katharina hielt noch immer die Augen geschlossen und Laura schoss der boshafte Gedanke durch den Kopf, dass sie einer Schmerzensfrau glich und dass an diesem Ausdruck tiefen Leids etwas falsch war.

«Gut!», sagte Katharina plötzlich und hob den Kopf. «Es gibt noch ein Zimmer. Rosa hat bis vor zwei Tagen dort gewohnt. Aber sie ist inzwischen in den Gruppenraum umgezogen. Das Zimmer hat ihr Angst gemacht. Sie können es haben!» Katharina stand auf, machte zwei Schritte die Treppe hinauf und wandte sich an die anderen, die gerade den Tisch deckten.

«Die Kommissarin wird bei uns auf der Abbadia wohnen. Ich habe ihr Rosas ehemaliges Zimmer gegeben. Ich hoffe, ihr seid damit einverstanden – aber wir haben wohl keine andere Wahl.»

Einen Moment lang schwiegen alle, verharrten in ihren Bewegungen wie Märchenfiguren, die plötzlich in Schlaf fallen. Rolf Berger war der Erste, der sich wieder fing.

«Dann ist ja klar, dass wir alle verdächtig sind!», sagte er mit leiser, spöttischer Stimme.

«Nicht alle!», antwortete Laura ebenso spöttisch. «Es sei denn, es handelt sich um einen Ritualmord, den Sie alle gemeinsam ausgeführt haben.»

Rosa Perl stellte eine Schüssel mit Tomatensalat auf den Tisch, zu hart.

«Schlafen Sie nicht in diesem Zimmer», murmelte sie. «Es wohnt ein böser Geist drin.»

Laura lächelte ihr freundlich zu.

«Vielleicht kann ich ihn vertreiben», antwortete sie. «Und noch etwas. Könnte ich bis morgen mit Ihnen gemeinsam essen? Ich zahle gern in die Kasse ein.»

«Ja, natürlich!» Katharina ließ sich erschöpft auf eine Bank fallen.

Es gab Käse, Salami, Früchte und Tomatensalat. Dazu tranken sie Wein und Wasser. Die Katzen versuchten ihren Teil zu ergattern, strichen unter dem Tisch um die Menschenbeine und sprangen blitzschnell auf die Bänke, wenn jemand unaufmerksam wurde. Lange Zeit aßen sie schweigend, doch Laura spürte die verstohlen forschenden Blicke der anderen.

«Nach dem Essen legen wir normalerweise eine Ruhepause ein», sagte Katharina endlich. Es klang in Lauras Ohren wie: Sie stören hier!

Gut, dachte Laura. Sie geht auf Konfrontation. Damit kann ich umgehen!

«Ich möchte nur mit einer Person sprechen», antwortete sie ruhig. «Die anderen können ruhen.»

«Sie glauben doch nicht im Ernst, dass jemand aus dieser Gruppe Carolin umgebracht hat!» Britta, die Krankenschwester, hatte den Kopf gehoben und sah Laura herausfordernd an. Sie war eine hübsche junge Frau mit sehr kurzen Haaren, die wie ein Helm um ihren Kopf lagen. Das enge Top gab den Ansatz ihrer Brüste frei.

«Ich weiß es nicht ...», Laura drehte den Wasserbecher zwischen ihren Händen, «... es geht hier um ganz normale polizeiliche Ermittlungen. Niemand wird bisher beschuldigt. Ich kann verstehen, wenn Sie sich ein wenig unbehaglich fühlen. Das ist die natürliche Folge eines Mordes, finden Sie nicht? Ich meine, man kann nicht einfach zur Tagesordnung übergehen und so tun, als sei nichts passiert ...»

Britta beugte sich zu einer Katze hinab und reichte ihr eine Käserinde.

«Das tun wir ja nicht», antwortete sie leise. «Es ist nur ... Sehen Sie, wir haben uns alle auf die Gruppe gefreut, auf diesen Ort. Und jetzt wird diese Arbeit, die wir hier miteinander machen, gestört. Dabei ist sie wichtig für uns ... für mich jedenfalls, und ich denke auch für die anderen ...»

Laura beobachtete die junge Frau, die leichte Unzufriedenheit in ihrem Gesicht, das Schürzen der Lippen, den Zorn, der in ihren Augen lag.

«Ach», sagte Laura. «Das bringt mich auf eine Idee. Ich würde gern mit Ihnen anfangen. Wir können nach dem Essen einen Spaziergang machen oder uns im Schatten auf die Mauer setzen – ganz wie Sie wollen.»

«Mit mir?» Britta Wieland sah plötzlich sehr erschrocken aus. «Warum denn ausgerechnet mit mir?»

«Weil wir bereits angefangen haben zu reden.»

«Aber ich ... ich kann Ihnen überhaupt nichts sagen!»

«Sie sind Mitglied der Gruppe, Sie haben Carolin Wolf gekannt ... das reicht!»

«Aber ich wollte eigentlich meditieren und mein Tagebuch schreiben!»

«Das können Sie alles hinterher! Meine Güte! Ist Ihnen allen eigentlich klar, dass ein Mensch umgebracht wurde, der noch vor ein paar Tagen Mitglied Ihrer Gruppe war?!»

«Okay!» Britta sprang auf. «Gehen wir! Aber gleich. Ich brauche noch ein bisschen Zeit für mich, ehe die nächste Sitzung beginnt. Um vier?» Sie warf Katharina Sternheim einen fragenden Blick zu. Die Therapeutin nickte müde. Laura erhob sich ebenfalls und fragte sich, woher diese Selbstbezogenheit kommen mochte, die aus der jungen Frau sprach. Langsam folgte sie ihr über den Innenhof des Klosters, vorbei an dem verfallenen kleinen Bauernhof, der wohl einmal zu dem Anwesen gehört hatte, vorbei an dem Friedhof der Mönche, dann hielt sie an.

«Es ist zu heiß, um weit zu gehen. Wir können uns hier in den Schatten setzen.»

«Ich würde lieber laufen!», entgegnete Britta.

«Gut, dann laufen wir. Aber nebeneinander.»

Unwillig verhielt Britta ihre Schritte, wartete, bis Laura sie eingeholt hatte.

«Also, was wollen Sie wissen?»

«Zunächst einmal würde mich interessieren, warum Sie so wütend sind?»

«Ich bin überhaupt nicht wütend, wie kommen Sie denn darauf?»

«Einfach nur so ein Gefühl.»

Wieder ging Britta schneller, hielt plötzlich an und drehte sich zu Laura um.

«Sie haben Recht! Ich bin wütend! Diese Gruppe hat mich eine Menge Geld gekostet. Krankenschwestern verdienen nicht besonders gut. Es ist mir wichtig! Ich meine, diese Arbeit für mich! Und dann kommt dieses kleine Biest und verdirbt alles!»

«Welches kleine Biest?»

«Na, diese Carolin. Sie können sich nicht vorstellen, wie die sich hier aufgeführt hat. Tobsuchtsanfälle hat sie in den Sitzungen hingelegt – alles drehte sich nur noch um sie in den ersten Tagen. Und sie hat es genossen … und wie sie es genossen hat! Wir anderen waren nur noch Publikum für die Sonderaufführung Carolin Wolf!»

«Und die andern, haben die das ähnlich empfunden?», erkundigte sich Laura und schlug dabei ungeduldig nach einer dicken Fliege, die schon länger um sie kreiste.

«Die meisten mit Sicherheit!» Brittas Stimme klang bitter. «Nur dieser Berger war ganz scharf auf sie. Was hat er einmal in der Sitzung gesagt? Dass Carolin für ihn das ‹wilde ungebändigte Leben› bedeute. Dass er sich wünsche zu sein wie sie!» Britta lachte auf. «Dieser Trottel! Ich glaube, für den ist jede Frau das wilde ungebändigte Leben. Mich baggert er jedenfalls auch dauernd an! Aber da kann er lange baggern!»

«Was haben Sie am Abend von Carolin Wolfs Tod gemacht?», fragte Laura unvermittelt.

«Ich?» Britta warf Laura einen beinahe fassungslosen Blick zu. «Was ich gemacht habe? Sie werden doch nicht denken, dass ich …»

«Ich denke gar nichts», antwortete Laura. «Ich frage nur, weil ich wissen muss, was jedes Mitglied dieser Gruppe an jenem Abend gemacht hat.»

«Ja, richtig, wir sind ja alle verdächtig. So ist es doch, oder?»

«In gewisser Weise.»

«Gut, ich kann Ihnen genau sagen, was ich gemacht habe. Ich habe mit Monika zusammen abgewaschen, und dann haben wir auf dem kleinen Brunnen am Ende des Innenhofs noch eine Zigarette geraucht. Da war es schon dunkel. Danach sind wir ins Bett gegangen – wir schlafen in einem Zimmer – und haben noch ein bisschen geredet und dann gelesen. Danach hatten wir Mühe einzuschlafen, weil Vollmond war. Außerdem haben die Stachelschweine geschnauft und gequiekt, und Monika hatte wieder ein paar Katzenflöhe erwischt.»

Laura versuchte aufmerksam zu bleiben, obwohl die Hitze und Brittas Redeschwall sie müde machten.

«Haben Sie etwas bemerkt, als Sie Ihre Zigarette am Brunnen rauchten?», fragte sie.

Britta lachte auf.

«Ja, ein Käuzchen flog vorbei. Katharina hatte in ihrem Zimmer eine Kerze angezündet und vermutlich alle Geister um Beistand für die Gruppe angefleht. Hubertus saß auf der Veranda und rauchte eine Pfeife. Die drei komischen Französinnen huschten ins Haus, ohne zu grüßen. Ja, und irgendein Italiener kam vorbei, um zu telefonieren.»

«Wo waren Rolf Berger, Carolin Wolf und diese Susanne?»

«Sie haben ja genau mitgezählt, was?» Britta kicherte nervös. «Lernt man so was bei der Polizei?»

«Ja», antwortete Laura.

«Also, wenn ich ehrlich bin, habe ich alle drei nach dem Abendessen nicht mehr gesehen. Susanne verschwand in ihrem Zimmer, weil sie keinen Küchendienst hatte, Carolin wollte spazieren gehen und Berger ... keine Ahnung, was der gemacht hat.»

«Hat Susanne Fischer ein Einzelzimmer?»

«Nein, sie schlief in einem Zimmer mit Carolin. Es gibt nicht so viele Räume im Kloster. Nur Rosa und Katharina haben Einzelzimmer. Hubertus und Rolf wohnen auch zusammen.»

«Hat Susanne Fischer in der Nacht gemeldet, dass Carolin Wolf nicht da war?»

«Ich glaube, sie hat Katharina irgendwann geweckt, weil sie sich Sorgen machte.» Plötzlich ließ Britta die Schultern hängen und senkte den Kopf, als hätten Energie und Wut sie jäh verlassen.

«Denken Sie wirklich, dass Carolin umgebracht wurde ...? Bis jetzt habe ich noch immer an einen Unfall geglaubt, oder daran, dass dieser debile Bauernjunge es aus Versehen gemacht hat. Sind Sie sicher, dass er's nicht war?»

«Ziemlich sicher», sagte Laura leise.

«Dann ... müsste es einer von uns gewesen sein?» Britta wischte sich mit dem Handrücken über die Stirn.

«Müsste!», nickte Laura.

«Dann ... will ich hier nicht mehr bleiben», flüsterte sie.

«Die italienische Polizei hat für Sie alle ein Abreiseverbot verhängt», antwortete Laura, «bis die Sache geklärt ist! Sie könnten sich höchstens ein Zimmer in Buonconvento oder Montalcino nehmen.»

«O mein Gott», wisperte Britta. «Nächste Woche habe ich wieder Dienst. Ich kann denen doch nicht sagen, dass ich wegen Mordverdachts nicht zur Arbeit kommen kann.»

«Sie können ja sagen, dass Sie krank geworden sind. Manchmal hält das Leben Überraschungen bereit.»

Laura wandte sich zum Kloster zurück. Hitze hing über den Hügeln, das Land war fahlgelb und verdorrt, die Konturen verschwammen.

«War das alles?», fragte Britta, als sie den Rückweg antraten.

«Vielleicht. Falls Ihnen nicht noch etwas zu den anderen einfällt. Zu Berger zum Beispiel oder zu Carolin Wolf, zu dem geheimnisvollen Hubertus Hohenstein oder zu Susanne Fischer. Vielleicht fangen wir mit ihr an.»

«Ich möchte nichts über die anderen sagen!» Britta stieß mit ihrem Turnschuh gegen einen Pinienzapfen.

«Sie haben doch schon eine Menge gesagt. Über Carolin Wolf zum Beispiel und auch über Rolf Berger.»

«Das … zählt nicht.»

«Warum? Weil Carolin tot ist und Sie Rolf Berger nicht mögen?»

«Ach, hören Sie auf!», antwortete Britta heftig. «In einer Gruppe gibt es so etwas wie eine Schweigepflicht, falls Sie das nicht wissen sollten. Was in den Sitzungen gesprochen wird, ist Vertrauenssache!»

«Aha!», machte Laura.

«Hören Sie auf!», schrie Britta. «Ich finde Ihre Ironie widerlich! Und Sie haben ja Recht, verdammt nochmal! Ich hab schon was aus den Sitzungen erzählt, und ich sollte es nicht tun. Es ist mir nur so rausgerutscht, weil ich wütend war! Es wird garantiert nicht mehr vorkommen!»

«Sie müssen mir auch nichts aus den Sitzungen erzählen», sagte Laura ruhig. «Aber Sie könnten mir von Ihren Eindrücken und Vermutungen erzählen. Vielleicht haben Sie in einem Winkel Ihres Herzens einen winzigen Verdacht ... oder Sie haben irgendetwas beobachtet, das Ihnen jetzt schon ein paar Mal durch den Kopf gegangen ist.»

«Nein!» Britta schüttelte heftig den Kopf.

«Okay, nein!», sagte Laura.

Wortlos kehrten sie zum Kloster zurück. Grußlos rannte Britta die Treppe zur Veranda hinauf und verschwand im Hauptgebäude. Lauras Blick fiel auf Rolf Berger, der im Schatten der bröckelnden Arkaden in einem Liegestuhl döste.

Halb zwei. Sie sollte eigentlich Sofia anrufen und Kontakt zu Baumann aufnehmen. Bei ihrer Ankunft im Kloster hatte sie ihr Handy ausgeschaltet, um nicht durch Anrufe gestört zu werden. Sicher hatte ihr Vater schon mindestens zweimal auf die Mailbox gesprochen. Außerdem hätte sie sich gern unter den großen Feigenbaum an der Nordwand des Klosters gesetzt und ungestört nachgedacht.

Doch da saß Berger, der Nächste auf ihrer inneren Liste. Sie schaute sich nach ihrem Koffer um. Jemand hatte ihn in den Hauseingang neben der Telefonzelle gestellt. Laura wäre auch gern in ihr Zimmer gegangen, um sich ein wenig frisch zu machen, aber Berger könnte inzwischen verschwinden, und das wollte sie nicht riskieren, deshalb überquerte sie den Hof und hielt genau auf ihn zu.

Als sie näher kam, wurde ihr klar, dass er sie unter seinen halb geschlossenen Augenlidern beobachtet hatte. Er lächelte leicht.

«Warum ist Britta denn weggelaufen?»

«Weil sie ein paar Fragen nicht beantworten wollte!» Laura blieb neben Bergers Liegestuhl stehen, machte ihm aber keinen Schatten, sondern ließ ihn blinzeln.

«Was für Fragen?» Berger hob die Hand, um seine Augen vor dem grellen Licht zu schützen.

«Ich glaube nicht, dass Sie das etwas angeht!», antwortete Laura. «Ich würde mich jetzt gern mit Ihnen unterhalten, dann haben wir es hinter uns.»

Berger hüstelte nervös und ein bisschen leidend, legte dabei eine Hand auf seine Brust.

«*Zauberberg*, Thomas Mann!», sagte Laura.

«Was?»

«Na, Sie haben mich gerade an den Roman von Thomas Mann erinnert, an das Lungensanatorium und seine Bewohner. Kennen Sie das Buch?»

«Ja», murmelte Berger verwirrt und setzte sich auf. Laura fiel auf, dass er ziemlich blass war und so mager, dass er ganz gut auf den Zauberberg gepasst hätte. Ihr Einfall hatte ihn ganz offensichtlich unsicher gemacht. Jedenfalls war nichts von seiner forschen Ironie zu spüren.

«Sie haben gar nicht so Unrecht», sagte er mit dieser leicht brüchigen Stimme, die Laura schon früher an ihm bemerkt hatte. «Wir befinden uns hier in einer ganz ähnlichen Situation wie die Kranken in einem Sanatorium. Wir können nicht einfach abreisen, wir müssen zweimal am Tag bestimmte Anwendungen über uns ergehen lassen, die man Gruppensitzungen nennt. Danach sind die meisten froh, wenn sie eine Liegekur machen können.» Er lachte auf. «Außerdem habe ich tatsächlich schwache Lungen und erkälte mich sehr leicht.»

Laura setzte sich auf einen klapprigen Gartenstuhl und nickte ernst.

«Es gibt nur einen wichtigen Unterschied: In einem Lungensanatorium sterben die Menschen an Tbc und werden nicht ermordet!»

Berger ließ sich wieder zurücksinken und schloss die Augen.

«Es ist furchtbar», flüsterte er kaum hörbar. «Carolin war so lebendig und stark …»

«Kannten Sie das Mädchen schon lange?»

«Wie kommen Sie denn darauf?» Er hielt die Augen geschlossen, und seine Worte fielen sehr langsam.

«Weil ich erfahren habe, dass Sie mit Carolin eine ziemlich enge Beziehung unterhielten!»

Bergers lange Wimpern zuckten ein wenig.

«Wer hat das gesagt? Die kleine Sekretärin, die keinen abgekriegt hat? Oder die zickige Krankenschwester? Am Ende gar die einsame Meisterin selbst?»

«Es spielt keine Rolle, nicht wahr? Wichtig ist nur, ob es der Wahrheit entspricht!» Schweiß lief über Lauras Rücken, und ihr wurde bewusst, dass sie in der prallen Sonne saß.

«Gut!» Berger setzte sich so plötzlich auf, dass Laura beinahe zusammenzuckte. «Ich habe Carolin Wolf genau hier zum ersten Mal gesehen. Ich fand sie attraktiv und sehr erotisch. Sie hat meine Gefühle erwidert, und wir haben uns ein paar Mal außerhalb der Gruppe getroffen.»

«Auch am Abend ihres Todes?»

Berger vergrub sein Gesicht in den Händen, und Laura dachte, dass er einen guten Schauspieler abgeben würde.

«Ja, auch am Abend ihres Todes. Wir haben uns unterhalb des Klosters getroffen und sind zum Bach runter. Dort ist es kühl und …»

«… niemand kann einen sehen, nicht wahr?»

Berger stöhnte.

«Nein, niemand kann einen sehen. Jedenfalls haben wir dort unten nie jemanden getroffen.»

«Wie lange waren Sie am Bach? Sind Sie allein oder zusammen zurückgekommen?»

«Seltsam!», murmelte Berger und sah Laura an.

«Was?»

«Sie sehen überhaupt nicht aus wie eine Polizistin, aber Sie sind taff. Hab ich Recht?»

«Ich weiß nicht, was das mit meiner Frage zu tun hat.»

«Nichts, nichts ... es kam mir nur gerade so in den Sinn. Sie sehen aus wie ... irgendeine italienische Schauspielerin, die schon tot ist.»

«Ich hätte gern eine Antwort!»

«Ach so ... warten Sie. Ich bin allein zurückgegangen. Aber Carolin war eine Viertelstunde später auch wieder da. Sie hat auf der Veranda ein Glas Wein getrunken. Ich glaube, Susanne und Hubertus waren auch dabei. Die beiden kamen kurz nach uns von ihrem Abendgang. Das gehört hier nämlich auch zu den Anwendungen. Der einsame Abendgang, um die Erlebnisse des Tages an sich vorüberziehen zu lassen.»

«Ihr Abendgang war demnach gegen die Vorschriften!»

«Wenn Sie es so nennen wollen. Carolin und ich hatten abends gern Gesellschaft.» Berger hatte zu seiner Ironie zurückgefunden.

«Was haben Sie nach Ihrer Rückkehr gemacht?»

«Ein Glas Wein getrunken, wie die anderen, und dann bin ich ins Bett gegangen. Ich war sehr müde. Hubertus kam auch bald und saß noch eine Weile am Fenster, um den Mond anzusehen. Er rauchte Pfeife ... Brauchen Sie noch mehr Einzelheiten?»

«Danke, das reicht. Hat Carolin Wolf gesagt, dass sie noch einmal fort wollte?»

Berger runzelte die Stirn.

«Nicht direkt. Sie sagte nur, dass der Mond sie ganz verrückt machen würde und dass Nächte wie diese nicht zum Schlafen da seien.»

«Sie ist also noch einmal zum Bach gegangen. An den Ort, der gewöhnlich Ihr Treffpunkt war. Halten Sie es für unlogisch, wenn ich annehme, dass auch Sie noch einmal dorthin gingen?»

Berger lächelte spöttisch.

«Nicht unlogisch, aber falsch. Fragen Sie doch Hubertus Hohenstein. Er kann bezeugen, dass ich das Zimmer nicht mehr verlassen habe. Allerdings wäre ich gern noch einmal fort, leider erlaubt mir meine Gesundheit solche Ausflüge nicht. Es wäre zu viel geworden …» Er hüstelte und wandte das Gesicht ab.

Eine Nummer pro Abend reicht wohl, dachte Laura, hätte es beinahe laut gesagt. Sie überlegte, warum der Pathologe nichts davon erwähnt hatte, dass Carolin Wolf wenige Stunden vor ihrem Tod Geschlechtsverkehr hatte. Aber vielleicht stimmte es nicht. Vielleicht hatten sie nur geredet oder Carolin Wolf war noch einmal unter die Dusche gegangen, ehe sie zu ihrem zweiten Abendspaziergang aufbrach … Doch am wahrscheinlichsten war, dass Berger Kondome benutzte.

«Gut», sagte sie laut. «Erzählen Sie mir ein bisschen von sich. Sie wohnen in München, wenn ich mich nicht täusche.»

Berger nickte, seine Mundwinkel zitterten, als litte er Schmerzen.

«Ich wohne in München, bin verheiratet, keine Kinder. Ich arbeite bei einer großen Biotech-Firma als

Humangenetiker. Wir erforschen neue Therapiemöglichkeiten für Diabetes.»

«Wie heißt die Firma?»

«Dialab.»

«Gut. Ich werde das überprüfen lassen ... Sie behaupten, Carolin Wolf hier zum ersten Mal getroffen zu haben. Kennen Sie andere Mitglieder der Gruppe aus München?»

«Sie gehen ganz schön ran, was?!» Berger verzog sein Gesicht zu einem gequälten Lächeln.

«Ich stelle nur Fragen, die ich jedem anderen Mitglied dieser Gruppe auch stelle. Nahe liegende Fragen, nicht wahr?»

«War Britta deshalb so sauer?»

«Nein.»

«Sind Sie immer so ... so zugeknöpft, Frau Hauptkommissarin?»

«Lenken Sie immer so geschickt ab, Herr Berger?»

«Oh», grinste er, «keine Chance, was?»

«Keine Chance!»

«Na gut. Ich habe Rosa gekannt. Rosa hat Einzeltherapie bei unserer Meisterin, genau wie ich. Wir sind uns ab und zu im Wartezimmer begegnet. Wenn ich ging und sie kam oder umgekehrt. Das ist schon alles. Sonst kenne ich niemanden!»

«Das stimmt ungefähr mit meinen bisherigen Informationen überein», murmelte Laura. «Nur noch eine Frage: Ist Ihnen etwas an einem der anderen Gruppenmitglieder aufgefallen? Eine besondere Beziehung zu Carolin Wolf? Eine Rivalität?»

Berger lachte trocken auf.

«Alle Weiber haben Carolin gehasst! Weil sie eine Naturgewalt war, von der die andern nur träumen konnten.

Ich bin sicher, dass jede von denen Carolin in Gedanken nicht nur einmal umgebracht hat!»

«Schließen Sie in diese Behauptung auch Katharina Sternheim ein?»

«Na klar! Die alte Hexe ganz besonders!»

«Die alte Hexe ist immerhin Ihre Therapeutin. Finden Sie es normal, so von ihr zu sprechen?»

Wieder hüstelte Berger.

«Sie ist nicht mehr meine Therapeutin», antwortete er. «Wir haben uns zerstritten. Ich mache diese Gruppe noch mit, weil wir alle in einem Boot sitzen, aber dann ist Schluss!»

Laura stand auf und ging in den Schatten eines Rundbogens. Die Hitze ließ das Blut in ihren Schläfen pochen.

«Warum haben Sie sich zerstritten?», fragte sie.

«Das hat etwas mit der Therapie zu tun. Darüber rede ich nicht! Nur so viel: Katharina ist eine machtbesessene Frau. Alles läuft gut, wenn man diese Macht nicht antastet. Aber wehe dem Klienten, der wirklich anderer Meinung ist und Widerstand leistet!»

«Ich nehme das als Ihre persönliche Meinung!» Laura wischte ein paar Schweißtropfen von der Stirn, sie sehnte sich inständig nach einer kühlen Dusche. Berger ging ihr auf die Nerven. Er hatte plötzlich etwas Schulmeisterliches, Schlaues. Offensichtlich war er bemüht, Misstrauen zwischen ihr und den übrigen Mitgliedern der Gruppe zu säen. Sie hatte den Eindruck, als genieße er plötzlich dieses Verhör, jetzt, da er sich gefangen hatte und einen dumpfen Verdacht auf die gesamte Gruppe lenken konnte. Laura wollte ihn loswerden, doch auf eine Antwort war sie noch neugierig.

«Wie ist Ihr Verhältnis zu Rosa Perl?»

«Was hat das mit Katharina Sternheim zu tun?» Jetzt

lächelte er plötzlich sehr charmant und beugte sich in Lauras Richtung. Es klang, als sagte er: Ein bisschen sprunghaft und unkonzentriert, was?

«Nichts!», erwiderte sie kühl. «Es hat etwas mit Rosa Perl zu tun. Sie haben richtig verstanden!»

Berger stand auf und trat nahe an Laura heran. Er war groß, mindestens ein Meter neunzig, und er konnte auf sie herabschauen, obwohl sie nicht gerade klein war. Etwas Schweres, Durchdringendes lag in seinem Blick. Er sah genau in ihre Augen, Laura fühlte sich unbehaglich, als hätte er sie ohne ihre Einwilligung berührt.

«Rosa ist krank», sagte er langsam. «Sie ist sogar sehr krank, und sie fürchtet sich vor dem Tod. Ich steh ihr ein wenig bei. Das ist alles. Rosa hat es verdient!»

Vorsichtig betrat Laura Rosa Perls ehemaliges Zimmer. Die Fensterläden waren geschlossen, ließen nur ein paar Sonnenstreifen herein. Ein mächtiger alter Schrank stand an der einen Wand, eine antike Spiegelkommode an der anderen. Das Bett hatte hölzerne Säulen, die fast bis zur Decke reichten – der dazugehörige Baldachin fehlte. Alle Möbel waren dunkelbraun, fast schwarz, die Wände weiß, ohne Bilder. Ein schlichtes Zimmer – eins aus einer anderen Zeit. Laura liebte Zimmer dieser Art, man fand sie nur noch selten. Sie stellte ihren Koffer neben die Tür und ließ sich aufs Bett fallen. Ein paar Minuten blieb sie mit geschlossenen Augen liegen, dachte nichts, lauschte nur dem Gurren der Tauben. Doch dann rappelte sie sich auf, robbte über das breite Bett zu ihrem Rucksack und kramte das Telefon heraus. Auf dem Bauch liegend hörte sie ihre Mailbox ab. Dreimal ihr Vater.

«Bist du da, Laura? – Sag doch was! – Ich muss unbedingt mit dir sprechen! – Ist dir was passiert? – Du kannst doch nicht einfach dein Telefon abschalten!»

Und so ging es immer weiter.

Laura atmete tief durch. Manchmal war es schwer auszuhalten. Der vierte Anruf kam von Baumann und klang nicht wesentlich anders.

«Wo steckst du denn? Trinkst du schon wieder Wein mit einem italienischen Kollegen? Melde dich! Du bist schließlich im Dienst!»

«Madre mia!», seufzte Laura und las die SMS ihrer Tochter.

«Hallo, Mama, mir geht's gut. Die Mathe-Schulaufgabe hab ich geschafft. Glaub, dass ich keine Fünf habe. Hast du den Mörder schon gefunden? Papa macht prima Kartoffelbrei. Ich hab dich lieb, Sofia.»

«Ich dich auch», murmelte Laura und legte das kleine Telefon neben sich aufs Bett, stand langsam auf und beschloss zu duschen, ehe sie Baumann anrief. Das Bad lag außerhalb ihres Zimmers am Ende des Gangs, gleich neben dem Zimmer von Berger und Hohenstein. Als sie mit nassen Haaren und nur in ein großes Badelaken gewickelt zu ihrem Zimmer zurückgehen wollte, stieß sie mit Hubertus Hohenstein zusammen, der in diesem Augenblick aus der Tür trat.

«Oh», sagte er und schaute verlegen zu Boden.

«Bin schon weg!», lachte Laura. «Wir sehen uns später!»

«Ja, später», antwortete er undeutlich und wartete mit gesenktem Kopf vor seiner Zimmertür, bis sie verschwunden war.

Ein seltsamer Mann, dachte Laura, während sie ihr Haar trocken rieb. Entweder ist er ein wahrer Gentleman oder ein Mönch in Zivil. Sie schlüpfte in helle Hosen und eine weite dunkle Bluse, setzte sich wieder aufs Bett und wählte Baumanns Nummer.

«Da bist du ja endlich!» Beinahe hätte Laura gefragt, woher er das wisse – aber natürlich zeigte sein Apparat ihre Nummer an. Sie würde sich nie an die Geschwindigkeit und Indiskretion der neuen Techniken gewöhnen.

«Ja, da bin ich endlich», sagte sie stattdessen.

«Wo bist du?»

«Na hier! In deinem Telefon und außerdem in einem kargen Zimmer, in einem Kloster, auf einem Hügel in der südlichen Toskana. Ich bin allein, habe gerade geduscht und versuche die ersten Verhöre zu verdauen.»

«Kommst du weiter?»

«So kann man es nicht gerade nennen. Ich sondiere die Lage.»

«Kein schlechter Platz, um so was zu machen.»

«Na ja, für dich wär es nichts, mein Lieber. Keine Kneipen, nur viel Landschaft und seltsame Leute.»

«Und dein italienischer Kavalier?»

«Den hab ich weggeschickt!»

«Du ermittelst doch nicht etwa allein? Da läuft ein Mörder frei rum, und du hast nicht mal eine Waffe!»

«Ich will ja niemanden erschießen!», erwiderte Laura trocken.

«Aber vielleicht will er dir ans Leder! Pass auf, ja?»

«Na klar! Du kennst mich doch. Aber jetzt erzähl mal was Substanzielles. Hast du noch etwas über die Tote aus der Isar rausgefunden?»

«Ein bisschen. Ich hab eine Freundin von ihr aufgetrieben, und die sagte mir, dass Iris Keller einen Lover hatte. Einen verheirateten Mann. Sie hat mir sogar seinen Namen genannt: Rolf Berger.»

«Was! Sag das nochmal!»

«Rolf Berger … Was ist denn?»

«Ich habe vor ein paar Minuten mit einem Rolf Berger gesprochen! Er nimmt an dieser Selbsterfahrungsgruppe teil!»

Baumann schwieg ein paar Sekunden.

«Klingt ja interessant. Zwei tote Frauen und ein Rolf Berger. Bringt dich das auf etwas?»

«Ja», sagte Laura nachdenklich, «aber als Iris Keller starb, war er schon in der Toskana.»

«Scheiße!», erwiderte Baumann. «Es wäre doch schön, wenn wir einmal einen einfachen Fall hätten. Dann könntest du diesen Berger festnehmen und wieder nach Hause kommen, mit deinem Vater Rommé spielen und mit mir Kaffee in der Kantine trinken.»

«Tja», lächelte Laura ins Telefon. «Leider gibt es keine einfachen Fälle. Der Mörder, der Iris Keller in die Isar gestoßen hat, kann auch nichts mit dem Tod von Carolin zu tun haben – es sei denn, er ist Berger nachgereist. Überprüf doch mal, ob es nicht zwei Rolf Berger gibt.»

«Mach ich. Passt du auf dich auf, ja? Taugt dieser italienische Kollege als Bodyguard, oder ist er nur eine nette Begleitung im Restaurant?»

«Beides! Aber jetzt pass auf: Ich gebe dir die Personalien der Gruppenmitglieder durch. Überprüf sie und versuche rauszufinden, ob sie in irgendeiner Verbindung zueinander stehen.»

«Es gibt nichts, was ich lieber täte …»

«Kannst du nicht einmal ernst bleiben?»

«Nein», sagte Baumann.

«Dann eben nicht! Pass auf!» Laura diktierte die Namen und Adressen der sieben Deutschen.

«Noch was?»

«Das ist alles. Warte, schau mal nach, ob du die Ehefrau von Berger zu fassen kriegst. Mich würde interessieren, wie sie mit den Affären ihres Mannes klarkommt.»

«Das muss ja ein toller Typ sein!»

«Ich finde ihn schrecklich», erwiderte Laura. «Er ist wehleidig, sentimental, auf klebrige Weise aufdringlich und aggressiv.»

«Klingt ja richtig verlockend!»

«Ja, aber vielleicht ist er mit seinen Frauen anders. Hier läuft noch was mit dieser Rosa Perl, die du auf deiner Liste hast! Wie spät ist es?»

«Gleich vier, warum?»

«Dann müssen wir Schluss machen. Ich muss Rosa Perl aus der Gruppe holen, ehe die Nachmittagssitzung beginnt!»

«Ich wollte dir noch von deinem Vater erzählen …»

«Morgen, Peter. Oder heute Abend, gegen zehn! Ciao!»

Laura kämmte blitzschnell mit den Fingern durch ihr feuchtes Haar, schlüpfte in ihre Schuhe und lief los. Sie erreichte den Gruppenraum, als Katharina Sternheim gerade die Tür schließen wollte.

«Ja?», fragte die Therapeutin und streifte Laura mit einem unergründlichen Blick.

«Es tut mir Leid, dass ich störe. Aber ich würde gern mit Rosa Perl sprechen.»

Katharina schaute an Laura vorüber auf die Dächer des Klosters, senkte dann die Augen und seufzte.

«Ich würde diese Sitzung gern mit der ganzen Gruppe abhalten. Wir arbeiten hier, und es ist keine einfache Arbeit.»

«Ich arbeite auch», konterte Laura. «Und es ist ebenfalls keine einfache Arbeit. Ich glaube, dass Sie alle hier den Ernst der Lage unterschätzen. Vielleicht liegt es an der Umgebung …»

Katharina wandte sich brüsk ab und rief nach Rosa. Kurz darauf tauchte die hagere Gestalt der Malerin hinter Katharina auf.

«Ja?»

«Die Polizistin will dich sprechen!»

«Mich?» Rosa wich einen halben Schritt zurück.

«Ja, dich. Ich bin nicht damit einverstanden, nicht jetzt – aber gegen die Polizei kann man wenig ausrichten.»

Rosa sah verwirrt aus.

«Ich kann nicht», sagte sie leise. «Nicht jetzt. Ich brauche diese Zeit mit den anderen. Sie würden mir wichtige Stunden stehlen ... Können Sie das verstehen?»

Lauras Augen begegneten Rosas. Die Augen der Malerin waren müde und seltsam fern, als sähe sie hinter Laura oder durch sie hindurch etwas, das für andere unsichtbar war.

«Ist gut», sagte Laura leise. «Wir können das morgen nachholen.»

Katharina nickte ihr zu und schloss die Tür. Gleich darauf hörte Laura das zarte Geräusch einer Glocke. Der Kokon hatte die Gruppe eingehüllt. Laura blieb einen Augenblick stehen, und ihre eigenen Erfahrungen mit Gruppen wurden plötzlich lebendig. Hinter dieser Tür saßen jetzt sieben Menschen und versanken in Meditation. Einigen von ihnen würde es nicht gelingen, weil sie Angst hatten, weil die Ereignisse der letzten Tage nicht gut für Selbstvergessenheit waren. Trotzdem hätte Laura gern bei ihnen gesessen und diesen Moment wieder erlebt, wenn alle still wurden. Wie lange hatte sie schon nicht mehr meditiert? Zwei Jahre mindestens. Dabei hatte sie sich vorgenommen, es regelmäßig zu tun.

Sie schüttelte den Kopf und ging langsam die Stufen der ausgetretenen Steintreppe hinunter. Und jetzt? Vier Uhr und nichts zu tun. Der Kies auf dem Innenhof war hell und heiß. Laura folgte dem Weg, der nach Buonconvento führte, dann überquerte sie einen Acker, entdeckte einen schmalen Pfad, an dessen Rändern blaue Wegwarten leuchteten, erreichte ein kleines Wäldchen aus Steineichen und Edelkastanien und fand sich plötzlich am Bett des ausgetrockneten Bachs wieder, ein Stück westlich der Stelle, an der Carolin gefunden worden war. Sie wusste nicht, warum sie so weit gegangen war. Vielleicht, dachte sie, hat es etwas damit zu tun, dass ich schon lange nicht mehr einfach gegangen bin – ohne Ziel und ohne Absicht.

Unter den dichten Bäumen war es angenehm kühl, dunkelgrün und feucht. Die Geräusche des Spätsommernachmittags drangen nur gedämpft herein – Zikaden, Tauben. Laura setzte sich im Schneidersitz auf eine Sandbank, richtete die Wirbelsäule auf und legte ihre geöffneten Hände auf die Knie. Sie atmete tief in den Bauch. Gedankenfetzen flogen vorüber, zusammenhangslos, fast verwerflich, Dinge wie: Ich muss nicht nach Hause rasen, um schnell was zu kochen. Warum will ich Guerrini eigentlich erst morgen Abend treffen? Es ist gut, dass Vater achthundert Kilometer weit weg ist. Aber ich liebe ihn. Berger ist ein Egomane – diese Britta Wieland im Grunde auch. Was bin ich?

Die Gedanken zogen vorüber, wurden allmählich weniger aufdringlich, verebbten, und gerade, als Laura in einen Zustand innerer Ruhe versank, schrillte das Handy an ihrem Gürtel. Sie ließ die Schultern sinken und lachte los. Dann drückte sie auf das Knöpfchen und sagte: «Hallo, Papa!»

«Eigentlich finde ich nicht, dass ich Ihr Vater sein könnte», antwortete Guerrini. «Der Altersunterschied ist irgendwie zu knapp!»

«Entschuldigung … Ich war halb eingeschlafen und … es ist meistens mein Vater, der in solchen Momenten anruft.»

Guerrini lachte leise.

»Sie schlafen? Ich dachte, deutsche Polizeibeamte wären sehr, sagen wir … aktiv.»

«Schlafen ist auch falsch. Ich sitze an dem geheimnisvollen Bach und denke nach, meditiere.»

«Ist das eine neue Ermittlungstechnik?» Wieder lachte Guerrini leise.

«Ja», erwiderte Laura. «Manchmal ist sie sogar sehr effektiv!»

«Wie wäre es, wenn ich Sie doch heute Abend zum Essen abholen würde. Dann könnten Sie mir von den Ergebnissen Ihrer Meditation erzählen … ich müsste auch etwas loswerden.» Guerrinis Stimme klang plötzlich sehr ernst.

«Wichtig?», fragte Laura.

«Wichtig!», entgegnete er.

«Gut. In zwei Stunden?»

«In zwei Stunden.»

Er hatte aufgelegt. Laura steckte das Telefon an ihren Gürtel zurück und stand auf. Sie war froh, dem Abendessen mit der Gruppe entgehen zu können. Es war nicht besonders professionell, aber ein Essen mit Guerrini erschien ihr wesentlich verlockender als das beklommene Schweigen an der Tafel der Abbadia. Sie hatte Zeit. Und Zeit bedeutete mehr Druck auf die Gruppe.

Laura folgte dem Bachbett, betrachtete die Spuren im Sand – Abdrücke von Vogelfüßen, Stachelschweintatzen, Hasenpfoten? Schmetterlinge flatterten von flachen Pfützen auf, Libellen flogen vor ihr her, immer ein paar Meter, ließen sich auf dem feuchten Sand nieder, schreckten wieder auf, wenn sie sich näherte. Unvermutet fand sie sich vor der Wurzelhöhle, in der Carolin Wolfs Leiche gefunden worden war, betrachtete aufmerksam die Umgebung, drehte sich einmal um die eigene Achse. Gegenüber der Höhle lag eine trockene Sandbank. Ein wunderbarer Platz, eingehüllt von tief reichenden dichten Zweigen, wie ein Baldachin. Die Steine, die Carolin Wolf offensichtlich zum Verhängnis geworden waren, ragten weiter links aus dem Bachbett.

Langsam ging Laura zur Sandbank, betrachtete aufmerksam den Boden, ließ sich auf die Knie nieder. Der Sand unter ihren Händen fühlte sich trocken und weich an. Sie war sicher, die Liebeslaube von Carolin Wolf und Rolf Berger entdeckt zu haben. Suchend blickte sie sich nach einem Stock um, brach einen Ast ab und begann im Sand zu graben, fand nach wenigen Minuten das erste Kondom, gleich daneben zwei weitere, klägliche Überreste heimlicher Umarmungen. Sie bedeckte ihren Fund wieder mit Sand. Jetzt war klar, warum Doktor Granelli nichts feststellen konnte.

Als Laura sich wieder aufrichtete, fiel ihr Blick auf einen schmalen länglichen Gegenstand, der am Rand der Sandbank lag. Sie bückte sich und hob vorsichtig den Bügel einer Sonnenbrille auf. Wunderte sich, dass die Spurensicherung ihn übersehen hatte. Aber vielleicht hatte er noch nicht hier gelegen, als die italienischen Kollegen den Tatort untersucht hatten. Laura steckte den Bügel in die Brusttasche ihrer Bluse und lausehte. Etwas raschelte im Gebüsch, Zweige knackten. Blitzschnell duckte Laura sich unter den Stamm eines überhängenden Baumes. Das Rascheln wurde lauter, dann erkannte sie die Umrisse eines Mannes. Er ging gebückt, starrte offensichtlich auf den Boden, als suche er etwas. Laura drückte sich eng an den Stamm, tastete instinktiv nach der Waffe in ihrem Schulterhalfter ... aber da war keine Waffe.

Als der Mann näher kam, erkannte sie Giuseppe Ranas Bruder. Ein paar Minuten lang suchte er die Höhle und das Bachbett ab, dann seufzte er schwer und verschwand wieder im Gebüsch. Laura wartete, bis seine Schritte verklungen waren. Ihr Herz klopfte. Sie war froh, dass er sie nicht entdeckt hatte. Aber was machte er hier? Suchte er nach einem Beweis für die Unschuld seines Bruders? Oder hatte er selbst etwas verloren, war vielleicht er der Mörder, einer, an den bisher niemand gedacht hatte? Ein unbeachteter Moskito?

Laura sah auf ihre Armbanduhr. Beinahe sechs. Vielleicht wartete Guerrini bereits auf sie. Schnell kletterte sie die Böschung hinauf und war froh, als sie wieder auf offenem Feld in der Sonne stand. Sie fragte sich, ob Rolf Berger und Carolin Wolf geahnt hatten, dass ihre Liebeslaube kein so sicherer Ort war.

Nein», sagte Guerrini. «Ich kann mir nicht vorstellen, dass Giuseppes Bruder in die Sache verwickelt ist.» Er saß Laura gegenüber in der Osteria, in der sie bereits gestern gelandet waren. Diesmal hatte sich die dicke Köchin mit weißer Schürze bereit erklärt, Crostini zu servieren. Doch es würde eine Weile dauern.

«Er ist einer der Moskitos, die wir nicht beachtet haben», erwiderte Laura. «Wie ist das mit Ihrem Schutzinstinkt für die Ranas?»

Guerrini umfasste sein Weinglas mit beiden Händen und ließ den roten Inhalt kreisen.

«Die Ranas sind einfache Bauern. Sie können gerade so überleben, mit ein paar Kühen, ein paar Hühnern, Enten und Kaninchen, mit Gemüse aus dem Garten und ein bisschen Wein für den Eigenbedarf. Gemessen am normalen Lebensstandard, sind sie arm.»

«Das macht sie noch nicht zu guten Menschen, oder?»

«Nein», murmelte Guerrini, «und ich weiß, dass gerade auf dem Land die merkwürdigsten Perversionen blühen: Missgunst, Eifersuchtsdramen, Kindesmissbrauch, sexuelle Verfehlungen aller Art ... aber ich habe trotzdem das Gefühl, dass diese Familie das Opfer unglücklicher Umstände ist. Ich kann es nicht beweisen, ich bin nur überzeugt davon.» Er trank einen Schluck und lächelte bitter. «Sie sind übrigens nicht die Einzige, die Zweifel an den Ranas hat. Ich war heute Nachmittag beim Untersuchungsrichter und habe ihn gebeten, Giuseppe nach Hause zu entlassen, weil der Verdacht sehr vage sei und der Junge im Gefängnis leide. Er hat es abgelehnt.»

«Warum haben Sie das getan? Ich meine, warum haben Sie den Untersuchungsrichter gebeten, Giuseppe freizulassen?»

Guerrini schaute so schnell von seinem Weinglas auf, dass Laura seinen Augen nicht ausweichen konnte.

«Diese kleinen Faschisten im Gefängnis haben ihn grün und blau geschlagen! Das ist es, was ich Ihnen erzählen wollte!»

Laura antwortete nicht, hielt nur Guerrinis Augen stand.

«Warum sagen Sie nichts?», fragte er.

«Weil ich ... Es gibt keine Antwort darauf. Soll ich sagen, dass es mir Leid tut? Oder: Wie schrecklich! Klingt falsch und lau, und Sie wissen das, Angelo!»

Er griff plötzlich entschieden nach ihrer Hand.

«Aber Sie müssen doch auf so etwas reagieren, Laura. Was empfinden Sie, wenn Sie hören, dass ein geistig Behinderter in einem europäischen Gefängnis geschlagen wird!»

Laura schaute noch immer geradewegs in Guerrinis Augen, schluckte, denn ihre Kehle fühlte sich rau an.

«Abscheu!», flüsterte sie. «Ich empfinde Abscheu, Wut, Hass. Ich würde die Kerle vor Gericht bringen, und wenn es mich meinen eigenen Job kostete. Solche Dinge passieren nicht nur in italienischen Gefängnissen, Angelo. Bei uns werden zum Beispiel Asylbewerber in Abschiebehaft geprügelt und in den Selbstmord getrieben – rechtsradikale Schläger auf wunderbare Weise entlassen.»

«Es ist überall so, nicht wahr? Und jetzt möchte ich wissen, warum Sie trotzdem bei der Polizei sind! Sie wollten es mir doch erklären, oder?» Der Druck seiner Hand wurde stärker.

Laura lehnte sich zurück und schloss kurz die Augen.

«Als ich zur Kripo ging, war ich noch ziemlich idealistisch. Damals wäre ich am liebsten eine Jüdin gewesen, die mit einem Schwarzen verheiratet ist. Bloß in keine Schublade passen, verstehen Sie, Angelo. Schlichte Reaktion auf die deutsche Vergangenheit. Ich wollte für Gerechtigkeit sorgen, ein bisschen Heldin sein. Nicht nur mit Paragraphen, wie mein Vater, sondern ganz nah dran an der Realität!»

Ein leises Lächeln zuckte um Guerrinis Mundwinkel.

«Und heute?»

«Etwas davon ist noch immer da … nur weniger leidenschaftlich. Wahrscheinlich liegt es daran, dass ich älter geworden bin. Mich interessieren inzwischen mehr die Motive der Menschen, die Beziehungen, die zu Katastrophen führen … im Kleinen wie im Großen.»

Guerrini ließ Lauras Hand los, als die Köchin eine große Platte mit Crostini auf den Tisch stellte.

«Meine besten!», sagte sie, stemmte stolz ihre Fäuste in die Hüften und blieb erwartungsvoll stehen, bis ihre Gäste endlich den ersten Bissen in den Mund schoben, Crostini mit Gänseleber und Trüffeln.

«Mmmh», machte Laura und nickte der Köchin zu.

«Buonissimo», murmelte Guerrini mit vollem Mund.

Die Köchin lächelte, nickte zufrieden und machte eine Handbewegung zur Decke oder eher zum Himmel.

«Ist wie ein Geschenk von dem da, was? Gibt keine Besseren in der ganzen Toskana!»

«Nein», grinste Guerrini und tupfte seinen Mund mit der Serviette ab. «Aber du bist die Göttin!»

Die dicke junge Frau lächelte und drehte sich verschämt murmelnd weg: «Versündigen Sie sich nicht, Commissario!», verschwand in der Küche.

«Ich habe auch voll Idealismus angefangen!» Guerrini war wieder ernst. «Ein bisschen naiv, im Glauben, die Korruption in Italien aufzudecken. Dann wurde ich aus Florenz in die Provinz versetzt, weil ich ein paar Mal zu nah an wichtigen Persönlichkeiten dran war. Jetzt bin ich bescheidener, aber erfolgreicher. Die kleinen Betrüger und Mörder haben keine so mächtige Lobby.»

«Klingt nach Resignation», erwiderte Laura leise und leckte mit der Zungenspitze ein wenig Gänseleberpaste von dem knusprigen Brot.

«Ist es auch, vielleicht auch Einsicht in die tieferen Zusammenhänge. Sehen Sie, wenn ein Volk einen Mann zum Ministerpräsidenten wählt, der ganz eindeutig ein Betrüger mit mafiosen Geschäftspraktiken ist, dann ist das ein Signal. Es bedeutet, dass alle, die diesen Mann wählen, der Überzeugung sind, dass ein Krimineller den Laden besser schmeißt als ein anständiger Mensch. Und meiner Meinung nach bedeutet es außerdem, dass diese

Wähler selbst korrupt sind, selbst krumme Geschäfte machen und nichts dabei finden, sich auf halblegale Weise durchs Leben zu schwindeln.»

«Amen!», sagte Laura und hob Guerrini ihr Glas entgegen.

Einen Moment lang sah es so aus, als würde er ärgerlich werden, doch dann lächelte er und stieß mit ihr an.

«Amen!»

«Und welche Konsequenzen ziehen Sie daraus?», fragte sie.

«Ich weiß nicht genau … ich mache meinen Job, bis ich an die Grenzen stoße, die in diesem Land unsichtbar und sehr eng verlaufen. Sehen Sie, ein Mord wie der an Carolin Wolf ist eine ziemlich harmlose Geschichte, gemessen an Fällen von organisiertem Verbrechen.»

«Vielleicht – aber ich bin sicher, dass auch hinter diesem Fall etwas steckt, das mehr ist als nur ein simpler Mord. Ein Symptom, das etwas über Menschen sagt. Schauen Sie sich diesen Rolf Berger an. Er sucht fast zwanghaft Bestätigung durch Frauen, und wenn man ihn genau betrachtet, ist er ein wehleidiger Egozentriker, der wahrscheinlich nur seine innere Leere verdecken will.»

Guerrini schob sein Weinglas hin und her.

«Ja, vielleicht», murmelte er. «Aber urteilen Sie nicht etwas zu hart über ihn? Hatten Sie noch nie das Bedürfnis, eine innere Leere irgendwie zu füllen, ganz gleich wie? Weil Sie es nicht mehr ausgehalten haben?»

Laura sah Guerrini nachdenklich an.

«Doch», entgegnete sie nach einer Weile zögernd, «aber ich habe zwei Kinder, und Kinder lassen Erwachsenen kaum Zeit, innere Leere zu empfinden.»

«Da haben Sie Glück, nicht wahr?» Er sah auf seine Hände, die ruhig auf dem Tisch lagen.

«Ja», sagte Laura leise. «Vielleicht ist das Glück.» Und sie dachte daran, dass Guerrini keine Kinder hatte, fühlte sich schuldig, weil sie sich auf ihre Kinder berufen hatte. Er betrachtete noch immer seine Hände, und das plötzliche Schweigen zwischen ihnen dehnte sich schmerzhaft, ließ den Lärm des Fernsehers unerträglich laut erscheinen. Wie ein hilfreicher dicker weißer Engel erschien zum Glück die Köchin und stellte eine Platte mit Kaninchenbraten auf den Tisch. Kräuterdüfte stiegen auf, Rosmarin, Thymian und ein Hauch von Knoblauch.

«Delicioso, Serafina!», sagte Guerrini so ernst, dass die Köchin ihre Augenbrauen hochzog und ihn forschend musterte. Dann warf sie Laura einen fragenden Blick zu, zuckte die Achseln und holte eine zweite Platte mit knusprigen Kartoffelschnitzen.

«Tutto bene, Commissario?» Sie wischte sich verlegen die Hände an ihrer Schürze ab.

«*Tutto benissimo, Serafina!* Bring uns bitte noch einen halben Liter Rotwein!»

Serafina nickte und verschwand hinter der Theke.

«Vielleicht sollten wir dieses Thema lieber lassen und die innere Leere mit Kaninchenbraten füllen», schlug Guerrini vor und versuchte ein Lächeln.

«Sind Sie denn ... innerlich leer, Angelo?» Laura wusste selbst nicht, warum sie diese Frage stellte, hätte sie am liebsten zurückgenommen, spürte, dass sie dabei war, eine unsichtbare Grenze zu überschreiten.

Guerrinis Reaktion zeigte ihr, dass sie Recht hatte. Er lachte auf, wies auf seinen Magen und sagte übertrieben heiter: «Total leer! In dieser Gegend hier! Ich habe einen richtigen Wolfshunger!» Dann konzentrierte er sich voll Hingabe aufs Zerlegen des Kaninchens, machte ein paar launige Bemerkungen über Serafinas Kochkünste und erzählte von den Spezialrezepten seines Vaters, der sich als Witwer zu einem begnadeten Koch entwickelt hatte.

«Aber hinterher bietet die Küche jedes Mal das Bild eines wahren Schlachtfelds. Dabei räumt er nie selbst auf. Die Frau des Nachbarn macht das und wünscht manchmal alle bösen Geister auf ihn herab. Er sitzt derweil auf der Terrasse, trinkt einen Digestivo und lacht vor sich hin. Manchmal wirkt er auf mich wie ein boshafter Faun!»

Er lenkt ab, dachte Laura. Es ist sein gutes Recht.

«Kocht Ihr Vater auch, Laura?»

«Nein, er lebt von Essen auf Rädern und beschwert sich ununterbrochen.»

«Warum kocht er nicht?»

«Weil er es nicht aushält. Er behauptet, dass in der Küche der Geist meiner Mutter hause, und das breche ihm das Herz!»

«Oje», machte Guerrini und arrangierte drei Kartoffelschnitze auf Lauras Teller. «Vielleicht ist es manchmal besser, wenn eine Ehe nicht so gut war. Meine Eltern haben sich fürchterlich gestritten, und meine Mutter verteidigte die Küche wie eine Tigerin ihr Revier. Nach ihrem Tod hat mein Vater dieses Revier für sich erobert, mit tiefer Befriedigung!» Guerrini lachte trocken auf. «Einmal habe ich ihn dabei ertappt, wie er mit einer Bratpfanne voll brennender Salbeiblätter durch die Küche kreiste und dabei vor sich hin murmelte. Die ganze Küche war mit beißendem Qualm gefüllt, und ich fürchtete, er hätte den Verstand verloren.»

Laura lachte auf.

«Und was machte er?»

«Er hat meine Mutter ausgeräuchert wie ein alter Hexenmeister.»

«Aha!», sagte Laura. «Hat's funktioniert?»

«Sieht so aus!», entgegnete Guerrini mit grimmigem Gesicht und stellte den Teller vor Laura hin. «Warum wollen Sie wissen, ob ich innerlich leer bin?»

«Weil … wir gerade bei dem Thema waren und … weil Sie mich interessieren!»

«Danke!», sagte er und entfaltete seine Papierserviette. «Ich finde, wir sollten dieses Kaninchen nicht warten lassen. Serafina würde uns nie verzeihen, wenn wir es kalt werden ließen.»

Laura saß am Fenster ihres Zimmers und schaute auf den Klosterhof. Es war eine helle warme Nacht, und der Duft der Violen stieg bis zu ihr herauf. Zwei Katzen strichen aneinander vorbei, berührten sich kurz mit den Nasen, huschten weiter, Scherenschnittkatzen. Die Arkadenbögen umschlossen schwarze Höhlen, und Laura kam sich vor wie in einem Gemälde von de Chirico. Fast zwölf Uhr. Vor einer halben Stunde hatte Guerrini sie zur Abbadia zurückgebracht, wortkarg. Die Distanz zwischen ihnen war wieder größer geworden, und Laura grübelte über die Enttäuschung, die sie empfand. Sie wollte keine Affäre! In ihrem Leben gab es keinen Platz dafür! Stimmte das? Beim Abschied hatte Guerrini seine Hand auf ihren Arm gelegt, und dieser sanfte Druck war wie ein Blitz durch ihren Körper gefahren. Wieder! Ein verdammt angenehmes Gefühl. Es hatte sie daran erinnert, dass sie seit langer Zeit einen Teil des Lebens ausklammerte.

Langsam ging sie zur Spiegelkommode und betrachtete sich in dem narbigen Glas, fuhr mit dem Zeigefinger über die feinen Falten, von der Nase zum Mund, von den Augenwinkeln über die Jochbeine. Endlich kämmte sie mit den Fingern ihr widerspenstiges Haar, lächelte sich zu. Nicht schlecht für vierundvierzig, aber eben vierundvierzig! Zwei, drei Kilo zu viel, Schatten unter den Augen wegen chronischen Schlafmangels.

Sie schüttelte den Kopf und wollte gerade das Licht löschen, als ihr der abgebrochene Bügel der Sonnenbrille wieder einfiel, den sie am Nachmittag gefunden hatte. Sie nahm ein Taschentuch, zog ihn vorsichtig aus der Blusentasche und betrachtete ihn von allen Seiten. Sie konnte nicht erkennen, ob er von einer Damen- oder Herrenbrille stammte. Aber es handelte sich um ein ziemlich edles Stück, deutlich war der Name «Armani» auf der Innenseite zu lesen. Einem ersten Impuls folgend wollte sie Guerrini anrufen. Vielleicht hatten die Kriminaltechniker den Rest der Brille gefunden? Außerdem musste der Bügel so schnell wie möglich auf Fingerabdrücke untersucht werden. Dann spürte sie eine plötzliche Scheu, Guerrinis Stimme zu hören, beschloss die Sache auf den nächsten Tag zu verschieben, löschte das Licht und schlief sofort ein.

Laura schlief tief, den Schlaf der Erschöpfung, doch etwas drang in diese Tiefe, etwas Störendes, Lautes. Sie wälzte sich hin und her, erwachte endlich, benommen, wusste ein paar Minuten lang nicht, wo sie war, schaute endlich auf das leuchtende Zifferblatt ihres Weckers. Halb vier Uhr. Sie lauschte in die Dunkelheit hinein, konnte lange das Gedröhn angestrengter Maschinen nicht einordnen. Es klang, als sei eine Armee mit Panzern im Anmarsch, denn in den Maschinenlärm mischten sich einzelne Schüsse. Manchmal sogar ganze Salven.

Laura rollte sich über das breite Bett und taumelte zum Fenster. Doch von hier aus konnte sie nur in den Innenhof schauen. Der Lärm kam von draußen, von den Feldern und Hügeln. Laura presste die Hände an die Stirn, versuchte einen klaren Kopf zu bekommen. Hatte es in Italien einen politischen Umsturz gegeben? War ein Bürgerkrieg ausgebrochen? Sie streifte Jeans und ein T-Shirt über, schlüpfte in ihre Schuhe und ging leise auf den Flur hinaus. Im Haus war alles ruhig. Niemand schien den Lärm zu hören. Laura öffnete die Haustür und trat auf den Hof.

Der Motorenlärm hallte von den Wänden des Klosters wider, doch nirgendwo brannte ein Licht. Vorsichtig schlich sie an der Hauswand entlang, umrundete das Gebäude und stand endlich auf der Klostermauer. Von hier aus konnte sie das Land überblicken, all die Hügel im fahlen Dämmerlicht. Und im nächsten Augenblick erkannte sie die eng zusammenstehenden Augen unzähliger Traktoren, die riesige Pflüge über die harte Erde zogen, die das Land aufrissen wie wütende Ungeheuer. Und sie erinnerte sich, dass Jagdzeit war, dass die Schüsse von den Jägern stammten, die noch vor Morgengrauen durch die Wälder streiften und auf alles schossen, was sich bewegte.

Doch trotz dieser Erklärung für den Aufruhr fühlte sie sich nicht beruhigt, sondern empfand diese Bauernarmee mit ihren Riesenmaschinen wie eine Bedrohung, hatte das Gefühl, als tobe da draußen ein Krieg gegen einen unbekannten Feind oder gegen die Natur und das Leben.

Schaudernd wandte sie sich ab, legte schützend die Arme um ihren Oberkörper und kehrte in ihr Zimmer zurück, warf sich angezogen ins Bett und zog die Decke über den Kopf. Der Schlaf wollte nicht zurückkehren und ihr Herz raste. Die Sonne schien bereits, als sie endlich einschlief, kurz nur, denn der Wecker riss sie wieder hoch. Sie musste zum Frühstück mit der Gruppe. Die Ermittlungen konnten nicht warten. Als sie an diesem Morgen in den Spiegel sah, kamen ihr die Falten in ihrem Gesicht tiefer vor als gewöhnlich, die Schatten unter ihren Augen dunkler. Ihr Kopf fühlte sich dumpf an, als hätte sie zu viel getrunken. Sie duschte kalt, ging dann gemeinsam mit Hubertus Hohenstein über den Hof zur Veranda.

«Haben Sie auch so schlecht geschlafen?», fragte sie.

Er lächelte.

«Ach, Sie meinen die Traktoren? Das ist hier jede Nacht so. Ich stecke mir Ohropax in die Ohren. Anders hält man das nicht aus. Hat Sie niemand gewarnt?»

«Nein», murmelte Laura.

«Das ist nicht besonders aufmerksam», antwortete er mitfühlend. «Ich war überzeugt, dass Katharina Ihnen ebenfalls ein Päckchen Ohropax in die Hand gedrückt hat. Wir alle schlafen mit diesen kleinen Helfern, jedenfalls ab halb vier Uhr morgens.»

«Danke!» Laura schnitt eine Grimasse. «Jetzt weiß ich es jedenfalls.»

«Es tut mir wirklich Leid!» Hubertus ließ ihr den Vortritt auf der Treppe. «Ab sechs Uhr ist meistens wieder Ruhe. Nur ein paar Jäger sind dann noch unterwegs … und wir natürlich. Wir machen jeden Morgen unseren stillen Spaziergang – jeder für sich allein. Es ist eine wunderbare Übung und erinnert mich …» Er verstummte plötzlich, als hätte er etwas Falsches gesagt.

Laura wandte sich zu ihm um.

«An was erinnert es Sie?»

«Ach, nichts … Ich stelle mir dabei manchmal vor, wie die Mönche früher hier gelebt haben. Vermutlich haben auch sie Schweigeübungen gemacht und sind über die Felder gegangen.»

Laura überlegte kurz, was er eigentlich hatte sagen

wollen, doch sie war zu müde. Erleichtert sah sie, dass der Tisch bereits gedeckt war und große Kannen mit Kaffee auf sie warteten. Britta Wieland trug gerade den Brotkorb aus der Küche und Monika Raab einen Topf aufgeschäumter Milch. Nachdem alle versammelt waren, senkte Katharina Sternheim den Kopf und sagte leise:

«Lasst uns für diesen Morgen danken und um gute Arbeit bitten. Und lasst uns an Carolin denken, wir wollen Sie begleiten in die andere Welt.»

Eine Minute lang verharrten alle mit gesenkten Köpfen, dann nickte Katharina, lächelte und griff nach dem Brotkorb. Laura schenkte sich eine große Tasse Kaffee ein, goss Milch darüber und trank ein paar Schlucke. Ganz allmählich wurde ihr Kopf wieder klarer. Sie musterte die Gesichter der anderen, fand sie blasser und angespannter als gestern. Susanne Fischer war noch ungeschminkt. Unter ihren Augen lagen tiefe Schatten, als hätte auch sie eine schlaflose Nacht hinter sich. Rolf Bergers Gesichtsfarbe ging leicht ins Gelbliche. Um Britta Wielands Mund lief immer wieder ein nervöses Zucken, und Katharina Sternheims Haare hingen wirr um ihren Kopf, sie wirkte müde und alt. Rosa Perls Züge waren eingefallen, als hätte die Krankheit endgültig von ihr Besitz ergriffen. Nur Hubertus Hohenstein und Monika Raab sahen rosig und beinahe frisch aus.

Laura beschloss, an diesem Morgen mit Rosa Perl zu sprechen, in der Mittagspause mit Susanne Fischer und noch einmal mit Berger, vielleicht auch mit Katharina Sternheim.

Das Schweigen am Tisch war so drückend, dass sie anfing, von den Traktoren zu sprechen, die anderen fragte, wie sie damit fertig würden. Aber ein Gespräch kam nur zögernd in Gang, stockte immer wieder. Katharina erzählte, dass im Jahr zuvor nachts die Stoppelfelder abgebrannt worden waren und alle fürchteten, das Feuer könnte die Abbadia erreichen.

«Es ist ein merkwürdiger Ort», meinte sie nachdenklich. «Man fühlt sich leicht ausgesetzt und bedroht. Sie haben das ja nun auch erfahren, nicht wahr?»

Laura nickte, zwang sich, ein wenig Obst, Käse und Brot zu essen, obwohl sie keinen Hunger verspürte. Endlich erhoben sich alle und begannen den Tisch abzuräumen. Zwei junge Kätzchen flitzten zwischen ihren Beinen umher, drehten sich im Kreis, um ihre eigenen Schwänze zu fangen. Endlich ein Grund zu lächeln. Monika Raab goss Milch in eine Untertasse und stellte sie den Kleinen hin. Mit halb geschlossenen Augen schleckten sie, die Schwänzchen in Erregung steil aufgestellt.

Laura trug eine Kaffeekanne in die alte Klosterküche, einem riesigen Raum mit gewölbter Decke, großem Kamin und einem Herd, der Platz für zehn Töpfe bot. Als sie durch den Gruppenraum auf die Veranda zurückkam, hörte sie einen dumpfen Schlag, dem ein Schrei folgte. Sofort fiel sie in Laufschritt, blieb dann in der Tür stehen und starrte auf die Szene, die sich vor dem großen Tisch abspielte: Eine Bank war umgefallen und hatte eines der Kätzchen unter sich begraben. Hubertus Hohenstein löste sich als Erster aus der Erstarrung, hob behutsam die Bank hoch. Das kleine Tier sprang auf, begann verwirrt über die Veranda zu hüpfen, mit steifen Beinen, taumelnd.

Zuerst dachte Laura, das Tier stehe unter Schock, sei unverletzt, doch dann sah sie mit Entsetzen Blut aus dem kleinen Schädel schießen, merkte, wie die Sprünge kürzer wurden, verebbten. Plötzlich überschlug sich das kleine Wesen und blieb mit zuckenden Beinen liegen. Eine rote Lache wuchs um seinen Kopf. Katharina und Rosa knieten neben ihm nieder. Wie ein Schatten tauchte plötzlich die Mutter des Kätzchens auf, umkreiste den kleinen Körper, stieß ein zartes lockendes Maunzen aus und begann ihr Kind zu lecken, stupste es immer wieder an, leckte und leckte, als könnte sie so das Leben zurückholen. Zehn endlose Minuten lang mühte sie sich, dann hob sie den Kopf, starrte in die Ferne, als hätte sie von weit her einen Laut gehört, und verschwand ebenso unvermutet, wie sie aufgetaucht war.

Tränen liefen über Rosas Gesicht. Katharina legte einen Arm um ihre Schultern und drückte sie an sich.

«O mein Gott», stöhnte Britta. «Was ist denn hier los? Dieses Kloster muss verhext sein. Ich halte das nicht mehr aus!»

Katharina murmelte mit ausdruckslosem Gesicht: «Das sind die normalen Dinge des Lebens. Nichts als die Dinge des Lebens. Du als Krankenschwester müsstest das eigentlich wissen.»

«Aber ich will nicht, dass das Leben so ist! So … grausam und ungerecht! Warum ist diese verdammte Bank eigentlich umgefallen?»

«Eine der anderen Katzen ist draufgesprungen», antwortete Hubertus leise. «Die Bank steht nicht sehr sicher.»

«Dann schaffen wir sie weg! Warum ist da bisher niemand darauf gekommen?!» Britta packte die Bank und knallte sie in eine Ecke der Veranda.

«Und jetzt?», fragte Monika mit aufgerissenen Augen. «Ich … ich kann sie nicht anfassen!»

«Wir sollten sie begraben!» Katharina stand auf und zog Rosa ebenfalls hoch. «Wir werden sie begraben, weil sie zu uns gehört hat.»

Hubertus nickte.

«Ich werde sie solange in den alten Friedhof der Mönche legen. Gibt es hier so etwas wie eine Schachtel?»

Laura stand noch immer an der Tür zur Veranda, lehnte sich mit der Schulter an die Mauer und sah einfach nur zu, unfähig, etwas zu tun. Trotzdem registrierte sie die Reaktionen der einzelnen Personen. Berger stand am Geländer und schaute auf den Hof hinaus, Susanne Fischer hatte sich in die entfernteste Ecke der Veranda zurückgezogen, als könnte sie auf diese Weise dem Geschehen entfliehen. Ihr Gesicht war fahl, und sie schien mit Übelkeit zu kämpfen. Laura dachte plötzlich daran, dass auch Carolin Wolf durch einen Schlag auf den Kopf gestorben war und das Schicksal des Kätzchens wie eine unheilvolle Wiederholung über die Gruppe hereingebrochen war.

In diesem Augenblick schwankte Rosa Perl, und Laura sprang neben sie, stützte sie von der anderen Seite, denn beinahe wäre sie Katharina entglitten. Sie führten sie zu einer Bank, drehten sie so, dass sie das Kätzchen nicht mehr sehen musste.

«Es sind Zeichen», flüsterte Rosa. «Lauter Zeichen, die für mich bestimmt sind. Ich kann es spüren. O Katharina, ich habe solche Angst. Ich will hier weg! Wenn ich hier bleibe, werde ich sterben. Ich weiß es genau. Bitte versuch nicht, mir das auszureden! Du weißt, dass ich Recht habe!»

Katharina streichelte Rosas Hand.

«Versuch zu atmen, Rosa», flüsterte sie tonlos. «Ich verstehe deine Angst, aber bitte denk auch nach. Dies war für uns alle ein Schock. Wir alle haben zum zweiten Mal den Tod erlebt. Und wir alle müssen sterben. Carolin ist gestorben, obwohl sie jung und gesund war. Das Kätzchen war noch ein Baby. Vielleicht gelten diese Zeichen nicht dir, Rosa. Bitte denk darüber nach. Wie oft sterben genau die, an die niemand denkt!»

Und Laura fielen bei Katharina Sternheims Worten wieder die verrückten Moskitos ein, die sich unsichtbar machen konnten, wenn man sich auf sie konzentrierte. Sie hoffte, dass Rosa Perl sich vor dem Tod verstecken würde, dessen Nähe sie so deutlich zu spüren schien.

«Können Sie ein wenig bei Rosa bleiben? Ich möchte mit den anderen sprechen und beim Aufräumen helfen.» Katharinas Augen waren geweitet und sehr klar. Die Kraft, die in diesen Augen lag, hatte beinahe etwas Zwingendes. Laura nickte.

Als die Therapeutin gegangen war, hielt Laura Rosa Perls Hand und streichelte sie und ihr war klar, dass ein Gespräch wieder nicht möglich sein würde. Doch unvermutet atmete Rosa tief ein, richtete sich ein wenig auf und sagte: «Lassen Sie uns hinters Haus gehen, zur Mauer. Dort können wir in Ruhe reden. Sie wollen doch mit mir sprechen, nicht wahr?»

Laura sah die Malerin erstaunt an.

«Wir können es auch auf später verschieben.»

«Nein, nein! Ich hab schon gestern gekniffen. Sie müssen schließlich einen Mord aufklären! Es geht schon. Ich bin nicht so schwach, wie Sie vielleicht glauben. Es war nur ... ein so herzzerreißender Tod. Es kam so plötzlich, als ... hätte ein böser Geist zugeschlagen. Und ich bin ganz sicher, dass hier in diesem Kloster ein böser Geist herrscht.» Rosa strich sich das Haar aus der Stirn, und der Hauch eines verlegenen Lächelns huschte über ihr Gesicht. «Oder ... vielleicht nicht böse ... vielleicht einer, der uns alle mit uns selbst konfrontiert. Es ist irgendwie unheimlich.»

«Ich glaube, ich weiß, was Sie meinen», erwiderte Laura langsam. «Die letzte Nacht hatte für mich etwas von einem Albtraum. Ich glaubte, der Krieg sei ausgebrochen.»

Rosa presste die Lippen zusammen.

«Es liegt an dem Zimmer. Das Zimmer ist ganz besonders unheimlich!»

«Ich denke nicht, dass es an dem Zimmer liegt. Es gefällt mir eigentlich ganz gut. Die Bedrohung war draußen, bei diesen schrecklichen Riesentraktoren.»

«Ach, die Traktoren», flüsterte Rosa. «Die sind auch schlimm. Ich stopfe mir jeden Abend die Ohren zu. Sie fangen immer erst gegen vier Uhr an. Aber Katharina meinte, dass sie bald fertig sein müssten, dann gibt es nur noch die Jäger und die Selbstschussanlagen, um die Vögel aus den Weinbergen zu vertreiben.» Ihre Lider zuckten nervös. «Ich möchte hier weg. Lassen Sie uns gehen. Ich möchte das alles nicht sehen!»

Laura wandte den Kopf. Hubertus Hohenstein hatte die kleine Katze in einen Karton gelegt und trug sie gerade behutsam, wie eine kostbare Last, die Stufen zum Hof hinunter. Britta Wieland und Monika Raab breiteten Zeitungspapier über die Blutlache.

«Gleich», sagte Laura und wartete, bis Hohenstein verschwunden war. Dann nahm sie Rosas Arm und führte sie zur Treppe. Die Malerin wandte den Kopf zur Seite, vermied jeden Blick auf den Ort des Unfalls. Dicht nebeneinander überquerten sie den Innenhof des Klosters, setzten sich endlich auf die niedrige Mauer. Eine Smaragdeidechse stürzte sich über die Brüstung und verschwand in einer Lücke zwischen den Steinen.

«Es tut gut, die Sonne zu spüren», flüsterte Rosa. «Mir kommt es immer so vor, als würde ich von der Sonne mit

Kraft aufgeladen, wie eine Batterie.» Mit geschlossenen Augen hielt sie ihr Gesicht der Morgensonne entgegen.

Laura beobachtete sie. Zum ersten Mal fiel ihr auf, dass Rosa Perl eine unauffällige Eleganz ausstrahlte. Ihr rötliches Haar war gut geschnitten, sie trug kleine goldene Perlen in den Ohrläppchen, ein edles schwarzes T-Shirt und weite dunkelgrüne Hosen, die Laura an orientalische Märchen erinnerten. Die Krankheit gab ihrem Gesicht einen Ausdruck, den Laura nicht genau fassen konnte – nicht leidend, eher asketisch.

«Also, was wollen Sie wissen?»

«Erzählen Sie mir etwas über sich – warum Sie hierher gekommen sind, welchen Beruf Sie ausüben, ob Sie Familie haben, wie Sie zu den Menschen hier stehen? Ganz gleich, in welcher Reihenfolge. Wir haben Zeit.»

Wieder zuckte der Hauch eines Lächelns um Rosas Mund.

«Wir werden nicht viel Zeit haben, schätze ich. Katharina wird uns demnächst zur Beerdigung der kleinen Katze rufen, und dann geht die Morgensitzung los. Wir befinden uns hier in einem Kloster, die Regeln sind streng!»

«Fangen Sie einfach an!» Laura spürte, wie Ungeduld in ihr aufstieg. Ihr kam es vor, als ginge das Leben auf der Abbadia weiter und als kümmerte es niemanden ernsthaft, dass Carolin Wolf nicht mehr da war. Auch wenn Katharina Sternheim beim Frühstück ihrer gedacht hatte – der Tagesablauf blieb wie immer.

«Gut, ich versuche es.» Rosa nickte. «Ich bin zweiundfünfzig Jahre alt, Malerin, gelegentlich auch Bildhauerin. Verheiratet, eine Tochter. Sie ist achtzehn und will gerade ausziehen. Seit zwei Jahren leide ich an Brustkrebs. Die Prognose sah erst gut aus, aber vor drei Monaten musste ich noch einmal operiert werden. Diesmal wurde meine linke Brust entfernt. Ob sich bereits Metastasen gebildet haben, weiß ich noch nicht. Ich habe deshalb mit meinem Mann und meiner Tochter eine Tour durch die Weingüter der Toskana gemacht, nebenbei ein bisschen gemalt, und schließlich hat mich meine Familie hier abgesetzt, denn ich hatte dieses Seminar gleich nach meiner Operation gebucht.» Rosa machte eine Pause und öffnete wieder kurz die Augen, warf Laura einen prüfenden Blick zu.

«Warum fragen Sie nicht, warum? Alle haben mich gefragt, warum? Alle Freunde, mein Mann, meine Tochter ...»

«Ich halte es für ziemlich normal, wenn man in einer schwierigen Situation eine Selbsterfahrungsgruppe mitmachen will», erwiderte Laura. «Aber wenn Sie darauf bestehen, dann frage ich Sie! Warum?»

Rosa redete mit geschlossenen Augen weiter.

«Ich wollte natürlich mehr über mich wissen, meine Krankheit auch von dieser Seite her bekämpfen, außerdem habe ich in München Einzelsitzungen bei Katharina Sternheim. Aber es gibt noch einen Grund.» Rosa atmete tief ein. «Ich wollte Rolf Berger treffen. Außerhalb meiner Familie, außerhalb der normalen Umgebung.»

Laura sagte nichts. Sie hatte nicht erwartet, dass Rosa Perl so aufrichtig sein würde. Aber vielleicht hing das mit der Krankheit zusammen. Wer den Tod spürte, hatte nichts mehr zu verlieren. Wieder lächelte Rosa und schaute ganz ruhig in Lauras Augen.

«Wir haben keine sexuelle Beziehung, wenn Sie das vermuten. Ich bekomme von Rolf Berger nur das, was ich im Augenblick besonders nötig brauche: Zärtlichkeit, Aufmerksamkeit und Trost. Aber ich kann mir vorstellen, dass eines Tages auch eine sexuelle Beziehung daraus wird …» Sie schien in Lauras Augen zu lesen, ihre Zweifel, ihr Erstaunen, und lächelte erneut, ein wenig bitter diesmal.

«Wenn man so krank ist wie ich, dann will man noch einmal das Leben spüren. Vielleicht wird man rücksichtslos … ich jedenfalls habe ganz neue Züge an mir entdeckt. Es ist mir egal, was die anderen von mir denken. Ich weiß, dass ich nur noch wenig Zeit habe, und ich will sie ausschöpfen!»

«Aber …», setzte Laura an, verstummte jedoch sofort. Sie hatte auf Bergers Beziehung zu Carolin Wolf hinweisen wollen, auf seine anderen Affären. Doch wieder schien Rosa genau zu wissen, was Laura dachte.

«Sie mögen ihn nicht, hab ich Recht? Ich glaube, dass niemand ihn besonders mag … nicht einmal Carolin, obwohl sie ihn für ihre Zwecke benutzt hat. Katharina Sternheim mag ihn auch nicht, Britta und Susanne hassen ihn, jedenfalls habe ich den Eindruck. Die Einzigen, die sich einigermaßen neutral verhalten, sind Hubertus und Monika. Er ist eben ein Mensch, der die anderen sehr stark polarisiert. Vor allem, wenn man ihn nicht genau kennt!»

Laura brauchte ein paar Minuten, um all diese Informationen halbwegs einzuordnen. Ihr Kopf arbeitete noch immer zu langsam.

«Wie kommen Sie darauf, dass Carolin Wolf Berger für ihre Zwecke missbrauchte?», fragte sie schließlich.

«Weil sie ein geiles kleines Luder war!», erwiderte Rosa bitter. «Das ist keine besonders feine Ausdrucksweise, aber ich finde keine besseren Worte. Sie tat mir Leid. Ich wollte mit ihr reden, ihr sagen, dass sie auf dem falschen Weg ist … aber ich bin nicht mehr dazu gekommen.» Rosa verschränkte die Finger, presste sie aneinander.

«Könnte es sein, dass Sie auf Carolin Wolf eifersüchtig waren?» Laura kam sich unbeholfen vor, und Rosa gab ihr Recht, indem sie kurz auflachte.

«Natürlich war ich eifersüchtig. Carolin war dreißig Jahre jünger als ich, gesund, blühend, schön, sexy ... alles, was Sie wollen! Gemessen an ihr bin ich ein Wrack, einbrüstig, ausgemergelt. Das Einzige, das ich gegen sie ins Feld führen konnte, war meine Krankheit, meine Lebenserfahrung, und dass ich Künstlerin bin. Rolf Berger betet Künstler an.»

«Haben Sie mit ihm über seine Beziehung zu Carolin Wolf gesprochen?»

Rosa senkte den Kopf.

«Natürlich. Vor allem er hat darüber gesprochen. Er hat mir ständig erklärt, dass diese Beziehung nichts mit unserer zu tun habe, dass die Ebenen völlig verschiedene seien.»

«Hat Ihnen das genügt?» Laura sah auf Rosas Hände, deren Finger noch immer verschränkt, fast verknotet waren.

«Ja», sagte Rosa leise. «Es hat mir genügt. Ich wollte mich nicht weiter damit auseinander setzen. Ich wollte meinen Teil bekommen, und den bekam ich. Vielleicht klingt das verrückt, aber es war und ist tatsächlich so.»

«Ich muss Ihnen jetzt eine Frage stellen, die ich allen stelle», sagte Laura langsam. «Eine Routinefrage, die Ihnen vielleicht lächerlich erscheinen wird: Wo waren Sie in der Nacht, als Carolin starb?»

«Ich war in meinem Zimmer. Ich hatte Kerzen angezündet, um den bösen Geist zu vertreiben. Ich habe gegen meine Angst gekämpft. Ich habe in allen Möbelstücken

Särge gesehen, die immer näher kamen. Gegen zwölf Uhr habe ich es nicht mehr ausgehalten und bin spazieren gegangen. Am alten Friedhof entlang und in Richtung der Hügel. Doch ich bekam noch mehr Angst. Zum Glück traf ich Susanne, die ebenfalls nicht schlafen konnte. Gemeinsam schauten wir in den Mond, redeten über die Gruppe und kehrten schließlich zum Kloster zurück.»

«Haben Sie gesehen, aus welcher Richtung Susanne Fischer kam?»

Rosa warf Laura einen irritierten Blick zu.

«Ja, natürlich. Sie kam von Westen, von den Hügeln, war offensichtlich früher als ich aufgebrochen und weiter gegangen. Warum?»

«Ich versuche herauszufinden, wo sich jedes Mitglied der Gruppe in dieser Nacht aufgehalten hat. Offensichtlich waren fast alle unterwegs.»

«Ja, natürlich», flüsterte Rosa. «Es geht ja um Mord. Aber ich glaube nicht, dass es eine von uns war ...»

«Sie sagten ‹eine›? Was ist mit den beiden Männern?»

Rosa legte ihre Hände in den Schoß und schien nachzudenken. Dann lächelte sie wieder, ein bisschen verzerrt dieses Mal.

«Stimmt, es gibt ja noch einen Mann. Aber Hubertus können Sie wirklich vergessen. Er ist lieb und naiv. Ich glaube, dass er noch immer nicht begriffen hat ...» Sie verstummte plötzlich und strich die weiten Falten ihrer grünen Hose glatt.

«Was hat er nicht begriffen?»

«Wie?»

«Was hat Hubertus Hohenstein noch immer nicht begriffen?»

Rosa öffnete den Mund, schien nach Luft zu schnappen.

«Er … er ist ein Kind. Er weiß nichts vom Leben. Mir kommt er vor, als habe er bisher auf einer einsamen Insel gelebt. Er begreift nicht, was um ihn herum geschieht … ich meine zwischen den Menschen. Ich bin ganz sicher, dass er noch nie mit einer Frau geschlafen hat.»

«Rolf Berger scheinen Sie völlig auszuklammern», erwiderte Laura langsam.

Laura sog die Luft tief ein, schüttelte heftig den Kopf.

«Warum sollte Rolf dieses Mädchen töten? Er mochte sie, hatte Spaß mit ihr. Sie gab ihm Kraft – auf andere Weise als ich. Er ist kein starker Mann … seine Lungen …» Rosa verstummte.

Wieder dachte Laura an den *Zauberberg* – war das nur Einbildung, oder gab es hier so etwas wie ein Drehbuch? Eine Inszenierung von Leiden? Versteckte Begierden wie in längst vergangenen Zeiten? Plötzlich dachte sie an Guerrini, verdrängte ihn aber sofort wieder. Er hatte bei diesen Gedanken nichts zu suchen. Oder doch?

«Okay», murmelte Laura nach einer langen Pause. «Noch eine Frage: Warum glauben Sie, dass Britta Wieland und Susanne Fischer Berger hassen?»

Rosa massierte ihre Stirn mit den Fingerspitzen. Plötzlich verschwand alle Farbe aus ihrem Gesicht und sie schwankte leicht.

«Ist Ihnen nicht gut?» Laura griff nach Rosas Arm. Immerhin saßen sie auf der Brüstung einer Mauer, die nach Osten steil abfiel.

«Es … geht schon …», flüsterte die Malerin. «Wissen Sie, ich kann nicht über die Sitzungen sprechen. Aber ich fühle diesen Hass. Es gibt Frauen, die sensible Männer hassen … Rolf ist sehr sensibel. Ich glaube, dass Susanne ihn dafür verachtet … und Britta auch.»

«Und Katharina Sternheim?»

Rosa schüttelte den Kopf.

«Das ist etwas anderes. Die beiden tragen einen Machtkampf aus. Sie verstehen beide mehr vom Leben als andere, und sie wollen dieses Wissen nicht teilen!»

Laura hielt noch immer Rosas Arm fest. Sie schaute auf die frisch gepflügten Hügel hinaus, nackte zerfurchte Erdhaufen, rotbraun, einer Sonne ausgesetzt, die schon zu stechen begann, obwohl es noch früh am Tag war.

«Machen Sie's sich nicht ein wenig zu einfach?», fragte sie. «Glauben Sie wirklich, dass andere dasselbe in Rolf Berger sehen wie Sie?»

Ehe Rosa antworten konnte, erschien Monika Raab an der Hausecke und winkte ihnen zu.

«Kommt! Wir wollen die Katze begraben!»

Rosa stand schnell auf, schwankte wieder, fing sich aber und wich Lauras stützender Hand aus. Langsam tat sie zwei tastende Schritte, dann drehte sie sich entschieden um.

«Jeder von uns sieht andere Dinge und Qualitäten in den Menschen. Ist es nicht so? Mir ist egal, was die anderen in Rolf oder mir sehen. Ich sehe etwas, und das werde ich mir nicht nehmen lassen – nicht von Katharina Sternheim und auch nicht von Ihnen!»

Hoch aufgerichtet schritt sie davon. Laura bewunderte die Würde und Bedingungslosigkeit, mit der sie ihre Sicht der Dinge – eigentlich ihr Leben – verteidigte. Rosa ging ein großes Risiko ein, vertraute einem Menschen, der nach Lauras Erkenntnissen alles andere als vertrauenswürdig war. Und sie schien dafür belohnt zu werden. Oder war das ein klassischer Selbstbetrug, die verzweifelte Suche einer Einsamen nach Nähe?

Langsam folgte sie Rosa, schloss sich im Innenhof des Klosters der kleinen Gruppe an, die bereits auf dem Weg zum Friedhof war. Als sie durch die zerfallene Pforte traten, sah Laura, dass Hubertus Hohenstein die Schachtel mit der kleinen Katze auf dem Sims eines Grabmals abgestellt hatte, beobachtete, wie er sich durch die Brombeerranken zwängte, die Schachtel aufhob und feierlich zu ihnen zurückkehrte. Und wie ein Blitz traf sie die Erkenntnis, dass er tatsächlich ein Mönch oder Priester sein musste, denn niemand sonst hätte dies Ritual so perfekt inszenieren können.

Er ging vor ihnen her, die Schachtel auf Brusthöhe in seinen geöffneten Händen, den Kopf leicht gesenkt. Sie folgten ihm wie ein Trauerzug, und Laura meinte gemurmelte Gebete zu hören, doch es war nur der Wind in den Pinienzweigen. Sie kehrten zum Kloster zurück, vor dessen westlicher Außenmauer die Männer ein Loch gegraben hatten. Wilde Malven wuchsen hier und riesige Disteln. Sie versammelten sich um das Erdloch, Hubertus Hohenstein senkte die Schachtel mit dem Kätzchen hinein, trat einen Schritt zurück und sah zum Himmel hinauf. Dann hob er kurz die Arme, und Laura erwartete, dass er ein Kreuzzeichen machen würde, doch er hielt in der Bewegung inne, ließ die Arme fallen und sagte leise:

«Leb wohl, kleiner Gefährte. Mögest du in der anderen Welt weitertanzen!»

Er nahm eine Schaufel, die am Stamm eines alten Kirschbaums lehnte, warf ein bisschen Erde auf die Schachtel und reichte die Schaufel an Katharina weiter. Und wie bei der Beerdigung eines Menschen streuten sie alle, einer nach dem anderen, eine Hand voll Erde in das Loch. Auch Laura, und sie hatte das Gefühl, als sei dies die symbolische Beerdigung von Carolin Wolf oder gar eine Zeremonie, die an die Sterblichkeit alles Lebens gemahnen sollte. War das alles nicht ein wenig verrückt? Und um sich aus dieser absurden Situation zu retten, dachte Laura an ihren Vater, überlegte, was er wohl sagen würde, wenn er sie hier sähe. Ihr war, als könnte sie sein trockenes Lachen hören: Verdammt sentimentaler Haufen!, würde er sagen.

Aber ihr fiel noch ein weiterer Ausspruch von ihm ein: Wenn du in einer Woche mehr als zweimal mit dem Tod konfrontiert wirst, dann ist es an der Zeit, über das Leben nachzudenken!

Laura schaute wieder auf das Grab der kleinen Katze. Rolf Berger und Hubertus Hohenstein hatten es inzwischen zugeschaufelt, die Frauen legten kleine Blüten darauf, Tränen fielen auf den Erdhügel. Dann nickte Katharina allen zu und wandte sich um. Laura schlüpfte neben ihr zwischen den Disteln hindurch.

«Halten Sie uns jetzt für verrückt?», erkundigte sich die Therapeutin lächelnd.

«Ich weiß nicht», murmelte Laura.

«Es mag Ihnen wie Kinderkram vorkommen. Fast alle haben in ihrer Kindheit ein Haustier begraben, es beweint, als wäre es ein Mensch. Uns Erwachsenen fehlen Rituale, die uns festhalten. Da draußen gibt es nichts, das die Menschen festhalten könnte, deshalb haben wir die kleine Katze beerdigt wie einen Menschen. Ich denke, dass alle hier um sich selbst trauern, sich selbst in diesem kleinen Wesen beweinen und ehren. Wundern Sie sich deshalb nicht. Es … war ein Akt der Zärtlichkeit gegenüber dem Leben. Dieser Ort bringt alte Kräfte zum Vorschein, die wir längst vergessen haben.»

Laura antwortete nicht. Wahrscheinlich hatte Katharina Recht. In diesem Augenblick fühlte sie sich wie ein Mitglied der Gruppe. Als alle den Innenhof des Klosters erreichten, entdeckte Laura im Schatten der Arkaden die drei Französinnen. Offensichtlich hatten sie die seltsame Beerdigung beobachtet, denn sie wirkten verwirrt und leicht erschrocken.

Das Handy klingelte, als Laura auf dem Weg in ihr Zimmer war. Sie warf einen kurzen Blick auf die Nummer. Es war Baumann.

«Hallo!», sagte sie ein wenig atemlos, denn sie hatte zwei Treppenstufen auf einmal genommen.

«Wohin rennst du denn?», fragte er.

«Fitnesstraining», antwortete sie.

«Unter Olivenbäumen?»

«Nein, im Treppenhaus!» Laura öffnete ihre Zimmertür und ging zum Fenster, um die Gruppe zu beobachten. Rolf Berger und Susanne Fischer sprachen kurz miteinander. Er schien eine ärgerliche Handbewegung zu machen, drehte sich um und begleitete Rosa Perl auf die Veranda. Susanne Fischer starrte ihm nach und verschwand dann hinter den Säulen des Hauptgebäudes. Wann fing die Gruppensitzung an? Um halb elf Uhr. Der besonderen Umstände wegen. Jetzt war es fünf nach zehn. Laura überlegte, ob sie Susanne Fischer vor der Sitzung abfangen sollte.

«Bist du noch dran?» Baumanns Stimme tönte so laut aus dem kleinen Telefon, als stünde er neben ihr.

«Ja», sagte Laura zerstreut. Vielleicht wäre es besser, noch einen Tag zu warten. Falls Susanne Fischer etwas mit der Sache zu tun hatte, würde ihre Nervosität wachsen, wenn Laura sie noch eine Weile in Ruhe ließe. Oder würde sie sich in Sicherheit fühlen? Auch das wäre keine schlechte Voraussetzung für ein Verhör.

«Hey! Aufwachen! Ich will dir was sagen! Aber nur, wenn du mir zuhörst!»

«Ich höre!»

«Gut! Wie geht's dir?»

«Ganz gut. Allerdings fehlt mir jede Menge Schlaf.»

«Was machst du denn nachts?» Baumanns Stimme hatte einen anzüglichen Ton.

Nicht schon wieder, dachte Laura. Er ist kein pawlowscher Hund, er ist ein netter Kollege, der auch völlig anders reagieren kann ... jedenfalls manchmal. Sie entschloss sich deshalb, nicht auf seinen Ton einzugehen, nicht ärgerlich zu werden, sondern ganz sachlich zu erzählen, was in der Nacht passiert war.

«Du wirst annehmen, dass ich in einem stillen Kloster auf einem Hügel lebe – mit Betonung auf still. Tagsüber ist es auch ziemlich ruhig, aber ab drei oder vier Uhr früh herrscht hier der totale Terror. Sämtliche Traktoren Italiens graben die Felder um, und die Jäger sind auch unterwegs.»

Baumann lachte leise.

«Klingt gut.»

«Na, siehst du! Was gibt's Neues?»

«Das wollte ich eigentlich dich fragen. Der Chef löchert mich nämlich. Er möchte schnell Ergebnisse sehen, denn hier sind die Zeitungen voll vom ‹mysteriösen Tod einer Münchnerin in Psychogruppe›. In einem der üblichen Horrorblätter stand sogar was von einem möglichen Ritualmord. Wundere dich nicht, wenn plötzlich ein paar Reporter auftauchen.»

«Porco dio!», stöhnte Laura.

«Und was heißt das, wenn ich bitten darf?»

«Ich ... kann das nicht übersetzen. Ist auch egal. Bitte tu alles, um mir diese Leute vom Hals zu halten. Wie kommen die denn auf so was? Habt ihr eine Pressekonferenz abgehalten?»

«Ich wollte es nicht. Doch der Chef meinte, dass es nötig sei. Er hat auf die Fragen geantwortet. Ich stand nur dabei. Er hat ziemlich dick aufgetragen – von wegen Ermittlungshilfe, weil die Italiener Schwierigkeiten mit dem Fall hätten. Aber er hat leider auch von einer Psychogruppe gesprochen, und dass solche Dinge mit Vorsicht zu behandeln seien. In ein paar Tagen wird die Psychogruppe wahrscheinlich zur Sekte! Du kennst ja die einschlägigen Zeitungen!»

«Bravo!»

«Ist das alles?»

«Was soll ich denn sagen? Ich taste mich ganz allmählich an die Geschichte heran. Es ist ziemlich schwierig und hat mit der Gruppe selbst nur sehr am Rande zu tun. Jedenfalls so weit ich es bisher einschätzen kann. Deshalb wäre ich dir dankbar, wenn du mir Infos über die einzelnen Leute geben könntest. Besonders wichtig sind mir Rolf Berger, Katharina Sternheim, Rosa Perl und diese Susanne Fischer.»

«Es tut mir Leid, Laura. Wir versuchen wirklich unser Bestes, aber bisher sieht es so aus, als seien das alles völlig normale Bürger unseres geschätzten Landes. Es gibt wirklich nur einen Rolf Berger, und der ist Mikrobiologe, arbeitet bei Dialab, keine Vorstrafen. Einzige Auffälligkeit die Beziehung zu unserer Isarleiche. Deine Malerin hat einen netten Mann, eine nette Tochter und einen netten Hund. Ich hab sie in ihrem Häuschen in Obermenzing besucht. Sie waren gerade dabei, die Koffer auszupacken. Deine Rosa hat Krebs, aber das weißt du ja selbst. Sie malt übrigens ganz gute Bilder: riesig, sehr abstrakt. Scheint Erfolg damit zu haben. Von Rolf Berger hatten weder

Mann noch Tochter jemals was gehört.» Peter Baumann machte eine Pause.

«Hörst du zu?»

«Natürlich!»

«Gut! Also weiter: Diese Susanne Fischer ist Steuerinspektorin im Münchner Finanzamt. Hat den Ruf, sehr präzise zu arbeiten. Geschieden, keine Kinder. In ihrer Umgebung wusste ebenfalls niemand etwas von einem Rolf Berger. Mehr hab ich im Augenblick nicht zu bieten.»

«Hast du die Ehefrau von Berger aufgetrieben?»

«Noch nicht. Sie müsste übermorgen wieder da sein. Hat eine Woche Urlaub auf Ibiza gemacht. Ihre Nachbarin sagte, dass sie kurz nach Berger abgereist sei.»

«Wie kurz?»

«Ein paar Tage nach ihm ...»

«Finde raus, wann genau ihr Flug ging!»

«Jawohl, Frau Hauptkommissarin!»

«Was ist mit den anderen?»

Unter ihrem Fenster überquerte Katharina Sternheim, begleitet von ihrem kurzen dunklen Schatten, den Hof. Beinahe halb elf Uhr. Auch Susanne Fischer tauchte zwischen den Arkadenbögen auf. Hubertus Hohenstein erhob sich von der Veranda und klopfte seine Pfeife aus. Laura beschloss, die Gruppe an diesem Tag in Ruhe zu lassen. Der Tod des Kätzchens würde nachwirken.

«Nicht viel. Britta Wieland ist Krankenschwester, wird von ihren Kollegen als aufgeschlossen, aber als etwas schwierig beschrieben. Monika Raab scheint eher harmlos zu sein. Stammt vom Land, tut sich schwer in ihrem Job. Interessant ist dieser Hohenstein. Er ist katholischer Priester. Wusstest du das?»

«Ja», antwortete Laura abwesend, während sie Hubertus Hohenstein dabei zusah, wie er seine Pfeife zwischen die Geranientöpfe steckte und langsam in den Gruppenraum ging. «Ich dachte es mir.»

«Er hat sich von seiner Pfarrei beurlauben lassen, weil er aussteigen will.»

Laura nickte ungeduldig.

«Und Katharina Sternheim?»

«Sie ist Therapeutin. Scheint ziemlich eigenwillige Methoden zu praktizieren. Aber sie hat unter ihren Kollegen einen guten Ruf. Allerdings kommt niemand über längere Zeit mit ihr aus. Die Kollegen haben mit Respekt von ihr gesprochen, aber zugegeben, dass keiner von ihnen eng mit ihr zusammenarbeiten möchte.»

«Warum?»

«Angeblich legt sie zu viel Gewicht auf die spirituelle Seite der Therapie. Jedenfalls nach Meinung der Kollegen.»

«Macht Sinn!»

«Kannst du eigentlich noch mehr als zwei Worte sagen?»

«Nein!»

«Okay, dann nicht. Deinem Vater geht's übrigens gut. Wir haben gestern Abend drei Stunden lang Karten gespielt, und er hat gewonnen. Ich hab ihm Pizza mitgebracht, und er hat sein Essen auf Rädern ins Klo gekippt. Er beeindruckt mich, dein Alter Herr!»

«Ja», murmelte Laura. «Mich auch!»

«Das waren immerhin schon drei Worte. Geht's dir wirklich gut?»

«Nicht schlecht. Aber ich versteh nicht genau, was hier vor sich geht. Ich muss mich konzentrieren. Hier passieren merkwürdige Dinge. Es wirkt, als wachse eine Bedrohung. Das liegt teilweise an dieser verrückten Umgebung, diesem Kloster.»

Baumann antwortete nicht sofort.

«Klingt, als würdest du dich von denen anstecken lassen», sagte er schließlich langsam. «Hast du niemanden, mit dem du darüber reden kannst? Was ist mit diesem Italiener, mit dem du ständig Wein trinkst?»

«Er ist da, wenn ich ihn brauche.»

«Ich auch.»

«Ich weiß. Danke.»

«Wieder drei Worte. Pass auf dich auf, Laura. Ich mach mir Sorgen.»

«Du brauchst dir keine Sorgen zu machen. Das hier ist keine Sekte! Ich habe nur den Eindruck, dass es zwischen den Leuten Verbindungen gibt, die ich nicht ganz durchschaue. Vor allem begreife ich nicht, warum Berger im Zentrum dieser Beziehungen steht.»

«Könnte es was mit einsamen Herzen zu tun haben? Bis auf Berger und Hohenstein sind doch alle Mitglieder der Gruppe Frauen, oder? Einsame Frauen, wenn ich das richtig sehe. Unsere Dame aus der Isar war auch einsam.»

«Rosa Perl ist verheiratet!» Lauras Stimme klang abweisend. Etwas in ihr lehnte sich gegen die Einschätzung Baumanns auf. Frauen ohne Männer mussten nicht unbedingt einsam sein. Es gab immerhin auch ein Leben ohne Männer, und das war gar nicht so schlecht. Sah er sie auch so? Als einsames Herz?

«Ach komm!», hörte sie seine ironische Stimme. «Du weißt genau, dass es eine Menge verheirateter Frauen gibt, die sich einsam fühlen! Und deine Rosa scheint ja ein Verhältnis mit ihm zu haben, oder?»

«Jaja», murmelte Laura. «Vielleicht hast du Recht. Du hast mich übrigens gerade auf eine Idee gebracht. Ich weiß jetzt, wie wir Giuseppe Rana aus der Untersuchungshaft kriegen!»

«Wen?»

«Diesen Bauernjungen, den sie verdächtigen, Carolin Wolf umgebracht zu haben!»

«Und wie?»

«Erklär ich dir später!»

«Richtig nett von dir. Und was soll ich dem Chef sagen?»

«Sag ihm … ach, ich hab keine Ahnung. Lass dir was einfallen. Und kümmer dich um Bergers Frau. Ich hab das Gefühl, dass sie uns weiterhelfen kann! Ciao!»

«He …»

Laura drückte auf den Knopf, ehe Baumann weitersprechen konnte, und wählte Guerrinis Nummer. Wenn sie Giuseppe Rana frei bekämen, würde sich der Druck auf die Gruppe enorm erhöhen.

Katharina Sternheim ließ ihren Blick über die Gruppe gleiten, nicht so intensiv wie sonst, eher zögernd, suchend. Der Tod des Kätzchens hatte sie ganz tief im Innern getroffen, einen Schmerz ausgelöst, der ihre Glieder schwer machte. Ihr war, als hätte dieser grausame Tod ein Stück ihrer eigenen Lebenskraft mit sich genommen, als wäre die Welt freudloser geworden. Und sie wunderte sich, dass er sie tiefer erschütterte als Carolin Wolfs Tod, ja, sie empfand ein lähmendes Schuldgefühl. Gerade so, als hätte sie selbst den Tod des Kätzchens verursacht, als hätte eine höhere Macht die Bank umgestoßen, um sie und alle anderen aufzurütteln.

Katharina verschränkte die Hände in ihrem Schoß und starrte auf den Boden, bis sie endlich das drängende Schweigen der anderen wahrnahm und abwesend die übliche Frage stellte:

«Was liegt an? Wie geht es euch?»

Im selben Augenblick wurde ihr bewusst, dass sie die Morgenmeditation vergessen hatte. Aber die Zeit bis zur Mittagspause war ohnehin knapp. Sie würden es verstehen. Als sie jetzt Susanne Fischers Stimme hörte, hob sie verwundert den Kopf, denn Susanne sagte nur selten etwas.

«Ich wüsste heute Morgen ganz gern etwas von Hubertus», sagte die Frau mit kühler, norddeutscher Stimme. «Ich finde, du kannst uns allmählich sagen, wer du eigentlich bist!»

Alle Augen richteten sich auf Hubertus Hohenstein, dessen Gesicht einen rosigen Schimmer bekam. Er schien den Atem anzuhalten, sein rechter Mundwinkel zuckte zweimal.

«Warum genügt es dir nicht, dass ich ein Mensch mit einem Namen bin?», fragte er leise. «Ich sehe jeden von euch als das, was er hier von sich zeigt.»

Susanne schüttelte unwillig den Kopf.

«Du verstehst nicht! Ich glaube, dass ich hier für alle spreche, wenn ich das Gefühl habe, dass du etwas verheimlichst.»

Erschrocken musterte Hubertus die Gesichter der anderen, senkte den Kopf. Katharina atmete hörbar ein.

«Ich muss dich wieder darauf aufmerksam machen, Susanne, dass du hier nicht die Therapeutin bist. Hubertus hat das Recht, nur so viel zu sagen, wie er will. Niemand muss hier seinen Lebenslauf und sein Abiturzeugnis vorlegen oder eine Bescheinigung seines Arbeitgebers. Wir arbeiten an den Dingen, die von selbst kommen. Niemand muss sagen, ob er verheiratet ist oder welchen Beruf er hat oder sonst was!»

Susanne wich Katharinas Blick nicht aus.

«Ich finde, dass der Beruf sehr viel mit einem Menschen zu tun hat! Wer ihn verschweigt, verschweigt auch einen wesentlichen Teil von sich selbst!»

«Na und!», sagte Rolf Berger. «Warum darf Hubertus nicht einen wesentlichen Teil von sich selbst verschweigen? Du sagst ja auch nicht besonders viel. Von dir wissen wir erheblich weniger als von Hubertus. Er zeigt immerhin seine Gefühle. Du scheinst gar keine zu haben!»

Susanne zog die Unterlippe zwischen ihre Zähne.

«Ich lass mich von dir nicht dumm anreden, du Vorstadt-Casanova!»

Rolfs Augen verengten sich, und Katharina erschrak über den Hass, der zwischen Susanne und ihm fast greifbar zusammenprallte. Ihr war, als habe tatsächlich eine Explosion stattgefunden. Sie richtete die Schultern auf, spannte ihren Rücken.

«Ich möchte, dass ihr euch entschuldigt. Das hier ist kein Boxring. Wenn ihr euch weigert, achtsam miteinander umzugehen, muss ich euch von der Gruppe ausschließen!»

Susanne schien kurz zu überlegen, dann nickte sie und murmelte fast unhörbar, dass es ihr Leid täte. Doch Rolf schüttelte heftig den Kopf.

«Ich entschuldige mich nicht! Warum sollte ich mich entschuldigen und wofür? Woher nimmst du das Recht, uns zu behandeln wie unartige Kinder, und du selbst genießt jede Freiheit? Wir sind hier alle erwachsen, haben alle Lebenserfahrung. Nicht nur du, Katharina!»

Schweigen wie Säureregen.

«Ich würde mich auch nicht entschuldigen!» Das war Britta. «Ich bin zwar meistens anderer Meinung als Rolf, aber diesmal hat er Recht!»

«Das finde ich auch», flüsterte Rosa.

Hubertus und Monika starrten auf den Teppich.

Warum bekomme ich keine Unterstützung?, dachte Katharina und spürte die Kraftlosigkeit in ihrem Inneren wachsen. Warum muss ich immer allein kämpfen? Sie müssen doch diesen Hass spüren, sich dagegen wehren. Genau dazu sind wir doch hier. Um die dunklen Seiten zu sehen und zu vertreiben. Aber es gelang nicht. In dieser Gruppe gelang es einfach nicht. Die dunklen Vögel brachen aus den Wänden und blieben.

Katharina zuckte zusammen, als Hubertus plötzlich aufstand und in die Mitte des Raums trat. Mit gesenktem Kopf, wie ein Büßer.

«Es tut mir Leid», sagte er. «Ich bin die Ursache dieser Auseinandersetzung. Deshalb entschuldige ich mich. Wo ich herkomme ... lernt man die Lüge besonders gut. Man muss sich dauernd verstecken ... Ich, ich habe mich deshalb ... ich meine, ich will euch deshalb sagen, was ich bin.» Er sah zum Fenster hinaus, mied jeden Blickkontakt. «Ich bin ... ich war ... katholischer Priester. Das heißt, ich bin es noch. Ich habe mich beurlauben lassen, weil ich herausfinden will, ob ich auch anders leben kann.» Plötzlich lächelte er ein wenig verlegen. «Ich weiß nicht, ob einer von euch das verstehen kann, aber ich habe mir gewünscht, einmal ein ganz normaler Mensch zu sein. Einer, der zu euch gehört wie ein Bankbeamter oder Taxifahrer. Deshalb habe ich nichts erzählt. Wenn die Menschen wissen, dass man Priester ist, verhalten sie sich anders. Ich habe das mein Leben lang erlitten ...»

Katharina schloss die Augen. Sie war Hubertus unendlich dankbar. Er bot sich zur Arbeit an, entschuldigte sich anstelle anderer, half ihr über diese Situation hinweg, da ihr die Kontrolle entglitt und Chaos auszubrechen drohte. Mühsam erhob sie sich und fragte mit leiser Stimme:

«Möchtest du ein Stück daran arbeiten?»

Hubertus nickte.

«Dann schau mich an und atme.»

Hubertus atmete tief.

«Was trennt dich von anderen, wenn du Priester bist?»

«Ich … spiele eine Rolle. Ich bin der Wissende, der gute Mensch. Nein, das ist es nicht … Da ist etwas anderes: Ich bin ein Neutrum … kein Mann. Vielleicht ist es das Schlimmste, dass ich kein Mann bin. Ich darf kein Mann sein, keiner mit Fleisch und Blut. Man hat uns immer vor den Frauen gewarnt, vor jedem körperlichen Kontakt. Wir sind körperlos, wie Engel. Aber es ist eine Lüge. Wir hungern nach körperlicher Nähe …» Hubertus beugte sich nach vorn und umschlang seinen Oberkörper mit beiden Armen.

«Atme!», sagte Katharina heiser. «Atme und sag nicht wir! Sag: Ich hungere nach körperlicher Nähe!»

Hubertus bedeckte sein Gesicht mit beiden Händen. Trockenes Schluchzen schüttelte ihn.

«Ich … hungere nach … körperlicher Nähe!» Er ließ sich auf die Knie sinken, und es sah aus, als bitte er seinen Gott um Vergebung.

Katharina kniete neben ihm, streichelte behutsam über seine Arme, seinen Rücken. Da ließ er sich einfach fallen, barg das Gesicht in ihrem Schoß und schluchzte wie ein Kind. Sie aber hielt ihn fest und wiegte ihn hin und her, war einen Augenblick lang wieder die große Mutter. Doch nur einen Augenblick, denn Susanne stand plötzlich auf.

«Mir reicht's für heute!», sagte sie und ging.

Hinter ihr fiel die schwere Tür mit einem dumpfen Knall ins Schloss.

Über Siena ging ein Gewitterregen nieder, als Laura und Commissario Guerrini die steilen Straßen zur Altstadt hinauffuhren. Die Pflastersteine glänzten, und frischer Duft von feuchten Zypressennadeln drang durch die Fenster des Wagens.

«Warum ist Ihnen das gestern Abend nicht eingefallen?», fragte Guerrini.

«Weil ich mich gestern Abend nicht richtig konzentrieren konnte. Ist Ihnen das noch nie passiert?»

«Doch, natürlich. Ich hoffe nur, dass es funktioniert. Dieser Untersuchungsrichter ist ein harter Brocken.»

«Wir werden es schon schaffen!», entgegnete Laura.

Guerrini musterte sie von der Seite und kniff ein Auge zu.

«Haben Sie sich deshalb so in Schale geworfen?»

Laura trug einen kurzen Jeansrock, ein enges T-Shirt und hatte die Lederjacke locker über ihre Schultern gehängt.

«Klar!»

«Erfahrung?»

Sie nickte.

«Die Geschichte mit der jungen Katze klingt völlig verrückt!» Guerrini bremste etwas zu spät an einer roten Ampel. Der Lancia schlitterte ein paar Meter über die abgerundeten Steine.

«Aber sie ist genauso passiert, wie ich es erzählt habe. Wie eine symbolhafte Wiederholung.»

«Glauben Sie an eine höhere Macht? An einen Gott?», fragte er und trommelte mit seinen Fingern ungeduldig auf das Steuerrad.

«Ja», antwortete Laura. «Manchmal mehr, manchmal weniger. Und Sie?»

«Meistens weniger», murmelte er und gab Gas.

«Weniger?»

«Na, solange es nichts mit der offiziellen Kirche zu tun hat.» Er lenkte den Wagen in den Hof des Gerichtsgebäudes und parkte in einer winzigen Lücke, stieß noch einmal zurück. «Steigen Sie besser hier aus, sonst wird es verdammt eng.»

Warmer Regen fiel vom Himmel. Guerrini quetschte sich durch den schmalen Spalt, der zwischen den parkenden Autos blieb, rückte sein Jackett zurecht, als er wieder neben ihr stand.

«Wappnen Sie sich», sagte er. «Sie werden gleich Bekanntschaft mit einem kleinen Gott machen, der ganz so über Menschen entscheidet, wie er es für richtig hält. Ich habe mir an ihm schon einige Male die Zähne ausgebissen!»

«*The Germans to the front*, was?», lächelte Laura.

«Ja, bitte! Ich bin gespannt!»

Sie flüchteten aus dem Regen in den Eingang des düsteren Gebäudes. Hinter einer Glasscheibe nickte ihnen ein hagerer Mann mit schütterem schwarzem Haar zu.

«Ah, Commissario. Der Richter wartet schon auf sie. Er ist nicht sehr gut gelaunt, denn er musste Ihretwegen eine Verabredung absagen. Sie kennen Ihn ja, eh!» Der dünne Mann hob beide Arme und gleichzeitig die Augen zur Decke.

«Jaja, Leonardo! Ich kenne ihn!» Auch Guerrini hob die Arme.

«Ich melde Sie an, Commissario. Gehen Sie ruhig.»

Guerrini fasste Laura leicht am Arm und führte sie zu einem altertümlichen Aufzug. Quietschend setzte sich die hölzerne Kabine in Bewegung, gewann ganz allmählich Fahrt und hielt im dritten Stock so plötzlich an, dass sie Mühe hatten, ihr Gleichgewicht zu halten.

«Avanti!», sagte Guerrini. «Auf in den Kampf!»

Laura folgte ihm über einen muffigen Gang in das kleine Vorzimmer des Richters und hätte beinahe losgelacht, als auch die junge Sekretärin die Arme hob, wie zuvor der Mann am Eingang und Guerrini.

«Commissario Guerrini! Ein Glück, dass Sie endlich da sind. Er ist … na, Sie wissen ja. Er musste ein wichtiges Treffen mit dem Vizebürgermeister absagen. Wenn er so ist, dann würde ich am liebsten kündigen, aber nachdem es in dieser Stadt keine anderen Jobs gibt …!» Sie zwinkerte mit dem rechten Auge und ging zu der Tür, die offensichtlich zum Richter führte. Dann riss sie ihre großen dunklen Augen weit auf, holte Luft und klopfte. Ein undefinierbarer Laut drang durch die Tür, die junge Frau nickte und drückte auf die Klinke. Durch einen Spalt rief sie: «Commissario Guerrini und eine Dame sind hier!» Sie stieß die Tür ganz auf, trat einen Schritt zurück und machte eine einladende Armbewegung. «Bitte, der Richter erwartet Sie!»

Mein Güte, dachte Laura. Das ist ja noch schlimmer als bei unserem Chef.

Das Büro des Untersuchungsrichters war groß und mit klobigen dunklen Möbeln ausgestattet. Richter Quatrocchi stand am Fenster und wandte ihnen den Rücken zu. Er drehte sich erst um, als sie bereits vor seinem Schreibtisch angekommen waren.

«Ah, Guerrini!», sagte er, sah den Commissario aber nicht an, sondern ließ seine Augen über Laura wandern – von Kopf bis Fuß. Doch er sprach sie nicht an. Erst als Guerrini seine deutsche Kollegin vorstellte, verbeugte er sich knapp.

«Ich habe nicht viel Zeit. Falls es wieder um diesen Rana geht, wird es hoffentlich nicht lange dauern!»

Mit einiger Verzögerung bot der Richter ihnen zwei Stühle an und ließ sich seufzend in den gewaltigen Ledersessel hinter seinem Schreibtisch sinken.

«Also, was ist los, Guerrini?»

Laura konnte das leise Vibrieren in Guerrinis Körper spüren. Sie befürchtete, dass er dem Richter im nächsten Augenblick an die Gurgel gehen könnte. Doch Guerrinis Stimme war auffallend ruhig, als er antwortete. Quatrocchi war klein, kurzhalsig und ein wenig zu fett. Aber sein Anzug saß tadellos, Maßarbeit. Die Augen des Richters quollen aus ihren Höhlen hervor, als litte er unter der Basedow-Krankheit. Dieser Anblick bei diesem Namen, musste Laura denken; denn Quatrocchi bedeutete so viel wie Vierauge – wieder ein Detail, das sie ihrem Vater erzählen musste.

«Es gibt neue Erkenntnisse», sagte Guerrini mit dunkler Stimme. «Der Verdacht gegen Rana ist meiner Meinung nach damit hinfällig. Meine deutsche Kollegin kann Ihnen die Sache genauer erklären.»

Richter Quatrocchi schob einen dicken Kugelschreiber auf seinem blanken Schreibtisch hin und her.

«Ich höre», knurrte er und starrte auf Lauras Beine.

Sie zwinkerte Guerrini kaum merklich zu, schlug die Beine übereinander, sodass ihr Rock noch ein wenig höher rutschte und dem Richter die Sicht erleichterte.

«Ich bin sehr froh, dass inzwischen die Zusammenarbeit zwischen der italienischen und deutschen Polizei so gut funktioniert!», sagte sie und lächelte. «Die Ermittlungen gestalten sich damit viel einfacher und gehen schneller. Was früher Wochen und Monate dauerte, können wir heute in Europa sehr professionell koordinieren.»

Quatrocchi stellte den Kugelschreiber senkrecht, wie eine Zigarre steckte er zwischen seinen plumpen Fingern.

«Jaja, das ist sehr erfreulich», murmelte er. «Wollen Sie mir einen Vortrag über die Vorteile der europäischen Einigung halten oder etwas über den Fall Rana erzählen?»

«Verzeihung, aber ich denke, dass es keinen Fall Rana gibt!» Noch immer lächelte Laura. «Es gibt einen Fall Carolin Wolf, das ist das tote deutsche Mädchen. Meine Kollegen in München haben herausgefunden, dass dort auch eine Frau ums Leben gekommen ist, die mit einem gewissen Rolf Berger liiert war. Dieser Berger befindet sich mit der deutschen Gruppe auf der Abbadia, und Carolin Wolf hatte ein sexuelles Verhältnis mit ihm!» Laura betonte die Worte «sexuelles Verhältnis» besonders genüsslich.

Blitzschnell wanderten Quatrocchis Augen von ihren Beinen zu ihrem Gesicht, dann zum Fenster.

«Ja und?», fragte er. Von seinem kurzen Hals stieg eine Rötung auf, die sich allmählich auf seinem Gesicht ausbreitete.

«Ich bin sicher, dass der Verdacht gegen Berger sich in den nächsten Tagen erhärten wird. Deshalb wollten wir Sie ersuchen, Giuseppe Rana freizulassen. Es besteht ohnehin keine Fluchtgefahr, wohin sollte der Junge denn fliehen. Er ist geistig behindert und kann ohne seine Familie nicht überleben.»

Quatrocchi warf den Kugelschreiber auf den Tisch, stand auf und lief mit kleinen Schritten vor dem Fenster hin und her.

«Ich sehe das nicht so einfach wie Sie!», stieß er hervor. «Ihre Geschichte mit Berger kann reiner Zufall sein. Gegen Rana sprechen eine Menge Beweise, überprüfbare Beweise! Außerdem bin ich grundsätzlich dagegen, dass man solche Leute frei herumlaufen lässt! Sie stellen eine Gefahr dar! Für alle!»

Guerrini verlor die Geduld und fuhr aus seinem Sessel hoch.

«Ich halte Rana für harmlos!», sagte er mit belegter Stimme, räusperte sich. «Es ist so einfach, einen geistig Behinderten zu verdächtigen. Er kann sich nicht wehren. Er hat einen Pflichtanwalt, der nicht besonders an ihm interessiert ist. Meiner Meinung nach ist Rana ganz zufällig in diese Geschichte verwickelt worden, weil er nachts nicht schlafen kann. Er hat das tote Mädchen gefunden und ist dann weggelaufen. Natürlich hat er überall Spuren hinterlassen. An so etwas denkt er doch nicht! Aber das habe ich Ihnen ja schon mehrmals erklärt.» Guerrini strich sich mit den Fingern durchs Haar und lehnte sich gegen die Wand.

Quatrocchi drehte sich um.

«Und warum findet die Spurensicherung Fäden von Ranas Pullover an den Wurzeln genau über der Toten? Warum sind sogar auf ihrer Kleidung winzige Fasern nachweisbar, die von Ranas Pullover stammen? Sogar seine Spucke haben sie gefunden!»

Guerrini starrte den Richter an.

«Woher wissen Sie das?»

«Ganz neue Ergebnisse, mein lieber Commissario. Vor einer Stunde aus dem Labor gekommen. Direkt auf meinen Schreibtisch. Ich sage Ihnen, Rana hat diese Frau umgebracht! Vergessen Sie Ihre sentimentalen Gefühle gegenüber geistig Behinderten!»

Laura überlegte fieberhaft. Die Sache schien verloren. Sie warf einen kurzen Blick zu Guerrini hinüber, der mit gesenktem Kopf an der Wand lehnte. Und sein Anblick brachte sie auf die Idee, den Richter mit etwas zu konfrontieren, mit dem er nicht rechnete. Sie wusste nicht genau wie, vertraute einfach ihrer spontanen Idee.

«Richter Quatrocchi …», begann sie, suchte nach Worten, «… vielleicht hat sich die Sache so abgespielt: Ich versuche, etwas zu beschreiben, was ich am Tatort empfunden habe. Dieser Junge, dieser Giuseppe Rana … ich glaube, dass er noch nie etwas mit einer Frau zu tun hatte. Stellen Sie sich vor – versuchen Sie's nur einen Augenblick –, also, stellen Sie sich vor, Sie wären ein schüchterner verwirrter Junge, der sich wie fast alle Jungs in diesem Alter nach einer Frau sehnt. Auch geistig Behinderte suchen Zärtlichkeit, körperliche Nähe und Sexualität …» Wieder warf Laura Guerrini einen Blick zu. Er rührte sich nicht, hatte nur den Kopf gehoben und beobachtete sie.

«Und was soll das?» Quatrocchis Gesicht färbte sich dunkelrot. «Ich bin nicht verrückt, deshalb kann ich nicht wissen, wie sich so einer fühlt!»

«Aber Dottore – Sie sind doch Richter, ein Mensch, der sich in andere einfühlen muss. Wenn ich Sie ansehe, dann bin ich sicher, dass Sie es können – ein Mann in Ihrer Stellung!»

Quatrocchi verschränkte die Arme über seiner Brust, wandte Laura den Rücken zu und starrte zum Fenster hinaus.

«Ich werde versuchen zu beschreiben, was vielleicht geschehen ist», fuhr Laura mit leiser Stimme fort. «Rana war in einer Vollmondnacht unterwegs, getrieben von einer unbekannten Sehnsucht. Er wusste vermutlich nicht einmal, wohin er ging, folgte einfach den Trampelpfaden der Tiere … und dann stand er plötzlich vor dieser Frau, die reglos in einer Höhle unter Wurzeln lag. Vielleicht fiel Mondlicht auf ihr Gesicht, und er fand sie wunderschön, eine märchenhafte Erscheinung. Er hatte Angst, dachte vielleicht, dass Sie nur schliefe und ihn gleich anschreien würde, wie es ihm schon öfter mit Frauen erging. Aber sie rührte sich nicht. Deshalb kroch er zu ihr in die Höhle, betastete sie. Sie war so schön. Er fiel auf sie, spürte ihren Körper – den ersten Frauenkörper seines Lebens – ganz nah. Er wurde überwältigt von seiner Sehnsucht, seiner Begierde … und plötzlich erkannte er, dass sie tot war. Er sprang auf, blieb in den Wurzeln hängen, riss sich voll Panik los …»

«Es reicht!», unterbrach sie Quatrocchi.

Laura strich ihren Rock glatt und senkte den Kopf. Einen Augenblick lang blieb es still in dem großen Raum, dann kehrte Quatrocchi mit einer schnellen Drehung seines Körpers zum Schreibtisch zurück und sah Laura aus seinen hervorquellenden Augen ein wenig unsicher an.

«Was bezwecken Sie mit dieser schwülen erotischen Schilderung?»

«Es wäre sehr hilfreich, Dottore, wenn Sie Rana – wenigstens unter Vorbehalt – freilassen würden. Sehen Sie, solange Rana in Haft ist, fühlen sich die Deutschen auf der Abbadia sicher. Wenn Rana nicht mehr verdächtigt wird, dann wird zumindest der Täter nervös werden. Commissario Guerrini und ich sind sicher, dass der Täter im Kloster zu finden ist!»

Quatrocchi griff wieder nach dem dicken Kugelschreiber.

«Warum nehmen Sie diesen Berger dann nicht fest?»

«Weil wir noch keine ausreichenden Beweise haben. Aber wir hoffen, dass wir sie bald bekommen, wenn Rana frei ist!»

Der Richter schnaufte einige Male, trommelte einen kurzen Wirbel auf die glänzende Schreibtischplatte, sah dann auf die Uhr.

«Ich muss weg! Ich kann den Vizebürgermeister nicht länger warten lassen. Nehmt diesen verdammten Rana mit. Aber wenn er noch einmal den leisesten Verdacht erweckt, dann lasse ich ihn sofort in eine Anstalt einweisen!» Quatrocchi zog ein Formular heraus, füllte es schnell aus, presste seinen Stempel darauf und schob es Guerrini hin. Dann drückte er Laura kurz die Hand, nickte Guerrini zu und war schon fort, flüchtete vor dieser Niederlage, mit der er nicht gerechnet hatte.

«The Germans to the front», murmelte Guerrini, während er das Dokument durchlas und gleichzeitig zur Tür ging.

«Gewonnen!», rief er der Sekretärin zu.

«Bravo!», lachte sie und hob wieder die Arme.

«Ciao bella!» Guerrini warf ihr eine Kusshand zu.

Als sie wieder im Fahrstuhl standen – die Kabine war eng –, sah Guerrini Laura auf eine Weise an, dass der Blitzschlag, den sie schon häufig in ihrem Körper gespürt hatte, dieses Mal von seinen Augen ausging. Der Rucksack, den sie über ihre Schulter geworfen hatte, hinderte sie daran auszuweichen. Guerrinis Gesicht kam näher, seine Hände umfassten ihre Schultern. Er zog sie an sich, und sie fand ihre Lippen unvermutet an der Stelle, von der sie schon mehrmals geträumt hatte: an dem sanften Dreieck unterhalb seiner Kehle, aus dem die Schlüsselbeine entspringen. Und während er sein Gesicht in ihr Haar versenkte, nahm sie den Geruch seiner Haut wahr.

Das abrupte Bremsmanöver des alten Fahrstuhls riss die beiden auseinander, und als auch noch Lauras Handy klingelte, brachen sie in erleichtertes Gelächter aus.

«Wetten, dass es Ihr Vater ist!», sagte Guerrini, und Laura war ihm dankbar, dass er nicht einfach zum vertraulichen Du übergegangen war.

«Wetten!», erwiderte sie und schaute auf die blinkende Nummer auf ihrem Telefon. Es war nicht der alte Gottberg, sondern ihre Privatnummer. Laura hatte nicht die Absicht gehabt, das Gespräch anzunehmen, doch jetzt drückte sie auf den Knopf.

«Hallo, Mama!»

«Hallo, Sofi!»

«Warum hast du mich denn nicht angerufen, Mama? Hast du meine SMS gekriegt?»

«Ja, hab ich, Sofi! Und ich freu mich so, dass Mathe nicht so schlimm war!»

«Schlimm schon … aber es ging. Warum hast du nicht angerufen?»

«Es ging nicht, Sofi! Wenn ich Zeit hatte, dann warst du in der Schule! Ich hab Luca angerufen – spätnachts! Hat er dir das nicht erzählt?»

«Doch, aber ich dachte …»

«Was denn?»

«Ich wollte einfach mit dir reden, Mama.»

«Jetzt kannst du's ja!»

«Wo bist du denn?»

«Jetzt gerade in Siena. Da waren wir auch schon zusammen. Erinnerst du dich? Die Stadt mit dem komischen Platz, der bergauf geht und in der Mitte einen Brunnen hat und viele Tauben, hinter denen bist du dauernd hergelaufen.»

«Ja, und wir haben Pizza gegessen, und eine Taube hat in Papas Weinglas gemacht! Ich kann mich genau erinnern!»

«Richtig», sagte Laura.

«Isst du auch Pizza?»

«Nein. Ich stehe gerade in einem Gerichtsgebäude, und jetzt müssen wir einen jungen Mann aus dem Gefängnis holen, weil er unschuldig ist.»

«Oh», sagte Sofia. «Weißt du schon, wer die Frau in die Isar geschubst hat?»

«Nein, Sofi. Aber wir werden es hoffentlich bald wissen. Wie geht's dir denn, mein Schatz?»

«Ganz gut. Papa kocht fast jeden Tag Nudeln oder Kartoffelbrei. Wie früher. Er ist nett …»

«Prima!» In Lauras Hals saß plötzlich ein Kloß. Sie wollte nicht an früher erinnert werden, nicht an Urlaube in Siena und nicht an Kartoffelbrei!

«Wann kommst du denn wieder, Mama?»

«Bald, Sofi. Aber ganz genau kann ich es noch nicht sagen.»

«Lass dir nur Zeit … hier geht's ganz gut. Papa ist lustig!»

«Das ist schön, Sofi.» Der Klumpen in Lauras Hals wuchs. Sie konnte sich gut vorstellen, wie Ronald den perfekten Vater spielte. Für eine Woche oder zwei. Da war er immer perfekt!

«Sofi, ich muss jetzt aufhören», sagte sie mit belegter Stimme. «Ich hab dich lieb, und du fehlst mir, mein Schatz.»

«Du mir auch, Mama!» Sofias Antwort klang in Lauras Ohren wie eine Höflichkeitsfloskel. Sofia vermisste sie nicht wirklich, dafür würde Ronald schon sorgen. Er konnte wunderbar sein, wenn er sich ins Zeug legte. Aber sie selbst hatte auch nicht die Wahrheit gesagt. Sie liebte Sofia und Luca, aber sie fehlten ihr nicht. Ihr wurde in diesem Augenblick bewusst, dass sie zum ersten Mal seit Jahren allein war und andere Dinge wichtiger waren als ihre Kinder. Dass sie für wenige Tage ein Stück Freiheit ergattert hatte, wie sie es schon fast nicht mehr kannte. Langsam versenkte sie das Handy in ihren Rucksack und sah sich nach Guerrini um. Er stand beim Pförtner und schien in ein angeregtes Gespräch verwickelt zu sein.

«Wie ein Walross ist er raus!», hörte sie den Pförtner

prusten. «Rauchwolken hat er ausgestoßen, Commissario. Und ich habe mir gedacht, diesmal hat er es ihm gegeben, der Commissario!»

Guerrini winkte Laura heran.

«Die Signora Commissaria hat es ihm gegeben, Leonardo. Du hättest sehen sollen, wie sie ihn reingelegt hat. Wirklich gut. Ich hätte das nie geschafft!»

«Bravo, Signora!», strahlte Leonardo.

«Danke!», erwiderte Laura. «Euer Richter scheint ja sehr beliebt zu sein!»

«Er ist …», Leonardo hob schon wieder beide Hände, beschwörend diesmal, als wolle er einen bösen Geist fernhalten, «… er ist ein bisschen schwierig, nicht einfach, wenn Sie verstehen!»

«Ich verstehe!» Laura lächelte dem Pförtner zu und trat auf den Hof des Gerichtsgebäudes hinaus. Es hatte aufgehört zu regnen, und die Luft war frisch und weich. Hinter dunklen Wolkenfetzen zeigte sich schon wieder blauer Himmel. Ein paar vorwitzige Sonnenstrahlen tauchten die mittelalterlichen Gebäude in unwirkliches Licht. Über die glänzenden Dachziegel des nächsten Häuserblocks lugte der Turm eines Palazzo.

Laura merkte Guerrini hinter sich. Er stand so nah, dass er sie beinahe berührte, nur beinahe. Doch es genügte.

«Fahren wir», sagte er leise, und sie konnte seinen Atem in ihrem Nacken spüren.

Wovor fürchte ich mich eigentlich?, dachte Laura, als sie wieder neben Guerrini im Wagen saß. Warum nehme ich ihn nicht einfach in die Arme und warte ab, was das Leben mit uns vor hat? Bin ich misstrauisch, feige? Wieder fielen ihr die Worte des alten Gottberg ein: Wenn du in einer Woche zweimal dem Tod begegnest, solltest du über das Leben nachdenken! Nach ihrer Trennung von Ronald hatte sie sich geschworen, nie wieder eine Liebesgeschichte anzufangen. Schon der Kinder wegen. Aber sie wusste genau, dass die Kinder nur ein Vorwand waren. Sie selbst war es, ihre Verletzungen, ihre Erschöpfung nach all den Kämpfen und Enttäuschungen.

Und jetzt? Laura wagte nicht, Guerrini anzusehen, schaute nur auf seine Hand, die gerade die Schaltung bediente.

Mein Gott, dachte sie. Ich benehme mich wie ein verklemmter Teenager. Es ist einfach lächerlich!

Aber Guerrini schien mit ähnlichen Problemen zu kämpfen, denn er schwieg und tat so, als sei er voll und ganz von den verwinkelten Straßen der Altstadt in Anspruch genommen.

Wir haben nicht viel Zeit, dachte Laura. Wir wissen beide, dass wir nicht viel Zeit haben …

Dann fiel ihr der Bügel der Sonnenbrille ein, und sie schüttelte den Kopf über sich selbst. Beinahe hätte sie das Ding wieder vergessen. Ihre offensichtliche Unfähigkeit zur Konzentration irritierte sie. Noch nie hatte sie vergessen, ein Beweisstück an die Spurensicherung zu liefern. Sie gab sich einen Ruck.

«Ich habe übrigens den Bügel einer Sonnenbrille in der Nähe des Tatorts entdeckt. Wir sollten ihn untersuchen lassen – ehe wir Rana abholen. Haben Ihre Leute zufällig eine Brille gefunden? Eine ohne Bügel?» Ihre eigenen Worte kamen ihr fremd und völlig unangemessen vor. Guerrini musste den Eindruck haben, als ginge sie einfach zur Tagesordnung über. Das wollte sie nicht, aber ihr fiel kein anderer Weg ein, das Gespräch neu aufzunehmen.

«Nein», sagte er. «Von einer Brille habe ich nichts gehört. Seit wann tragen Sie diesen Bügel mit sich herum?» Seine Stimme klang nervös. Er räusperte sich.

«Seit gestern Nachmittag. Es tut mir Leid. Ich habe ihn vergessen ...»

«Oh», murmelte Guerrini und lächelte. «Ich werd's nicht verraten!»

Er bog an der nächsten Kreuzung rechts ab.

«Wir fahren schnell bei der Questura vorbei. Es dauert nur eine Minute. Vielleicht wissen wir schon heute Abend, ob der Bügel etwas hergibt!»

Laura nickte, reichte Guerrini das kleine Päckchen mit dem Brillenbügel und wartete im Wagen. Es dauerte elf Minuten. Laura beobachtete, wie Guerrini die Stufen der Questura herunterkam, einem Kollegen zuwinkte, kurz mit einem anderen sprach. Sie nahm seine Körpersprache wahr, wie er den Kopf zur Seite legte, Arme und Beine bewegte, sich übers Haar strich, wie er herüberschaute und endlich mit großen Schritten zum Wagen lief. Abrupt wandte Laura den Kopf ab, weil sich ihr Magen zusammenkrampfte. Ist es möglich, schoss es ihr durch den Sinn, ist es möglich, dass ich noch nie einen Mann so sehr begehrt habe wie ihn?

Weiter konnte sie nicht denken, denn da ließ er sich schon auf den Fahrersitz fallen.

«Tut mir Leid, dass ich Sie habe warten lassen, Laura. Aber Sie wissen ja, wie es ist, wenn man an seinem Arbeitsplatz auftaucht. Jeder will etwas ... Ist Ihnen nicht gut? Sie sind so blass!»

Laura schüttelte den Kopf.

«Schon in Ordnung», erwiderte sie leise.

Guerrini warf einen Blick auf seine Armbanduhr.

«Sie müssen Hunger haben! Das ist es! Wir haben beide seit dem Frühstück nichts mehr in den Magen bekommen, und jetzt ist es beinahe drei!»

«Glauben Sie, dass wir Giuseppe Rana noch warten lassen können?», fragte Laura.

«Nein», antwortete Guerrini. «Aber ich weiß eine hervorragende Pizzeria, bei der wir was zu essen mitnehmen können. Vielleicht hat auch Giuseppe Lust auf Pizza, wenn wir ihn aus diesem Loch raus haben.»

Laura nickte. Guerrini fuhr los, hielt kurz darauf vor der Pizzeria, lächelte ihr zu.

«Spinaci, Funghi, Salami, Mozzarella?»

«Tutto!», gab Laura zurück. Ihr Magen schmerzte noch immer.

«Kommen Sie mit?»

Laura schüttelte den Kopf. Sie wollte nicht neben ihm stehen, wartete lieber allein und sah ein paar Spatzen und Tauben zu, die Krümel von der Straße aufpickten. Die Pflastersteine waren bereits wieder trocken, nur in den Ritzen hatte sich ein bisschen Feuchtigkeit gehalten. Kaum sichtbarer Dampf stieg vom Boden auf, legte einen feinen Schleier über die Vögel.

Nach wenigen Minuten kehrte Guerrini mit einem großen Karton Pizza, einer Flasche Wein und einer Wasserflasche zurück.

«Ich kann Ihnen nicht sagen, wie froh ich bin, dass wir Giuseppe frei bekommen haben», sagte er. «Ich danke Ihnen, Laura … obwohl … Ihr Auftritt war … ich weiß nicht, wie ich es beschreiben soll. Es kam mir vor wie eine Theaterszene … Haben Sie sich das vorher ausgedacht?»

«Nein», antwortete Laura, und ihre Stimme wurde unsicher. «Ich habe mir nur diesen Richter angesehen, und da fiel mir ein, wie ich ihn kriegen könnte. Er ist sicher ein Mann mit schwülen sexuellen Phantasien. Es war …

reine Taktik.» Sie sah die Betroffenheit in seinem Gesicht. «Klingt zynisch, nicht wahr? Wahrscheinlich ist es das auch. Ein gewisser Teil unserer Lebenserfahrung macht uns zynisch! Aber in unserem Job kann das ganz nützlich sein!»

Im Wagen breitete sich der Duft von warmer Pizza aus. Als Guerrini anfuhr, flatterten die Vögel davon.

«Ja», murmelte er. «Es kann sehr nützlich sein. Verachten Sie Männer wie Quatrocchi?»

«Vielleicht. Auf jeden Fall halte ich mich fern von ihnen.»

«Und Giuseppe? Warum konnten Sie seine Sehnsucht so gut schildern, sein Verhalten, als wären Sie dabei gewesen?»

Laura strich mit beiden Händen über ihre Schläfen und versuchte ein Lächeln.

«Ist das ein Verhör, Commissario?»

«Ja!», antwortete Guerrini ernst. «Ich möchte wissen, wie es in Ihnen aussieht.»

«Warum?»

«Weil ich mich für Sie interessiere.»

«Sie haben mir noch immer nichts über Ihre innere Leere erzählt, Angelo. Und ich habe zuerst gefragt.»

«Vielleicht mache ich es», erwiderte er grimmig und wich geschickt einem Lieferwagen aus, der rückwärts aus einer Einfahrt rangierte. «Wenn Sie mir verraten, ob Sie auch Giuseppe verachten.»

«Nein, ich verachte Giuseppe nicht», sagte Laura. «Eher empfinde ich ihm gegenüber so etwas wie Zärtlichkeit, obwohl ich ihn nicht kenne … Ich habe die Szene so geschildert, weil ich sicher bin, dass sie sich ganz ähnlich abgespielt hat. Giuseppe ist ein Unschuldiger – er weiß nichts von Sünde oder so was. Er spürt nur die Sehnsucht und ein Verlangen, das aus seinem Körper kommt und ihn manchmal ganz ausfüllt wie ein köstlicher Schmerz, den er nicht richtig einordnen kann. Aber es ist nicht nur das Verlangen des Körpers, es ist auch die Seele, die nach etwas drängt, das er nicht kennt und deshalb sucht. Vielleicht liebkost er die Lämmer und Schafe, schmiegt sich an den Leib der Kühe, wenn niemand ihm zuschaut ... Vielleicht ahnt er, dass es niemals eine Frau geben wird, die ihn umarmt ...»

Guerrini bremste mitten auf der Straße und starrte sie an.

«Amen!»

«Amen!», entgegnete Laura.

Hinter ihnen hupte es. Guerrini achtete nicht darauf.

«Sie haben sehr präzise Vorstellungen von anderen Menschen», sagte er langsam. «Was ... denken Sie über mich?»

Laura wich seinen Augen aus, wandte sich stattdessen um und sah wild fuchtelnde Arme im Rückfenster.

«Ich glaube, wir sollten weiterfahren!»

«Erst wenn ich eine Antwort bekomme!»

«Sie ... Sie sind ein guter Polizist, der noch ein paar Ideale hat ... Sie arbeiten viel, sind ein bisschen einsam und ... Ach, ich weiß nicht!»

«Sie lügen!»

«Ja.»

Eine Faust klopfte heftig gegen Guerrinis Fenster.

«Cornuto!», stieß er zwischen den Zähnen hervor. «Verpiss dich!» Doch dann fuhr er mit kreischenden Reifen an.

«Gut», sagte er. «Wir holen jetzt Giuseppe ab und bringen ihn nach Hause. Danach möchte ich wissen, was Sie wirklich denken.»

«Einverstanden», flüsterte Laura, und ihr Herz machte einen seltsamen Sprung, so heftig, dass sie die Hand an ihre Brust legte, um es zu beruhigen.

Guerrini bat Laura, vor der Zelle zu warten. Er hatte dem Wachhabenden das Schreiben des Richters vor die Nase gehalten und war gleich weitergegangen, hatte den Mann mit dem Papier in der Hand stehen lassen, ihn kaum eines Wortes gewürdigt. Gab nur die knappe Anweisung, dass er die Zellentür öffnen solle.

Er kann auch Verachtung an den Tag legen, dachte Laura.

Mit steinernem Gesicht folgte der Wachhabende Guerrini, machte umständlich die Zellentür auf und trat zur Seite. Von drinnen kam ein Wimmern, das schnell anschwoll und in eine atemlose Melodie überging. Laura beobachtete, wie Guerrini langsam in den winzigen Raum trat und sich auf das Pritschenbett setzte. Dann wanderte ihr Blick zu Giuseppe, der in der dunkelsten Ecke der Zelle stand, den Rücken zur Tür, die Schultern gekrümmt.

«Giuseppe», sagte Guerrini mit sanfter Stimme. «Giuseppe, ich bin wieder da. Ich bin gekommen, um dich nach Hause zu bringen. Ich hab es dir versprochen, erinnerst du dich?»

Giuseppe verharrte ohne das geringste Anzeichen einer Bewegung.

«Hast du mich verstanden, Giuseppe?»

Plötzlich lief ein Zittern durch den Körper des jungen Mannes und aus dem Zittern wurde ein heftiges Nicken. Aber er drehte sich nicht um, machte nur einen tapsenden Schritt rückwärts, weg von der Wand.

«Aber sie werden dort sein», flüsterte er heiser.

«Wer wird dort sein?», fragte Guerrini.

«Die Polizisten! Sind überall. Im Haus, auf den Feldern. Sie können mich sehen!»

Guerrini seufzte.

«Nein, Giuseppe. Da werden keine Polizisten sein. Ich verspreche es dir. Da sind nur deine Mutter und dein Bruder. Und all die Tiere, die du liebst. Die Hühner und Enten. Die Schafe und Kühe. Und im Wald warten die Stachelschweine auf dich.»

Jetzt wiegte Rana seinen Oberkörper hin und her, erst langsam, dann immer heftiger.

«Nicht die Stachelschweine!», stieß er hervor. «Nicht die Stachelschweine!»

Guerrini schluckte.

«Warum nicht die Stachelschweine?»

«Sie weinen!» Giuseppes Stimme wurde lauter. «Sie weinen! Die weiße Frau! Sie ist da und schaut mich an! Sie ist immer da! Die Hexen haben sie umgebracht!»

Guerrini warf Laura einen Blick zu.

«Welche Hexen, Giuseppe?»

«Hexen überall», murmelte er. «Mama sagt, dass überall Hexen sind.»

«Ist gut, Giuseppe. Wir haben die Hexen vertrieben. Du kannst ruhig mit uns kommen. Keine Polizisten, keine Hexen. Ich verspreche es dir! Ich habe Pizza gekauft. Die können wir auf dem Rückweg essen. Vielleicht machen wir ein Picknick. Hast du schon einmal ein Picknick gemacht?»

Giuseppe reagierte nicht, begann wieder zu summen.

«Ich habe nicht nur Pizza mitgebracht, sondern auch eine Frau, Giuseppe. Sie ist wichtig für dich. Sie hat dich hier rausgekriegt …» Guerrini machte eine Pause und winkte Laura heran. «Schau sie dir an, Giuseppe! Sie ist hier!»

Laura machte zwei lautlose Schritte, stand im Eingang zur Zelle und wartete mit klopfendem Herzen auf eine Reaktion des Jungen. Doch lange Zeit rührte er sich nicht. Stand nur da und Laura hatte das Gefühl, als könne sie spüren, wie die vielen Informationen sich langsam in seinem Kopf und seinem Körper ausbreiteten, miteinander kämpften, mit seiner Angst und Langsamkeit, den Hexen, Polizisten und Stachelschweinen, der toten Frau, der Mutter und dem Bruder.

Sie wagte kaum zu atmen, jeder winzige Laut schien hörbar zu werden in der Stille. Selbst der Wachhabende rührte sich nicht.

Giuseppe fuhr so plötzlich herum, dass Laura alle Muskeln anspannen musste, um nicht zurückzuweichen. Sein Blick traf sie mit einer Kraft, als werfe er sich auf sie. Lange starrte er ins Leere, dunkel, brennend. Und dann, ganz allmählich, lockerte sich sein Körper, sein Gesicht, das noch immer die Spuren der Misshandlungen zeigte, verzog sich, und Tränen liefen über seine Wangen.

Guerrini erhob sich vorsichtig und murmelte: «Komm, Giuseppe, lass uns gehen!» Er legte einen Arm um die Schultern des Jungen, und dieser ließ ihn gewähren, folgte dem Commissario mit unsicheren Schritten zur Zellentür, vorbei an Laura, die ihnen Platz machte, durch den langen Gang, die Wachstube und endlich hinaus aus diesem Kerker, der ihm vorgekommen war wie die Hölle, von der seine Mutter manchmal sprach.

«Vergessen Sie die Formalitäten!», sagte Laura zu den Polizisten, die den beiden verblüfft nachsahen. «Der Commissario wird sich später darum kümmern!»

Als sie nach draußen trat, warteten Guerrini und Giuseppe vor dem Wagen auf sie.

«Bitte fahren Sie, Laura», sagte Guerrini. «Ich werde mich mit Giuseppe nach hinten setzen.»

Sie nickte und nahm den Autoschlüssel. Der Junge zögerte einen Augenblick, ehe er in den Wagen stieg, und Laura fürchtete, er könnte sich losreißen und einfach fortlaufen. Doch er tat es nicht, und kurz darauf waren sie unterwegs. Bis Buonconvento sprachen sie nicht. Giuseppe summte vor sich hin, sang manchmal laut ein paar Strophen und wiegte sich hin und her wie ein verlassenes Kind. Als sie die Seitenstraße zur Abbadia erreicht hatten, schlug Guerrini noch einmal ein Picknick vor.

«Glauben Sie wirklich, dass es funktioniert?», fragte Laura zweifelnd.

«Es kommt auf einen Versuch an», erwiderte Guerrini. «Mir ist schon schwindlig vor Hunger, und ich bin sicher, dass Giuseppe seit Tagen kaum etwas in den Magen bekommen hat.»

Laura bog auf einen Feldweg ein, der zu einer Gruppe alter Olivenbäume auf einem Hügel führte. Dort hielt sie den Wagen an.

«Und jetzt?», fragte sie.

«Jetzt steigen wir aus und essen!» Guerrini verließ den Wagen, holte eine Decke aus dem Kofferraum und breitete sie unter den Bäumen aus. Laura sah ihm ungläubig zu.

«Und Giuseppe?»

«Er wird kommen», antwortete Guerrini. «Bitte holen Sie die Pizza und den Wein, Laura!»

Das Paket lag auf dem Beifahrersitz. Als Laura danach griff, warf sie einen kurzen Blick auf den Jungen, der mit zurückgelehntem Kopf dasaß und auf die Landschaft starrte.

«Komm, Giuseppe», sagte sie leise. «Es gibt was zu essen – draußen unter den Bäumen. Du bist frei!»

Doch er rührte sich nicht, schien sie nicht gehört zu haben. Da ließ sie ihn sitzen, öffnete nur weit seine Tür und ging zu Guerrini, der am Stamm eines Olivenbaums lehnte und übers Land schaute. Als sie etwas sagen wollte, hob er einen Finger an die Lippen und schüttelte den Kopf. Dann nahm er das Pizzapaket aus ihren Händen, legte es auf die Decke und öffnete es, schraubte die Weinflasche auf und genehmigte sich einen großen Schluck.

«Bedienen Sie sich!» Er wies auf die lauwarme Pizza. «Fangen Sie einfach an!»

Zögernd griff Laura nach einem Stück Pizza und biss hinein. Ihr Magen knurrte, doch sie hatte Mühe zu essen. Dieses Picknick kam ihr wie eine unwirkliche Szene vor, der ganze Tag wie ein absurdes Theaterstück. Deshalb passte eigentlich alles. Guerrini reichte ihr die Weinflasche, und auch sie trank beinahe gierig. Sie lächelten einander zu, stopften Pizza in sich hinein und lauschten gleichzeitig Richtung Wagen.

Und dann, nach zehn Minuten, hörten sie leise Schritte, drehten sich nicht um, hörten nur auf zu kauen. Als Giuseppe sich zwischen sie setzte und nach einem Stück Pizza griff, trafen sich ihre Blicke, und ein warmes Glücksgefühl breitete sich in Lauras Brust aus.

Sie aßen, gaben Giuseppe von dem Wasser, tranken abwechselnd aus der Weinflasche und schwiegen. Es war ein gutes Schweigen – eins, das mit Schmatzen gefüllt war und dem Gluckern der Flasche. Danach blieben sie sitzen und sahen den Vogelschwärmen zu, die sich auf den abgeernteten Feldern niederließen, um auf ihrem Weg nach Süden auszuruhen. Irgendwann begann Giuseppe wieder zu singen. Laura und Guerrini sangen mit ihm. Warmer Wind bewegte die Zweige des Olivenbaums, und Laura wünschte, dass sie für immer auf diesem Hügel bleiben könnte, frei, singend und ein klein wenig betrunken.

Erst als die Sonne zu sinken begann, erhoben Guerrini und Laura sich unwillig und trugen die Reste des Picknicks zum Wagen. Giuseppe wollte nicht aufstehen. Er lag auf dem Rücken und schaute in die Zweige der alten Ölbäume, zerkrümelte Erdbrocken zwischen seinen Fingern.

Guerrini und Laura lehnten am Lancia und sahen ihm ein bisschen ratlos zu.

«Kennen Sie das Beatles-Lied *The Fool on the Hill*?», fragte Laura.

Guerrini nickte.

«Es beschreibt genau diese Szene», sagte sie.

«Können Sie den Text?»

«Ich glaube schon.»

«Dann singen Sie. Ich würde es gern hören.»

Und Laura sang, der Text holperte ein wenig, aber sie bekam ihn irgendwie zusammen. Auch Giuseppe lag ganz still und hörte zu.

«Der Narr auf dem Hügel sieht mehr als die anderen», sagte Guerrini leise, als sie geendet hatte. «Vielleicht stimmt es sogar. Vielleicht hat er tatsächlich eine Hexe gesehen. Ich musste immer wieder an seine Worte denken.»

«Vielleicht», murmelte Laura. «Er kann aber auch die Worte seiner Mutter wiederholt haben. Schwer zu beurteilen, nicht wahr?»

Guerrini lächelte.

«Finden Sie nicht auch, dass dieser Fall etwas Unwirkliches hat? Ich kann mich jedenfalls an keinen Fall in meinem Berufsleben erinnern, der ähnlich gewesen wäre. Ein Narr und eine Gruppe von Menschen, die sich selbst suchen …»

«… weinende Stachelschweine, französische Hühner-Aktivistinnen, eine tote Katze!», ergänzte Laura.

«Und zwei verwirrte Kommissare!» Guerrini und Laura brachen gleichzeitig in Gelächter aus. Giuseppe richtete sich auf und sah sie fragend an.

«Komm, Giuseppe», sagte Guerrini. «Wir bringen dich nach Hause. Deine Leute werden sich freuen.»

Aber Giuseppe schüttelte den Kopf.

«Hier ist es gut!», sagte er mit klarer Stimme.

«Ja, hier ist es gut. Aber bald wird es dunkel, und wir müssen uns um ein paar andere Leute kümmern. Wir können nicht die ganze Nacht hier bleiben!»

Giuseppe zog die Beine an und umschlang sie mit seinen Armen.

«Hier ist es gut!», wiederholte er.

«Zu Hause ist es auch gut, Giuseppe. Vielleicht hat deine Mutter was Besseres gekocht als diese Pizza. Sie wartet auf dich, meinst du nicht?»

Giuseppe schüttelte den Kopf.

«Sie schreit!», sagte er.

«Wie meinst du das?»

«Sie schreit! Da drin …» Der Junge schlug mit der flachen Hand gegen seinen Kopf. «Da drin schreit sie. Die ganze Zeit.»

Guerrini warf Laura einen ratlosen Blick zu.

«Vielleicht sollten wir nachsehen, ob sie wirklich schreit, Giuseppe», sagte er. «Vielleicht schreit sie nur, weil du nicht da bist!»

Und tatsächlich. Er nickte plötzlich und stand auf.

Nickte, kam zum Wagen und setzte sich auf den Rücksitz.

«Schreit, weil ich nicht da bin!», murmelte er.

Guerrini und Laura stiegen schnell ein, und Laura lenkte den Wagen zur Straße zurück. Je näher sie dem Hof kamen, desto unruhiger wurde der Junge. Stöhnte, schlug mit der Hand auf den Sitz, schnitt Grimassen. Laura fuhr langsamer. Guerrini erklärte den Weg. Sie querten einen Zypressenhain, fuhren durch abgeerntete Felder und Macchia, endlich, ganz am Ende der schmalen Schotterstraße, tauchte der Hof der Ranas auf.

Klein und verloren lag er in der weiten Landschaft, beschützt von ein paar Bäumen, zwei Edelkastanien, einem Kirschbaum, drei Aprikosenbäumchen. Daneben zwei Heuhaufen, wie es sie kaum noch in der Toskana gab. Rund, fest und hoch um eine Stange geschichtet. Zwei weiße Kühe grasten zwischen jungen Ölbäumen. Als sie im Schritttempo auf den Hof fuhren, flüchteten schwarze Hühner und Laufenten mit ihrem seltsamen Clownsgewatschel. Ein Hund bellte, erwürgte sich fast an seiner Kette.

Laura hielt den Wagen vor dem Wohnhaus an. Der Hof wirkte so verlassen wie alle italienischen Bauernhäuser, schien nur von Tieren bewohnt. Einige Minuten blieb es still. Giuseppe hielt den Kopf schief und lauschte. Niemand schrie. Dann bewegte sich der grüne Fliegenvorhang aus Plastikschnüren in der Tür, eine schwarze kleine Gestalt wurde sichtbar, erst halb, dann ganz. Ranas Mutter beschattete ihre Augen, um gegen die tief stehende Sonne sehen zu können. Erst schien sie nicht zu begreifen, wer da auf ihren Hof gefahren war. Plötzlich schrie sie, schrie zu allen Heiligen, zur Madonna, bekreuzigte sich und machte Anstalten, sich auf die Knie fallen zu lassen. Giuseppe zuckte zusammen und verkroch sich zwischen den Sitzen.

Laura sah Guerrini mit großen Augen an.

«Er hatte verdammt Recht. Sie schreit!»

Guerrini sprang aus dem Wagen, packte die alte Frau an beiden Schultern und schüttelte sie.

«Hören Sie auf!», herrschte er sie an. «Ihr Sohn ist da drin! Er ist frei, kommt nach Hause. Aber er kann Ihr Geschrei nicht ertragen!»

Sie verstummte, als hätte er sie abgeschaltet. Dann machte sie sich los, ging mit kleinen Schritten um das Auto herum und starrte durch die Fenster ins Wageninnere.

«Der Madonna sei Dank», flüsterte sie. «Der Madonna und allen Heiligen!»

Jetzt erschien auch Giuseppes Bruder in der Tür.

«Franco! Komm her! Giuseppe ist wieder da!» Sie schrie schon wieder.

«Ssscht!», machte Guerrini.

Franco kam über den Hof, betrachtete misstrauisch den Wagen und den Commissario.

«Ist das wahr?», fragte er.

«Ja, es ist wahr. Wir haben ihn frei bekommen. Aber es ist sozusagen auf Bewährung. Sie müssen gut auf ihn aufpassen.»

Franco nickte. Er trat neben seine Mutter und öffnete die hintere Tür des Lancia.

«Komm raus, Giuseppe. Schön, dass du wieder da bist!» Seine Stimme klang rau.

«Mama schreit!», flüsterte Giuseppe.

«Sie schreit nicht mehr. Das war nur die Freude! Komm raus, Giuseppe!»

Laura hielt den Atem an. Sie spürte eine leise Bewegung hinter ihrem Sitz, schaute in den Rückspiegel und sah, wie Giuseppe sich langsam aufrichtete und endlich aus dem Wagen kroch. Franco nahm seinen Arm, die alte Frau betastete ihn, starrte in sein Gesicht.

«Sie haben dich geschlagen, mein Junge», flüsterte sie. «Sie haben dich geschlagen! Dafür sollen sie in der Hölle braten. Meinen Vater haben sie auch geschlagen! Die Faschistenbrut! Sie sind immer noch da!»

Guerrini senkte den Kopf.

«Ja, sie haben ihn geschlagen, Signora. Und sie sollen in der Hölle dafür braten. Aber erst einmal werde ich sie hier auf Erden zur Verantwortung ziehen. Es war nicht einfach, Ihren Sohn aus der Untersuchungshaft frei zu bekommen. Ich … möchte mich bei Ihnen entschuldigen. Es klingt dumm, aber ich meine es so.»

Ranas Mutter sah ihn nicht an. Sie murmelte unverständliche Sätze, bekreuzigte sich mehrmals. Die flachen Sonnenstrahlen zeichneten jede Falte ihres zerfurchten Gesichts nach. Sie mochte sechzig sein, siebzig oder achzig.

Nein, nicht älter als fünfundsechzig. Giuseppe war vermutlich ein spätes Kind.

«Gehen Sie, Commissario», sagte Franco. «Wir danken Ihnen, dass Sie Giuseppe zurückgebracht haben. Aber gehen Sie jetzt!»

Guerrini nickte, öffnete die Wagentür.

«Sorgen Sie dafür, dass Giuseppe nachts nicht mehr herumläuft!» Guerrini zögerte. «Der Untersuchungsrichter ist kein besonders angenehmer Mann. Er wird Ihren Bruder wieder einsperren, wenn es nur den geringsten Vorfall gibt.»

Franco legte den Arm um Giuseppe.

«Es wird nicht leicht werden, Commissario. Aber ich

werde es versuchen. Giuseppe ist wie die wilden Tiere da draußen. Er muss seiner Wege gehen.»

«Ja», murmelte Guerrini. «Ich weiß. Aber ich muss euch warnen. Und ich mache das, um euch zu helfen, nicht um euch Angst zu machen. Ich wüsste trotzdem gern, was du heute Morgen am Bach gemacht hast, Franco. Sag nicht, dass du nicht dort warst. Die Commissaria hat dich gesehen!»

Franco kratzte sich nervös am Ohr.

«Ach», sagte er. «Ich hab mich nur umgesehen. Ich wollte nachsehen, ob ich nicht eine Spur von diesem Mörder finden kann. Ich kenn mich mit Spuren aus.»

«Hast du was gefunden?»

Franco schüttelte den Kopf. Als Laura den Wagen wendete, standen die drei mitten auf dem Hof, so nahe beieinander, dass ihr langer Schatten aussah, als seien sie eine Person, eine mit Auswüchsen und Buckeln, ein missgestalteter Riese.

«Und jetzt?», fragte Guerrini, als Laura den Wagen langsam über den löcherigen Weg steuerte.

«Jetzt fahren wir zur Abbadia und sagen der Gruppe, dass Rana aus dem Gefängnis entlassen wurde.»

Guerrini seufzte.

«Und dann?», fragte er.

«Ich weiß nicht.»

«Sie sind mir noch eine Antwort schuldig.»

«Sie auch, Commissario.»

Guerrini zuckte die Achseln. Sie hatten inzwischen die Abzweigung zum Kloster erreicht, fuhren den Hügel hinauf, und Laura ließ den Wagen im Innenhof ausrollen. Katharina Sternheim saß auf der Veranda und erhob sich, als sie Laura und Guerrini erkannte. Sonst war niemand zu sehen.

«Wo sind denn die anderen?», rief Laura zu ihr hinauf.

«Ich habe sie weggeschickt. Sie sollen nachdenken. Wir haben das Abendessen verschoben. Es war ein langer, anstrengender Tag.»

«Ja, das war es. Ich bin nur kurz hier, um Ihnen zu sagen, dass der junge Bauer wieder entlassen worden ist. Der Verdacht gegen ihn hat sich nicht bestätigt. Mein Kollege und ich müssen gleich noch einmal weg. Es gibt eine Menge zu tun.»

Katharina beugte sich über die Verandabrüstung.

«Gibt es ... ich meine, haben Sie einen neuen Verdacht?» Ihre Stimme kippte in diesen hohen kindlichen Lispelton, den Guerrini kannte.

«Wir ermitteln in einer bestimmten Richtung», erwiderte Laura.

«Es hat mit der Gruppe zu tun, nicht wahr?» Katharina kam ein paar Schritte die Treppe herunter.

«Vielleicht», antwortete Laura ausweichend.

«Sie vertrauen mir nicht!» Katharina blieb stehen und sah auf Laura und Guerrini herab.

«Das hat nichts mit Vertrauen zu tun», sagte Laura. «Was für einen Sinn würde es haben, wenn ich Ihnen von Ermittlungen erzählte, die noch nicht abgeschlossen sind.»

Katharina überlegte, strich eine Haarsträhne zurück, die sich aus ihrer Frisur gelöst hatte.

«Ich könnte Ihnen helfen», murmelte sie schließlich. «Ich habe meine eigenen Wege, die Wahrheit zu finden. Die Wahrheit kommt, wenn ich ihr den Weg öffne, ganz von selbst ...»

«Sie können uns tatsächlich helfen! Augenblicklich genügt es, wenn Sie den Mitgliedern der Gruppe sagen, dass Giuseppe Rana frei ist. Könnte sein, dass das bereits der Wahrheit den Weg bahnt.»

Katharina sah Laura unverwandt an, lächelte kaum merklich.

«Haben Sie sich genau überlegt, welche Wahrheit Sie haben wollen? Es könnte einen völlig anderen Weg öffnen. Haben Sie genügend Phantasie, um sich in Menschen einzufühlen, Frau Kommissarin?»

Laura wich Katharinas Blick nicht aus.

«Ich hoffe!», antwortete sie. «Ich hoffe, aber ich weiß es nicht. In meinem Beruf muss man Risiken eingehen und Versuche machen ... genau wie in Ihrem, Katharina.»

«Ich hoffe nur, es ist kein zu großes Risiko!» Katharina sprach so leise, dass Laura sie nur mit Mühe verstand.

«Wie meinen Sie das?»

«Es ist ... so ein Gefühl. Nur eine Ahnung. Ich kann es nicht fassen, nicht benennen ...» Katharina wandte ihre Augen ab und schaute über das Land.

Laura saß noch immer am Steuer des Lancia, fuhr und wusste nicht wohin. Als sie die Hauptstraße erreichten und Laura nach Buonconvento abbiegen wollte, legte Guerrini plötzlich die Hand auf ihren Arm.

«Warten Sie. Nicht nach Buonconvento. Vielleicht halten Sie mich für verrückt, aber ich möchte ans Meer. Biegen Sie nach rechts ab!»

Laura tat gar nichts. Ans Meer? Jetzt? Die Ermittlungen liefen auf vollen Touren, der Bügel der Sonnenbrille, die Freilassung Ranas, Katharinas düstere Vorahnung. Die Dinge würden in Bewegung kommen.

«Nein, Angelo», sagte sie. «Das geht nicht. Wir sind beide im Dienst.»

«Das deutsche Pflichtgefühl, was?» Guerrini verzog

das Gesicht. «Wenn wir sofort losfahren, sind wir um sieben am Meer. Wir gehen schwimmen, essen und sind um Mitternacht zurück. Dann können Sie noch immer Ihre Schäfchen beobachten. Die Ergebnisse der Sonnenbrille bekomme ich über Handy. Und Sie haben auch so ein Ding, falls es was Neues gibt.»

Es klang so einfach. Und er hatte Recht. Nicht ihr Pflichtgefühl hielt sie zurück, sondern diese unbestimmte Furcht. Natürlich wollte sie ans Meer.

«Und Sie sind mir noch immer eine Antwort schuldig», hörte sie ihn sagen.

Hatte er falsche Schlüsse aus ihren Phantasien über Rana gezogen? Hielt er sie für eine Frau mit wilden sexuellen Träumen? War der Latin Lover ein bisschen spät in Fahrt gekommen? Sie hätte sich selbst für diese Gedanken ohrfeigen mögen, stieg aus dem Wagen und stellte sich neben die Beifahrertür. Er öffnete das Fenster.

«Und jetzt?»

«Ich überlasse es Ihnen», sagte Laura. «Ich bin zu müde, um noch eine weite Strecke zu fahren. Vielleicht haben Sie letzte Nacht besser und länger geschlafen als ich.»

Guerrini rutschte auf den Fahrersitz, Laura stieg wieder ein.

«Sie können schlafen.» Guerrini bog nach rechts in die Hauptstraße ein und fuhr Richtung Montalcino. «Wenn wir am Meer sind, wecke ich Sie.»

Laura antwortete nicht. Der Wagen glitt durch ein goldenes Land mit dunkelblauen Schatten, durch goldene Täler, goldene Dörfer, Weinberge, Olivenhaine. Goldene Schafe und Kühe grasten auf den Weiden. Sie fuhren genau nach Westen in die Berge hinein, die das Land vom Meer trennten. Die Berge verwandelten sich in riesige

Smaragde, der Himmel begann zu brennen. Laura versuchte die Augen offen zu halten, um all die Schönheit in sich aufzunehmen, doch irgendwann begannen die Bilder vor ihren Augen zu flirren, und sie verlor die Kontrolle, sank in den Sitz.

Wach wurde sie von der Stille. Als sie die Augen öffnete, war es dunkel. Der Wagen stand. Der Fahrersitz war leer. Benommen dehnte sie ihre Glieder, wusste einige Minuten lang nicht, wo sie war. Dann fuhr sie auf, öffnete die Wagentür. Kühle salzige Luft drang zu ihr.

Das Meer. Wasser schwappte an ein unsichtbares Ufer, gleichmäßig, nur hin und wieder von einem trockenen Knall unterbrochen, wenn eine Woge aus der Reihe tanzte, nicht auslief, sondern mit geballter Kraft auf die Küste prallte.

Laura zog sich an der Wagentür hoch. Der Lancia parkte am Strand, ein paar Meter vor seiner Schnauze brachen sich die Wellen. Letztes Tageslicht spiegelte sich auf ihren schwarzen Rücken.

Guerrini stand vor dem großen Wasser, ein Schattenriss mit verschränkten Armen. Laura atmete tief ein, ging langsam auf ihn zu, lautlos. Sand und Wellen verschluckten ihre Schritte. Sie starrte auf den Mann, hatte Angst, er könne sich bewegen, sich umdrehen. Sie würde flüchten, wenn er sich bewegte.

Aber er rührte sich nicht. Noch zwei Schritte, einer. Sie lehnte sich gegen ihn, spürte, wie seine Muskeln sich kurz anspannten, als sei er bereit, sich gegen einen Angriff zu verteidigen. Doch er wurde weich, und sie lehnte sich mit jedem Zentimeter ihres Körpers gegen ihn, schmiegte auch ihre Arme an seinen Rücken. Sie wollte ihn nicht festhalten, nur berühren.

Über seine Schulter konnte sie das Meer sehen.

Schwarz mit tanzenden silbernen Mustern. Weit draußen die Lichter von Fischerbooten. Lange standen sie so. Laura war dankbar, dass er ihr Zeit ließ.

«Komm», sagte er irgendwann heiser, räusperte sich. «Ich möchte dir etwas zeigen.» Er nahm ihre Hand und zog sie zum Wagen zurück, verschloss ihn, dann führte er sie am Strand entlang. Keine Häuser weit und breit, links ragte dichter Wald auf, rechts öffnete sich eine Bucht. Der Sandstreifen war schmal, und trotz der Dunkelheit konnte Laura erkennen, dass die schiefen und verkrüppelten Bäume sich vom Meer abwandten, ja die Äste schienen fast vom Land Hilfe zu erflehen. Es waren tote kahle Bäume, gebleicht vom salzigen Wind. Laura fröstelte, obwohl es nicht kalt war. Sie hatte Mühe, mit Guerrini Schritt zu halten. Immer wieder sanken ihre Füße tief in den Sand.

Irgendwann wich der Wald zurück, stiegen Dünen vom Strand auf, und am Ende der Bucht ragten schwarze Felswände aus dem Wasser. Kurz vor den Felsen wurde der Strand flach, und das Meer drang in einem sanften Rund tiefer ins Land vor. Seetang glänzte im letzten Licht. Guerrini blieb stehen.

«Komm, lass uns schwimmen gehen!»

«Wo sind wir, Angelo?», fragte Laura leise.

«An meinem Lieblingsort.» Er streifte sein Hemd ab, zog Schuhe und Strümpfe aus, öffnete den Gürtel seiner Hose. Laura tat es ihm gleich, sah ihn nicht an.

Verrückt, dachte sie. Wir sind total verrückt.

Gänsehaut überzog ihren Körper. Es war nicht die Kälte, sondern dieses Gefühl von Lebendigkeit, das sie lange in sich versteckt hatte. Wieder nahm Guerrini ihre Hand und ging neben ihr zum Wasser. Als ihre Füße eintauchten, die Wellen an ihren Beinen hinaufleckten, hielten sie inne.

«Los!», lachte Guerrini. «Schnell rein, dann ist's nicht so schlimm!»

Sie gingen weiter, schrien gleichzeitig, als das kühle Wasser ihre Bäuche umspülte, zur Brust schwappte, warfen sich endlich ganz hinein, schwammen um die Wette, weit hinaus. Schaukelten auf Wellenbergen, legten sich auf den Rücken und sahen zu den Sternen hinauf.

Sie blieben im Wasser, bis die Kälte sie an den Strand zurücktrieb, krochen erschöpft aus der Brandung, blieben im nassen Sand liegen wie Überlebende eines Schiffbruchs und pressten ihre Körper aneinander, spürten jede Wölbung, jede Vertiefung, rollten sich unendlich langsam hin und her, übereinander, lagen einmal oben, einmal unten. Der Strand drehte sich, mit ihm die Sterne und die ganze Erde.

«Du fühlst dich an wie ein Fisch!», flüsterte Laura.

«Du auch! Wie ein glitschiger kalter Fisch.»

Guerrinis Lippen schmeckten nach Salz und Seetang. Als er in sie eindrang, hatte Laura die seltsame Vision zweier Meereswesen, die sich vereinigten.

Das Abendessen auf der Abbadia fand zwei Stunden später als gewöhnlich statt. Es war schon dunkel. Katharina hatte Gemüselasagne bereitet – allein, weil keiner ihrer Klienten zu sehen war. Nur Monika tauchte irgendwann auf und erbot sich, Salat zu putzen. Katharina wollte sie zu einem Gespräch ermuntern, doch die junge Frau hatte Hemmungen. Sie war noch nie mit der Therapeutin allein gewesen.

«Wie geht es dir?», fragte Katharina, doch kaum hatte sie diesen Satz ausgesprochen, da wurde ihr bewusst, dass sie nicht einfach fragen konnte wie jeder andere Mensch.

Wenn Therapeuten «Wie geht es dir?», fragten, dann schwang darin immer mehr mit. Und sie registrierte sehr genau, dass Monika verzweifelt eine angemessene Antwort suchte. Nicht einfach «gut» oder «schlecht», sondern die Antwort, die ein Therapeut von einer Klientin erwartet, eine differenzierte Antwort, eine, die den Seelenzustand beschrieb.

«Ich … ich weiß nicht genau», stammelte Monika nach einer Weile. «Das mit der Katze war schlimm. Besonders, weil ich mich vor Katzen fürchte. Aber ich … es hat mir Leid getan, dass sie gestorben ist. Vielleicht nicht so wie den andern. Ich komme von einem Bauernhof. Mein Vater hat junge Katzen ersäuft, wenn es zu viele waren. Deshalb …»

«Ja?» Katharina beugte sich zum Backofen hinab und überprüfte die Lasagne.

«Deshalb war es für mich nicht so schlimm …»

«Du fandest die Beerdigung übertrieben. Hab ich Recht?» Katharina richtete sich wieder auf, unterdrückte ein Stöhnen. Ihr Rücken schmerzte.

«Ja, aber eigentlich auch nicht. Es stimmte schon. Ich bin so was einfach nicht gewöhnt.»

«Du bist all das nicht gewöhnt, nicht wahr? Dir macht es Angst, wenn die Menschen ihre Gefühle so heftig äußern.»

Warum mache ich das?, dachte Katharina gleichzeitig. Warum lasse ich sie nicht in Ruhe? Sie ist ein einfaches nettes Mädchen, das sich aus irgendwelchen Gründen in unsere Gruppe verirrt hat.

«Ein bisschen», murmelte Monika. «Aber es ist auch wichtig. Bei mir zu Hause hat nie jemand Gefühle gezeigt. Vielleicht muss ich mich einfach daran gewöhnen.»

«Ja, vielleicht.» Katharina lächelte und reichte Monika das Olivenöl. «Warum hast du dich eigentlich entschlossen, eine Selbsterfahrungsgruppe mitzumachen?»

Monika hielt die Flasche in der Hand und schluckte.

«Weil ... weil ich was über mich wissen will. Ich ... es muss doch einen Grund geben, warum ich mit meiner Arbeit nicht klarkomme, warum ich keinen Freund finde.»

Ja, dachte Katharina. Es muss einen Grund dafür geben. Wahrscheinlich sogar viele Gründe, und du wirst ein Leben lang daran arbeiten müssen. Wenn ich dir jetzt sagen würde, dass es lange dauert, dass du dich ganz neu entwickeln musst, dann wirst du aufgeben. Und wenn ich dir sage, dass ich auch Schwierigkeiten mit Männern habe, dann wirst du vielleicht den Mut verlieren. Also lasse ich es und sage gar nichts.

Rosa und Rolf Berger retteten sie vor einer Antwort.

«Oh», sagte Rosa, «es riecht wunderbar. Wir sind unseren Nasen nachgegangen.»

«Schön, dass du Appetit hast», lächelte Katharina.

«Ja, trotz all der schrecklichen Dinge heute habe ich richtig Hunger. Es war ein wundervoller Abend. Ich glaube, dass ich noch nie einen so schönen Sonnenuntergang erlebt habe. Und ich habe eine ganze Hand voll Stachelschweinborsten gefunden. Vielleicht mache ich eine Collage draus. *Toskanische Erde mit Stachelschweinborsten.* Klingt nicht schlecht, was? Am liebsten würde ich bleiben und mein Atelier hier aufbauen!»

Katharina nickte.

Rosa plappert schon wieder, dachte sie. Warum dauert nur alles so lang? Ich habe keine Geduld mehr mit den Menschen.

Dann erst fiel ihr auf, dass ein Strahlen von Rosa ausging, ihre Haut glatter, ihre Bewegungen weicher waren als sonst.

Sie hat mit ihm geschlafen, dachte Katharina. Nach all dem, was hier geschehen ist, hat sie mit ihm geschlafen. Warum eigentlich nicht? Was sollte mich daran stören. Sie holt sich ein Stück Leben.

Trotzdem war Katharina irritiert, beinahe ärgerlich, wischte abwesend mit einem Lappen über den glänzenden Herd.

«Ich muss mich nur schnell frisch machen, dann helfe ich euch!» Rosa verschwand, und Rolf Berger nahm schweigend Teller und Besteck aus dem Regal, deckte den langen Tisch auf der Veranda.

«Haben wir noch Kerzen?», fragte er Monika und vermied es, Katharina anzusehen.

Einer nach dem anderen kehrte zurück, versuchte sich nützlich zu machen. Schlechtes Gewissen breitete sich in der Küche aus, vermischte sich mit dem Duft der Lasagne. Hubertus legte sorgsam seine Pfeife auf den Tisch und öffnete zwei Weinflaschen. Britta und Susanne verteilten Servietten und schnitten Weißbrot in dicke Scheiben.

Als sie endlich an der Tafel saßen, überlegte Katharina, ob sie ihre Nachricht gleich oder erst nach dem Essen überbringen sollte. Sie entschied sich für gleich. Beim Essen zeigten sich spontane Reaktionen besonders deutlich. Nachdenklich ließ sie ihre Augen über die Gruppe wandern. Falls wirklich eine oder einer von ihnen Carolin umgebracht haben sollte, so hatte man sie, Katharina, perfekt getäuscht. Es kränkte sie, machte sie wütend. Wieder spürte sie diesen kalten Hass in sich aufsteigen. Wehrte sich dagegen. Aber es half nichts. Der Hass war da. Ermutigte sie nicht ständig die Klienten, ihre wahren Gefühle zu akzeptieren? Sie selbst hatte Schwierigkeiten damit. War es ihr erlaubt zu hassen, weil sie sich ohnmächtig fühlte?

Katharina richtete ihren Rücken gerade auf, legte beide Hände auf den Tisch und sagte mit ihrer hohen Kleinmädchenstimme: «Ich muss euch etwas mitteilen. Die Kommissarin war vorhin da. Sie hat gesagt, dass dieser Bauernjunge aus dem Gefängnis entlassen wurde. Die Polizei hält ihn für unschuldig.»

Sie heftete ihre Augen auf die Gesichter der anderen, tastete einen nach dem anderen ab. Sah Erstaunen, Ratlosigkeit, Fragen, aber nichts, das einen Hinweis auf Schuld geben würde, keine besondere Nervosität, kein Erblassen, Zittern.

«Und jetzt?», fragte Rosa mit kleiner Stimme. «Was bedeutet das für uns?»

Katharina betrachtete die Lasagne, seufzte tief.

«Ich weiß es nicht, Rosa. Aber ich denke, dass wir uns morgen in unserer Gruppe ernsthaft mit Carolins Tod befassen müssen.»

«In der Gruppe?» Rolf Berger stieß ein leises Lachen aus. «Willst du die Aufgabe der Polizei übernehmen? Auch das noch?»

Katharina strich über das glatte Holz des Tisches.

«Nein», antwortete sie leise. «Aber ich möchte wissen, woran wir sind. Wir sind eine Gruppe, und in dieser Gruppe ist etwas geschehen, für das wir vielleicht alle verantwortlich sind. Es wäre gut, wenn wir uns sogar heute Abend noch unterhalten würden. Gleich nach dem Essen, im Gruppenraum! Wir haben das Thema lange genug gemieden!»

«Und was soll das bringen? Wir sind alle müde!» Berger schnitt die Lasagne in Stücke.

«Es spielt keine Rolle, ob wir müde sind oder nicht! Habt ihr nicht begriffen, dass unsere Gruppe unter Mordverdacht steht?» Katharina hob wieder die Augen und sah in die Runde.

«Aber wo ist die Polizei? Warum sind die nicht hier, wenn es so dramatisch ist? Ich bin der Meinung, dass wir diese Dinge der Polizei überlassen sollten. Willst du uns ausspionieren? Einen von uns zum Geständnis zwingen? Mit den Tricks einer Therapeutin?» Berger wich Katharinas Blick nicht aus. «Ich habe jedenfalls keine Lust auf so eine Veranstaltung. Und ich finde, du solltest die anderen fragen, ob sie noch den Nerv dazu haben.»

Katharina spürte wieder diese Welle von Kraftlosigkeit. Wollte sie wirklich diese Auseinandersetzung mit der Gruppe? Es stand an. Sie selbst war bisher ausgewichen, hatte geglaubt, dass die Dinge von selbst an die Oberfläche stiegen. Aber nichts hatte sich bisher geklärt. Kleine Wahrheiten waren hervorgebrochen, nichts als kleine Wahrheiten. Was spielte es für eine Rolle, ob Hubertus Priester war oder nicht? Oder ob Rosa an ihrer Lebensangst zugrunde ging ... Katharina erschauerte. Spielte es wirklich keine Rolle? War sie inzwischen so abgebrüht? Hatte so viele Leidensgeschichten gehört, dass nichts sie wirklich berühren konnte? Nicht einmal Carolins Tod?

Ein leichter Schwindel erfasste sie. Etwas in ihr war anders als sonst. Bisher gab es in ihrem Inneren diesen Überbau, der sich wie ein Regenbogen über die Welt und alle Menschen spannte. Diese untrügliche Sicherheit, dass jeder Mensch seine Aufgabe zu erfüllen hat und dann sterben kann. Dass all diese kleinen und großen Aufgaben ineinander greifen wie ein Netzwerk und so die Entwicklung der Menschheit weitertreiben. Aber was war der Sinn von Carolins Tod? Was bedeutete dieser Tod für die Gruppe, für sie selbst? Sie hatten es nicht begriffen. War Carolin deshalb noch einmal gestorben? In Gestalt der kleinen Katze? War es das?

Ein Windstoß fuhr plötzlich über die Veranda, löschte zwei der Kerzen. Katharina zuckte zusammen.

Wenn wir nicht aufwachen, wird noch mehr passieren, dachte sie. Ich bin verantwortlich, mein Wissen muss die andern leiten.

«Lasst uns jetzt essen!», sagte sie mit voller Stimme. «Anschließend stellen wir nur das Geschirr in die Küche und treffen uns sofort im Gruppenraum. Das ist keine Entscheidung, die zur Abstimmung steht. Ich sage das als eure Gruppenleiterin!»

«Aber …», wollte Susanne einwenden.

«Es gibt kein Aber!»

Guerrini lag auf dem Rücken im Sand, drehte ganz langsam seinen Kopf, um Laura anzusehen. Ihr Gesicht war so nah, dass es unscharf erschien. Aber das konnte auch am Sand in seinen Augen liegen. Er spürte die Wärme ihrer Hand auf seinem Bauch, atmete tiefer und ruhiger als sonst. Das Meer rollte heran, bis knapp vor ihre Füße. Er zog Lauras Kopf heran und presste sein Gesicht gegen ihres.

Erst in diesem Augenblick konnte er sich eingestehen, dass er Angst empfunden hatte, ehe sie sich liebten. Dass er gefürchtet hatte zu versagen, weil sein Geschlecht so lange brachgelegen hatte, weil er nicht wusste, ob es richtig war, was sie taten, weil … Es gab viele Gründe. Er wusste noch immer nicht, ob es richtig gewesen war. Aber das spielte jetzt keine Rolle mehr. Obwohl er vor

Kälte zu zittern begann, fühlte er sich lebendig. Und dann fiel ihm ein, dass er sich auch lebendig gefühlt hatte, als er mit Giuseppe sang, als er beinahe den Wachhabenden verprügelt hätte, als er mit Laura und Giuseppe Pizza aß und sie das Lied vom *Fool on the Hill* improvisierte.

«Wir müssen aufstehen, Angelo», sagte Laura dicht an seinem rechten Ohr. «Wir werden krank, wenn wir nicht aufstehen.»

«Wäre es nicht wunderbar, wenn wir beide mit Grippe im Bett liegen könnten? Zum Teufel mit allen Pflichten!», flüsterte er zurück.

Sie lachte leise.

«Doch, es wäre wunderbar.» Sie streckte sich lang aus, löste sich dann von ihm, stand auf und streifte den Sand von ihrer Haut. Das Kinn auf eine Hand gestützt, schaute er zu.

«Komm», sagte sie. «Es wird kalt.»

Aber Angelo ließ sich wieder auf den Sand fallen.

«Immer wenn ich etwas Besonderes erlebt habe, fällt es mir schwer, einfach weiterzumachen wie vorher», sagte er. «Ich würde gern hier bleiben und mit dir den Sonnenaufgang sehen. Es ist ... wie ein Verweigern der Tatsache, dass die Zeit nicht stehen bleibt. In ein paar Stunden sind wir wieder auf der Abbadia. Morgen müssen wir gemeinsam diese Leute verhören. Ich will das alles eigentlich nicht, Laura. Kannst du das verstehen?»

«Natürlich.» Sie lachte leise, während sie ihre Jeans überstreifte. «Ich würde auch lieber mit dir den Sonnenaufgang erleben, als morgen früh mit Berger und den anderen reden.»

«Und warum machen wir es nicht? Warum funktionieren wir so hervorragend?» Auch Guerrini erhob sich, fühlte sich wie Tang, gerade von der Brandung an den Strand geworfen.

«Tun wir doch gar nicht!», antwortete Laura. «Wenn wir funktionieren würden, dann wären wir im Kloster geblieben und hätten die Verdächtigen in die Mangel genommen.»

Guerrini trat hinter sie und leckte an ihrer Schulter.

«Du schmeckst nach Salz und Jod», murmelte er. «Warum redest du so vernünftig? Natürlich funktionieren wir hervorragend. Ich höre es in deinem Kopf ticken. Es tickt: Wir müssen zurück. Wir haben Verantwortung. Es könnte wieder etwas passieren … Sei ganz ruhig, dann hörst du es auch!»

Laura hielt ein paar Sekunden lang still.

«Es tickt nicht!», flüsterte sie. «Ich hör nur das Meer.»

«Du willst es nur nicht hören.» Guerrini wühlte in dem Kleiderhaufen, der vor ihnen am Strand lag, zog seine Boxershorts hervor und stieg hinein.

«Könnte es nicht dein eigenes Ticken sein, das du so genau hörst?» Laura rieb ihre Arme und hüpfte auf und ab, um warm zu werden.

«Natürlich ist es mein eigenes Ticken.»

Sie lachte. Er horchte auf dieses Lachen, dachte, dass er sie wahrscheinlich lieben könnte und dass er sie vermutlich bereits liebte, obwohl ein Teil von ihm zögerte, der Teil, der sich in der inneren Leere eingerichtet hatte und diese verteidigte, wie man eine weite stille Landschaft vor dem Ansturm Fremder verteidigen würde.

Als hätte sie seine Gedanken erraten, fragte Laura: «Wie geht es deiner inneren Leere?» Ihre Stimme klang warm und ein klein wenig spöttisch.

«Nicht besonders gut», murmelte er undeutlich, während er das Polohemd über seinen Kopf zog. «Sie fühlt sich bedroht!»

«Oh, das tut mir Leid!»

«Es muss dir nicht Leid tun. Sie ist eine schöne Wüste, die sich allmählich ausgebreitet hat. Alle Wüsten tun das. Man kann sie nur aufhalten, wenn man Bäume pflanzt.»

Sie stand ein paar Meter entfernt von ihm, eine schwarze hohe Gestalt im schwachen Sternenlicht.

«Tust du das? Ich meine, Bäume pflanzen?»

«Ich versuche es», antwortete er leise und dachte, dass sie einer dieser Bäume sein könnte.

Als sie langsam zum Wagen zurückgingen, entdeckten sie große weiße Lilien, deren Blüten direkt aus dem Sand wuchsen.

«Ich glaube …», begann Laura.

Guerrini legte einen Arm um ihre Schultern.

«Warte», sagte er. «Noch nicht. Lass uns Zeit.»

Es war stockfinster, als der Lancia im Hof des Klosters hielt. Kein Mond. Die Sterne verblassten hinter Wolkenschleiern. Leise stiegen sie aus, klappten behutsam die Wagentüren zu.

«Die schlafen alle mit Ohropax!», flüsterte Laura. «Sie hören uns bestimmt nicht!»

Angelo begleitete sie zum Eingang des Seitentrakts. Eigentlich hatte es keinen Sinn, dass er noch nach Siena zurückfuhr. Es war zwei Uhr morgens. Aber Laura zögerte, ihn zu sich einzuladen. Noch waren sie sich fremd.

Ein Schrei gellte über den Hof, als Laura unschlüssig vor der Tür anhielt. Er kam von der Veranda oder aus den Räumen dahinter. Angelo und Laura begannen gleichzeitig zu rennen. Er erreichte die Stufen vor ihr, hastete hinauf. Sie blieb kurz stehen und lauschte. Wieder hallte ein Schrei, gefolgt von Schluchzen. Laura rannte, stolperte, hielt keuchend neben Angelo vor der schweren Tür an, die zum Gruppenraum führte.

«Es kam von drinnen!», sagte er.

Die Tür war verschlossen. Wieder ein Schrei. Laura begann zu klopfen, knallte den Löwenkopf gegen die Metallplatte. Als die Tür aufgerissen wurde, starrte sie in Rosa Perls aufgelöstes Gesicht.

«O mein Gott!», schrie Rosa. «Ich bin so froh, dass Sie da sind!» Sie stürzte sich in Lauras Arme, zitterte am ganzen Körper, barg das Gesicht in ihren Händen.

«Was ist denn passiert?» Laura versuchte ruhig zu sprechen, konnte aber die Atemlosigkeit in ihrer Stimme nicht wirklich unterdrücken. Rosa Perl schluchzte. Guerrini ging an den beiden Frauen vorüber in den halbdunklen Gruppenraum und sah sich um. Ein Schatten huschte knapp unter der Decke hin und her, durchmaß die gesamte Länge des Raums, kam wieder, tiefer diesmal, machte knapp vor Guerrini einen Bogen. Angelo hob instinktiv die Hände, ließ sie gleich darauf mit einem ärgerlichen Lachen fallen, wandte sich um und sagte: «Eine Fledermaus. Es ist nur eine verirrte Fledermaus!»

«O mein Gott!», stöhnte Rosa. «Ich weiß, dass es eine Fledermaus ist. Versteht ihr nicht, was das bedeutet? Es ist das nächste Zeichen. Ich werde sterben! Sie sagt mir, dass ich sterben werde!»

Laura führte Rosa auf die Veranda und setzte sie auf eine Bank. Doch Rosa sprang entsetzt auf.

«Nicht hier!», flüsterte sie heiser. «Hier ist die Katze gestorben!»

«Wir können uns auf die Treppe setzen ...»

«Jaja ... auf die Treppe!» Rosa taumelte, strebte panisch von der Veranda fort, wäre beinahe auf der ersten Stufe gestürzt, wenn Guerrini sie nicht festgehalten hätte. Doch sie stieß ihn zurück.

«Wer sind Sie? Ich kenne Sie nicht! Lassen Sie mich!»

Wieder schrie sie auf.

«Was zum Teufel hat sie denn?», fluchte Guerrini und hielt Rosa Perls Arme fest.

«Lass sie los! Ich glaube, sie hält dich für einen der bösen Geister, die sie umbringen wollen!» Laura packte Rosa an den Schultern und drückte sie auf die Stufen.

«Ganz ruhig, Rosa. Niemand wird Ihnen etwas zuleide tun. Das ist mein Kollege aus Siena, Commissario Guerrini. Wir sind gekommen, um Ihnen zu helfen, weil Sie geschrien haben.»

Rosa legte den Kopf auf ihre Arme und weinte. Laura und Guerrini setzten sich neben sie und warteten.

«Entschuldigung», stammelte sie nach einer Weile. «Sie müssen mich für völlig hysterisch halten. Aber es ist einfach zu viel für mich ... all diese Zeichen ... und diese Sitzung heute Abend ...»

«Welche Sitzung?», fragte Laura.

Rosa wischte sich die Augen wie ein kleines Mädchen, schluchzte wieder auf.

«Katharina hat uns nach dem Abendessen in den Gruppenraum bestellt. Sie hat jeden Einzelnen von uns befragt. Wie eine Polizistin ... nein, schlimmer. Sie hat uns angesehen, als könnte sie uns durchleuchten. Und ... sie hat schreckliche Dinge gesagt ...»

«Ganz ruhig, Rosa.» Laura massierte sanft den Rücken der Malerin. Guerrini sah sie fragend an.

«Gleich», flüsterte sie.

«Was für schreckliche Dinge, Rosa?»

«Sie hat gesagt, dass sie es satt habe, unser Selbstmitleid anzuhören. Dass sie keinem von uns trauen könne, weil wir sie ständig belögen. Dass wir mehr um eine kleine Katze als um Carolin getrauert hätten. Sie hat Rolf und Susanne von der Gruppenarbeit ausgeschlossen ...»

«Warum?»

«Weil ... ich weiß es nicht. Ich darf nicht darüber sprechen.»

«Aber Rosa. Ich glaube nicht, dass es noch eine Schweigepflicht gibt. Glauben Sie nicht, dass Katharina so heftig geworden ist, weil sie die Situation richtig einschätzt?»

Rosas Schultern zuckten.

«Warum wurde Susanne Fischer ausgeschlossen?»

«Weil sie nicht mitarbeitet. Katharina hat gesagt, dass sie von Anfang an Zuschauerin war. Wie jemand, der einen Artikel über Selbsterfahrungsgruppen schreiben will und sich deshalb einschleicht.»

«War das so?»

Rosa atmete tief ein, schluckte.

«Mein Mund ist ganz trocken», flüsterte sie.

«War das so?», wiederholte Laura.

«Ja, es war so. Susanne hat eigentlich gar nichts von sich gesagt. Sie hat nur ab und zu etwas über die andern gesagt. Meistens nicht besonders freundliche Dinge.»

«Wie hat Susanne auf den Ausschluss reagiert?»

«Eigentlich gar nicht. Sie hat gelächelt ... wie jemand, der mehr weiß als die anderen.»

Laura stand auf, ging durch den Gruppenraum in die große Küche und holte ein Glas Wasser für Rosa. Die Fledermaus kreiste noch immer. Laura stellte das Glas ab und öffnete alle Fenster.

«Mögen Sie Susanne?», fragte sie, als sie sich wieder

neben Rosa und Guerrini setzte. Die Malerin trank gierig, leerte das ganze Glas.

«Ich … nein, ich mag sie nicht.»

«Aber neulich waren Sie froh, dass Sie Susanne Fischer nachts getroffen haben. Erinnern Sie sich?»

«Jaja … aber es lag daran, dass ich mich fürchtete und nicht schlafen konnte. Es war einfach beruhigend, jemanden zu treffen.» Wieder erschütterte ein tiefes Schluchzen Rosas mageren Körper.

«Warum mögen Sie Susanne nicht?»

«Ich kann es nicht beschreiben … ich habe keine Beziehung zu ihr. Sie ist distanziert und behandelt Rolf wie … ach, ich weiß nicht.»

Laura lehnte sich mit einer Schulter an die Mauer des Aufgangs, fürchtete aber, dass sie sofort einschlafen würde, wenn sie so verharrte, und setzte sich deshalb wieder aufrecht. Irgendwo in der Ferne begannen die ersten Traktoren ihren nächtlichen Kampf mit der toskanischen Erde.

«Rosa», fragte sie langsam, «Rosa, haben Sie eine Ahnung, einen Verdacht, wer Carolin umgebracht haben könnte?»

Rosa zuckte zusammen, stieß das leere Glas um. Es rollte zwei Stufen hinab, klirrte, zerbrach aber nicht. Guerrini fing es auf.

«Rolf war es nicht», flüsterte Rosa Perl kaum hörbar. «Rolf hat dieses Mädchen begehrt, er brannte vor Begierde.»

«Wer war es dann? Sie, Rosa?»

Rosa stieß einen merkwürdigen Laut aus, eine Mischung aus Lachen, Aufstoßen, Schluchzen.

«Wenn ich kräftig genug wäre, hätte ich es vielleicht machen können … vielleicht. Ich bin nicht sicher. Sie hat mir Leid getan, als ich sie fand. Aber vor ihrem Tod habe ich sie gehasst!»

Guerrini erhob sich leise und ging in den Gruppenraum zurück. Laura hörte, wie er die Fenster schloss. Offensichtlich hatte die Fledermaus den Weg in die Freiheit gefunden.

«Gut», sagte Laura. «Das kann ich verstehen. Aber wer könnte es sonst gewesen sein?»

«Ich weiß es nicht ... Eigentlich habe ich eine Menge Phantasie ... aber ich kann mir nicht vorstellen, dass jemand von uns ... ich meine, wir sind eine Gruppe, teilen unsere Gefühle, arbeiten miteinander ...» Plötzlich drehte sie sich zu Laura um. «Warum wurde dieser Bauernjunge freigelassen? Finden Sie es nicht fast logisch, dass er eine einsame Frau überfällt? Katharina erzählte, dass er schon öfter Frauen belästigt hat.»

Laura senkte den Kopf.

«Ist es nicht ein bisschen einfach, den Feind immer draußen zu suchen? Giuseppe ist ein klassischer Sündenbock, nicht wahr? Sündenböcke können sich nicht wehren. Sie werden in die Wüste getrieben, obwohl sie die wahrhaft Unschuldigen sind.»

Rosa erschauerte.

«Ja», flüsterte sie. «Vielleicht haben Sie Recht, es wäre verdammt einfach, wenn der Junge es getan hätte.»

«Ja, verdammt einfach», murmelte Laura und fügte lauter hinzu: «Ich glaube, Sie können wieder zu Bett gehen, Rosa. Die Fledermaus ist weg.»

Rosa machte eine abwehrende Bewegung.

«Ich geh da nicht mehr rein!»

«Sie können auch hier sitzen bleiben», antwortete Laura und stand auf. «Ich jedenfalls brauche noch ein bisschen Schlaf. Gute Nacht, Rosa!»

Laura und Angelo lagen auf dem breiten Bett, berührten sich nur mit den Händen.

«Ich sollte meine Mailbox abhören», flüsterte sie.

«Vergiss es!»

«Ich bin so müde, dass ich vielleicht nie mehr aufstehen kann …»

Er drückte ihre Hand, zog sie an sich. Schläfrig schob sie ein Bein über seine Hüfte, spürte sein warmes Glied an ihrem Bauch und stöhnte wohlig.

«Schlaf!», sagte er leise.

«Ich will aber nicht.»

«Dann schlaf nicht!» Er lachte leise.

«Wer hat Carolin Wolf umgebracht, Angelo? Hast du eine Idee?»

«Es tickt schon wieder!»

«Ich hör nur die Traktoren!»

«Es tickt ganz leise!»

«Gut, es tickt! Du fühlst dich so wunderbar an, dass ich dir nicht widersprechen kann!» Lauras Zunge war schwer, sie sprach undeutlich. «Aber ich möchte trotzdem wissen, wer Carolin Wolf umgebracht hat. Schließen wir Rolf Berger und Rosa Perl aus, dann wird es kompliziert!»

«Du bist auch kompliziert! Wir sollten jetzt schlafen und morgen darüber nachdenken. Mein Gehirn funktioniert nämlich nicht mehr richtig!»

«Aber das ist nicht schlecht! Halb bewusst sind wir der Wahrheit meist näher als bewusst!» Sie steckte ihre Nase in die kurzen schwarzen Härchen auf seiner Brust, schniefte wie ein kleiner Hund.

«Ich bin aber mehr halb betäubt als halb bewusst!», murmelte er und ließ seine Hände langsam über ihren Rücken gleiten.

«Macht nichts. Ich bin alles halb. Halb italienisch, halb deutsch, halb müde, halb wach, halb hungrig, halb satt.»

«Als ich auf halbem Weg stand unseres Lebens, / fand ich mich einst in einem dunklen Walde, / weil ich vom rechten Weg verirrt mich hatte …», erwiderte er so leise, dass sie ihn kaum verstand.

«Was meinst du?»

«Nichts … ist mir nur eingefallen, weil du so halb bist!»

«Sag das nochmal, bitte!»

Angelo wiederholte die Verse.

«Wie es weitergeht, habe ich vergessen. Warte, ein Satz fällt mir noch ein», flüsterte er.

«So Schlaf befangen war ich zu der Stunde, / als von dem rechten Weg ich abgewichen …»

«Was? Was sagst du da?» Laura stützte sich auf einen Ellbogen und sah ihn an. Er hielt die Augen geschlossen.

«So Schlaf befangen war ich zu der Stunde, / als von dem rechten Weg ich abgewichen … Mehr fällt mir nicht ein! Es ist Dante, *Göttliche Komödie, Erster Gesang, Die Hölle*!»

«Oh!», machte Laura.

«Es bedeutet nicht, dass ich das ganze verfluchte Ding auswendig kann. Es sind die einzigen Sätze, die mir aus der Schulzeit noch in Erinnerung sind. Wir haben Kilometer davon auswendig gelernt!»

«Es passt!», sagte sie. «Du bist …»

«Was bin ich? Du hast es mir übrigens noch immer nicht gesagt!»

«Du bist … erstaunlich, Angelo. Ich glaube, dass ich …»

«Sag es nicht!» Er legte sanft seine Hand über ihren Mund, schloss die Augen und schlief sofort ein. Laura lauschte auf seinen Atem und fragte sich, ob sie tatsächlich vom rechten Weg abgekommen waren.

Ich hol dir einen Kaffee!», sagte Angelo, als er aus dem Badezimmer zurückkam.

Laura lag noch immer auf dem Bett und kämpfte mit dem Schlaf, der sie nicht loslassen wollte.

«Hältst du das für eine gute Idee? Was sollen die denken, wenn du aus meinem Schlafzimmer kommst? Bist du Hohenstein oder Berger begegnet?»

«Nein. Aber sie haben ohnehin längst den Wagen gesehen. Außerdem glaube ich nicht, dass wir uns schämen müssen. Nach all dem, was in dieser Gruppe so abläuft!»

«Aber … ach, ich weiß nicht. Es stellt uns auf eine Stufe mit ihnen, verstehst du? Sie werden sich entlastet fühlen, und das will ich nicht! Außerdem ist es bei uns anders …»

Angelo lächelte.

«Vom rechten Weg abgekommen … bist du vom rechten Weg abgekommen, Laura?»

«Ja!», erwiderte sie heftig und setzte sich auf. «Ich bin vom rechten Weg abgekommen, und das ist wahrscheinlich gut so. Aber es ist nicht gut für die Ermittlungen! Ich … ich fühle mich befangen …»

«Du bist ein erwachsener Mensch, Laura. Du kannst machen, was du willst.»

«Ja, nein … ich weiß nicht. Du bist frei, Angelo. Ich habe Kinder und einen alten Vater. Gestern hab ich sie beinahe vergessen, aber jetzt sind sie wieder da.»

«Gut», sagte er und zog sich ruhig an. «Ich hole jetzt Kaffee, und du gehst duschen, hörst deine Mailbox ab und erledigst die wichtigsten Anrufe.» Er hielt seine Schuhe über den Papierkorb und schüttelte Sand heraus, dann schlüpfte er hinein, strich sich übers Haar und warf einen prüfenden Blick in den Spiegel über der Kommode, begegnete dabei Lauras Augen, lächelte ihrem Spiegelbild zu.

«Schau nicht so verzweifelt!»

Sie versuchte ebenfalls ein Lächeln, sah auf ihre Uhr. Halb acht. Um diese Zeit würde sie niemanden erreichen. Höchstens Baumann im Badezimmer und ihren Exmann im Bett, in das er mit Sicherheit jeden Morgen zurückkehrte, wenn die Kinder aus dem Haus waren. Sie begann die Nummer ihrer Mailbox einzutippen, als jemand an die Tür klopfte.

Angelo hob die Augenbrauen und zuckte die Achseln.

«Machst du auf oder soll ich?»

«Ich geh schon!» Laura widerstand dem Impuls, ihren Liebhaber hinter der Tür zu verstecken. Sie kroch aus dem Bett, warf ihren Morgenmantel über und öffnete die Tür einen Spaltbreit. Es war Katharina.

«Kann ich reinkommen? Es ist wichtig!»

«Ich bin gerade aufgestanden, aber ... hat es nicht noch ein paar Minuten Zeit?»

«Nein!»

«Dann kommen Sie rein!»

Katharina trat ins Zimmer, warf einen Blick auf das Bett, auf Guerrini, der an der Spiegelkommode lehnte und ihr zunickte. Laura bewunderte ihn, weil er dastand, als sei es die natürlichste Sache der Welt. Ihr war die Situation peinlich, verdammt peinlich sogar. Auch Katharina war offensichtlich verwirrt, stützte sich auf eine der Bettsäulen.

«Es tut mir Leid, dass ich störe», sagte sie mit ihrer hohen Stimme. «Aber ich bin sehr beunruhigt. Rolf Berger ist verschwunden.»

Laura zog den Morgenmantel eng um sich.

«Glauben Sie, dass er geflüchtet ist?», fragte sie und kämmte mit den Fingern ihr Haar, das noch vom Salzwasser verklebt war.

«Nein», murmelte Katharina. «Das glaube ich nicht. Er hat nichts mitgenommen. Hubertus hat gesagt, dass Rolf nach unserer Gruppensitzung Luft schnappen wollte. Das muss so gegen zwölf gewesen sein. Hubertus ist dann eingeschlafen, und als er heute Morgen aufwachte, war Bergers Bett unberührt.» Sie sprach undeutlich. «Es ist … es erinnert mich so an den Morgen, als wir Carolin vermissten. Es … es kann doch nicht sein, dass zwei Menschen auf ähnliche Weise verschwinden. Ich musste sofort an diesen Bauernjungen denken, der gestern aus dem Gefängnis frei kam. Vielleicht … aber es wäre ja Wahnsinn …»

«Warten Sie!» Laura übersetzte schnell, was Katharina erzählt hatte. Über Angelos Gesicht lief ein Schatten, und Laura konnte seine Gedanken beinahe hören, denn es waren auch ihre eigenen: Nicht Rana, nicht Giuseppe Rana!

«Dann werde ich jetzt wohl die Carabinieri in Montalcino anrufen», sagte Guerrini langsam, wie um der Bedeutung des Entschlusses Gewicht zu geben. «Wir müssen die Gegend absuchen. Ich werde gleich zu den Ranas fahren und sehen, was da los ist. Du kümmerst dich um die Leute hier, Laura!»

Sie nickte. Versteck ihn, bring ihn weg, wollte sie sagen, sonst werden sie ihn wieder einsperren. Aber als sich ihre Blicke kreuzten, wusste sie, dass es nicht nötig war. So wandte sie sich Katharina zu.

«Ist gestern Abend etwas Besonderes vorgefallen? Etwas, das Berger zur Flucht veranlasst haben könnte oder zum Selbstmord? Als wir letzte Nacht zurückkamen, fanden wir Rosa Perl völlig aufgelöst vor. Sie war in Panik, weil eine Fledermaus im Gruppenraum herumflog. Und dann erzählte sie von einer schlimmen Gruppensitzung …»

Katharina setzte sich auf das ungemachte Bett, fuhr sich mit einer Hand übers Gesicht, als wollte sie sichergehen, dass es noch da war.

«Ich habe ihnen den Spiegel vorgehalten. Jedem Einzelnen. Ihre Gefühllosigkeit, ihren Egoismus, ihre Lebensgier. Wahrscheinlich war ich ungerecht … aber ich glaube, dass es notwendig war.»

«Haben Sie Rosa nicht schreien hören?»

«Nein. Ich habe mit Ohropax geschlafen.»

«Niemand hat sie gehört», sagte Laura nachdenklich. «Man kann ziemlich einsam sein, wenn alle ihre Ohren verstopfen.»

Katharina verzog das Gesicht, als litte sie Schmerzen.

«Vielleicht war es ein Fehler. Aber diese Traktoren … Sie wissen es selbst.»

«Ja, natürlich», erwiderte Laura. «Würden Sie jetzt bitte zu den anderen gehen. Ich werde mich anziehen. In ein paar Minuten bin ich bei Ihnen.»

Katharina nickte, ging zur Tür. Eine alte Frau, schwerfällig und müde. Als sie die Tür hinter sich schloss, griff Angelo nach seinem Handy und rief seine Kollegen an. Laura verzichtete auf die Dusche, zog sich schnell an und versuchte ihre Frisur zu bändigen, doch die Bürste blieb immer wieder in ihren Haaren stecken.

«Gut!», sagte Angelo. «Die Truppe ist im Anmarsch. Wir werden die ganze Gegend durchkämmen. Es kommen auch Carabinieri aus Buonconvento und sämtliche Hunde, die sie auftreiben können. Falls sie auftauchen, ehe ich zurück bin – schick sie los! Ich übergebe dir das Kommando. Es wird ihnen nicht passen, aber das kann dir egal sein. Maresciallo Pucci ist ein bisschen heikel. Aber du wirst schon mit ihm fertig werden.»

Er wandte sich zur Tür, kehrte zu ihr zurück.

«Laura, ich ...»

«Ssscht!», machte sie und legte einen Finger auf seine Lippen. «Sag nichts ... das hab ich von dir gelernt!»

Er lachte auf, umarmte sie und ging.

Ich muss mit ihm reden, dachte Laura. Wir müssen jeden Einzelnen der Gruppe genau durchgehen. Diesen harmlosen Priester zum Beispiel. Könnte er sich als Rächer der Tugend aufspielen? Als einer, der Unzucht verfolgt, weil er selbst nie welche treiben durfte? Alles schien ihr möglich zu sein. Oder war Katharina Sternheim durchgeknallt? Brachte sie die Mitglieder ihrer Gruppe um, weil sie es nicht mehr aushielt? Seltsam, dass ich absolut nichts mit Susanne Fischer verbinde ... was macht diese Frau eigentlich hier? Noch ein unbeachteter Moskito ... Die anderen? Britta Wieland und Monika Raab? Unklar, aber eher harmlos. Wirklich? Gab es harmlose Menschen? Oder steckte hinter all dem der große Unbekannte? War ihnen jemand nachgereist? Jemand, der eine Frau in die Isar gestoßen hatte? Hatte sie etwas übersehen? Oder war Giuseppe doch verrückter, als sie dachten? Nicht Giuseppe – bitte nicht Giuseppe.

Laura befestigte das kleine Telefon an ihrem Gürtel, eilte hinter Katharina Sternheim her und holte sie im Hof ein.

«Was ist zwischen Ihnen und Berger vorgefallen?», fragte Laura.

Katharina blieb stehen, sah zu den anderen hinüber, die auf der Veranda warteten.

«Ich habe ihm gesagt, dass er krank ist.» Ihre Stimme klang jetzt wieder tief und heiser. «Dass ich mich nicht mehr zuständig fühle, weil ich keine Psychiaterin bin. Ich habe gesagt, dass seine Gier nach Frauen und sein Verhalten in der Gruppe pathologisch ist. Ich habe ihn von der Gruppe ausgeschlossen und ihn aufgefordert, das Kloster zu verlassen. Er kann in eine Pension nach Montalcino übersiedeln, dann hat die Polizei ihn ebenfalls unter Kontrolle!»

«Das ist vielleicht nicht mehr nötig», erwiderte Laura und warf Katharina Sternheim einen kurzen Blick zu. Das Gesicht der Therapeutin war grau. «Haben Sie eigentlich öfter solche schweren Auseinandersetzungen mit Klienten?»

«Es ist schon vorgekommen», murmelte Katharina.

«Und was ist mit Susanne Fischer? Rosa Perl erzählte, dass Sie auch Susanne Fischer ausgeschlossen haben.»

«Susanne hat nie zur Gruppe gehört. Sie ist nur Zuschauerin. Sie verunsichert die anderen durch ihre bloße Existenz. Haben Sie bemerkt, wie sie sich beim Tod der Katze verhalten hat? Sie stand im Schatten und sah zu. Sah einfach nur zu.»

Laura wurde in diesem Augenblick bewusst, dass sie Susanne Fischer bisher kaum wahrgenommen hatte. Sie erinnerte sich überhaupt nicht, ob die Frau an der Beerdigung des Kätzchens teilgenommen hatte.

«Haben Sie eine Idee, warum Susanne Fischer hier ist?»

Katharina stieß einen zischenden Laut aus.

«In der ersten Sitzung hat sie eine sehr bedeutungsschwangere Erklärung abgegeben: Sie sei hier, um etwas Wesentliches für ihr Leben zu klären.»

«Und dann kam nichts mehr?»

«Wenig bis gar nichts. Nur scharfe, allerdings meistens zutreffende Bemerkungen über andere.»

Sie hatten die Treppe zur Veranda erreicht.

«Gab es eine Person, die von diesen Bemerkungen mehr betroffen war als die anderen?», fragte Laura.

Katharina runzelte die Stirn.

«Auf diese Idee bin ich noch gar nicht gekommen. Warten Sie. Am Anfang war es Carolin. Aber es traf auch Rosa, Berger und Hubertus. Und mich natürlich. Weniger Britta und Monika.»

«Hatten Sie jemals den Eindruck, dass Susanne Fischer und Rolf Berger sich kannten? Ich habe Ihnen diese Frage schon einmal gestellt. Denken Sie nach, Katharina. Es ist wichtig! Sie als Therapeutin müssten solche Schwingungen erkennen.»

Katharina schüttelte den Kopf.

«Manchmal dachte ich es, dann wieder nicht. Ich kann es nicht sagen. Berger hat Susanne einfach nicht beachtet. Wenn ich es mir genau überlege, dann hat er sie behandelt, als wäre sie nicht da. Nur ab und zu ...»

«Ja?»

«... ab und zu kam es zwischen den beiden zu einem heftigen Schlagabtausch. Einmal habe ich sogar beide aufgefordert, sich zu entschuldigen.»

«Haben sie es getan?»

«Susanne tat es. Berger weigerte sich.»

«Worum ging es dabei?»

«Susanne nannte ihn einen Vorstadt-Casanova!»

«Hatte sie wohl nicht so Unrecht, oder?»

«Nein», murmelte Katharina. «Ich glaube, sie hat sich auch nur entschuldigt, um nicht weiter aufzufallen. Seltsam, nicht wahr?»

«Ja, seltsam», erwiderte Laura.

Rosa Perl kam ihnen zwei Schritte entgegen, umklammerte das Geländer.

«Haben Sie etwas von Rolf gehört?» Ihre Pupillen erschienen Laura unnatürlich groß, als hätte sie Drogen genommen.

«Nein», sagte Laura, «aber die italienischen Polizeibeamten werden gleich hier sein. Sie wollen das Gelände um die Abbadia absuchen.»

«O mein Gott!», wisperte Rosa. «Wo ist er denn hin? Warum hat er mir nichts gesagt? Warum läuft er mitten in der Nacht weg?»

«Wir wissen es nicht, Rosa.» Katharina legte ihre Hand auf Rosas Arm, doch Rosa zog ihn weg.

«Du bist schuld!», flüsterte sie. «Du hast ihn dazu getrieben! Du hast gesagt, dass er ein Psychopath ist!» Ihre Stimme wurde lauter. «Du hast ihn in den Selbstmord getrieben! Er ist sensibel und empfindlich! Du hast es gewusst!» Rosas Stimme kippte, sie brach in Schluchzen aus, schlug mit der Faust gegen das Geländer. Katharinas fahles Gesicht zuckte. Einen Augenblick sah es so aus, als wollte sie heftig antworten, dann atmete sie tief ein und ging an Rosa vorbei nach oben. Laura betrachtete die Gesichter der anderen. Atemlos und stumm hörten sie zu, als sei diese Szene Teil einer Gruppensitzung. Als sie sich umdrehte, sah sie die verschwommenen Köpfe der drei Französinnen hinter einer Fensterscheibe.

Kurz darauf brachen Jeeps und Mannschaftswagen der Carabinieri in den Hof der Abbadia, Motoren heulten, Staubwolken wirbelten, Hunde bellten. Es stank nach Abgasen. Tauben flüchteten mit knatternden Flügelschlägen. Laura ging den Uniformierten langsam entgegen, versuchte locker zu bleiben, in den Bauch zu atmen, trug den Kopf hoch.

«Wer von Ihnen ist Maresciallo Pucci?», fragte sie und war froh, den festen Klang ihrer Worte zu hören. Sie hatte ihrer Stimme nicht getraut.

«Ich, Signora!» Ein großer schwerer Mann mit schmalem Bärtchen im breiten Gesicht, trat auf sie zu.

Laura stellte sich vor und hielt ihm die Hand hin. Er salutierte, ehe er kurz ihre Hand schüttelte und sie taxierte.

«Wo ist Guerrini?», fragte er.

«Auf dem Weg. Ich werde solange das Kommando übernehmen!»

«So?» Pucci rieb sein Bärtchen. «Kennen Sie sich denn hier aus?»

«Ja!», sagte Laura knapp. «Wir suchen einen Mann namens Rolf Berger. Er ist seit letzter Nacht verschwunden. Er ist groß, schlank und hat hellbraunes Haar. Guerrini hat Ihnen wahrscheinlich schon die wichtigsten Dinge am Telefon gesagt, oder?»

«Hat er, Signora Commissaria, hat er.»

«Dann wissen Sie ja Bescheid. Ich schlage vor, dass Ihre Leute nach mehreren Seiten ausschwärmen. Da ist der Hang auf der Nordseite des Klosters, der besonders genau abgesucht werden muss. Das Wäldchen im Westen und der Bachlauf, an dem die Leiche der jungen Frau gefunden wurde.»

Pucci starrte in Lauras Augen, dann an ihr vorbei.

«Ich werde ein paar Leute zu den Ranas rüberschicken», sagte er langsam. «Hab gehört, dass der Junge gestern freigekommen ist. Merkwürdiger Zufall, was?»

«Das hat Zeit, denke ich. Wir brauchen jeden Mann,

um die Gegend abzusuchen.» Laura gab ihrer Stimme einen unbekümmerten Tonfall, dachte: Scheißkerl.

«Er könnte abhauen. Für mich ist er der Täter. Ich begreife nicht, warum der Richter ihn rausgelassen hat. Sie sehen ja: Kaum ist er draußen, passiert schon wieder was!»

«Ich möchte nicht, dass Sie jemanden von der Suche abziehen, Maresciallo. Wir wissen noch nicht, was hinter dem Verschwinden des Mannes steckt. Es kann Selbstmord sein oder auch Flucht. Er ist einer der Hauptverdächtigen.»

«So?» Pucci wippte auf den Zehenspitzen. «Warum weiß ich nichts davon? Sind das Geheimermittlungen von Ihnen und Guerrini?»

«Nein. Wir hatten bisher nur noch keine konkreten Ergebnisse. Ich bin außerdem dafür, dass wir nicht weiter diskutieren, sondern mit der Suche beginnen!»

Pucci presste die Lippen zusammen.

«Gut», sagte er. «Aber zwei Leute schicke ich trotzdem zu den Ranas. Es kann nicht schaden!»

«Ich habe nein gesagt, Maresciallo. Haben Sie mich verstanden?»

Pucci drehte sich auf dem Absatz um und ging mit steifen Schritten zu seinen Leuten hinüber. Schweiß lief Laura über den Rücken. Langsam folgte sie Pucci, stellte sich neben ihn, während er seine Anweisungen gab.

«Kontrollieren Sie mich?», fragte er zwischen den Zähnen.

«Ja!», erwiderte Laura.

Das Durcheinander aus Männern und Hunden löste sich allmählich auf. Kleine Trupps wurden gebildet, schwärmten in verschiedene Richtungen aus. Pucci setzte sich in einen großen Jeep und schaltete das Funkgerät ein.

«Ich warte hier», sagte er.

«Ich auch!» Laura lehnte sich an den Kühler des Wagens. Sie würde Pucci nicht aus den Augen lassen, bis Angelo zurück war. Der Maresciallo schien nur darauf zu warten, seine eigenen Befehle zu geben.

Stille senkte sich wieder über den Klosterhof. Die Tauben kehrten zurück, ein paar Katzen strichen auf Zehenspitzen an den Mauern entlang. Die drei Französinnen eilten zu ihrem Auto.

«Was ist denn los?», fragte Cloë, als sie an Laura vorüberkam.

«Jemand wird vermisst.»

«Schon wieder?» Cloë riss ihre Augen auf. «Wer denn diesmal?»

Laura las eine Mischung aus lustvollem Entsetzen und Neugier in ihrem Gesicht.

«Ein Mann. Haben Sie letzte Nacht etwas Ungewöhnliches bemerkt?»

Cloë schüttelte den Kopf.

«Wir haben alle drei mit Ohropax geschlafen. Einmal habe ich etwas gehört. Aber ich glaube, es war mein Traum. Ich hörte Hühner schreien.»

Nicht nur deine Hühner haben geschrien, dachte Laura.

«Wann sind Sie zu Bett gegangen?», fragte sie laut.

«Gegen zwölf.»

«Haben Sie gesehen, ob jemand um diese Zeit die Abbadia verlassen hat?»

«Nein. Konnten wir auch nicht. Wir waren in unserer Küche und sind nicht mehr rausgegangen. Es war ein kühler Abend, und wir saßen um den Herd.»

«Gut, falls Ihnen etwas einfällt, melden Sie sich bitte bei mir! Alles könnte wichtig sein.»

«Ja, natürlich!» Cloë lächelte, spitzte dabei seltsamerweise den Mund. «Wir müssen los. Noch zwei Hühner-KZs, dann sind wir durch. Es ist grauenvoll!»

«Viel Erfolg!»

Cloë rannte beinahe davon.

Der nächste Besucher war Hubertus Hohenstein. Er kam mit schnellen Schritten auf den Jeep zu und lächelte sein mildes, entschuldigendes Lächeln.

«Ich möchte gern helfen!», sagte er. «Es ist unerträglich, herumzusitzen und zu warten. Wir können auch keine Gruppensitzung abhalten, weil alle zu unruhig sind und Katharina sich weigert.»

«So, sie weigert sich.» Laura strich mit der Handfläche über den dunklen Kühler des Jeep. «Was macht sie denn?»

«Sie meditiert. Sie hat sich hinters Haus auf eine Wiese gesetzt und meditiert. Sie meinte, das sollten wir auch tun, um ein wenig innere Klarheit zu bekommen ...» Er lächelte wieder, senkte den Blick. «Ich glaube, sie hat uns gründlich satt, wenn ich das so ausdrücken darf. Und ich ... kann es ihr nicht völlig verübeln. Es ist eine schwierige Situation. Ich hätte nie gedacht, dass ich einmal in eine solche Situation ...» Er verstummte plötzlich und zeichnete mit seinen Sandalen Muster in den sandigen Boden.

«... kommen würde!», vollendete Laura seinen Satz. «Wann haben Sie bemerkt, dass Rolf Berger weg ist?»

«Erst heute Morgen, Ich habe sehr gut geschlafen. Diese Ohropax ... vielleicht sollte man sie nicht tragen.»

«Trotz der schwierigen Auseinandersetzung haben Sie gut geschlafen?»

Hohenstein seufzte.

«Ja, ich habe gut geschlafen. Sie werden es seltsam finden, aber es war auch eine Art Klärung oder Reinigung ... wenn auch nicht gerade angenehm.»

«Wann ist Berger gegangen?»

Hohenstein warf ihr einen prüfenden Blick zu.

«Noch eine Klärung, wie?», lächelte er. «Rolf ging sofort nach der Gruppensitzung. Er war überhaupt nicht mehr in unserem Zimmer.»

«Hatten Sie den Eindruck, dass er sehr erregt war?»

Pucci drehte an seinem Funkgerät und produzierte ein paar hohe Pfeiftöne. Hubertus hielt sich kurz die Ohren zu.

«Er war eher wütend. Nach der Auseinandersetzung mit Katharina war das verständlich. Sie wissen davon?»

«Ja.»

«Sehen Sie, ich bewundere Katharina. Ihre Arbeit ist sehr gut. Aber ... wie vermutlich jeder Mensch, hat auch sie ihre Grenzen. Diese Sitzung letzte Nacht. Das war, wie soll ich sagen, das war nicht sehr überlegt. Ich hatte den Eindruck, dass sie plötzlich von ihrem eigenen Zorn überwältigt wurde. Es ... hatte nichts mehr mit den einzelnen Menschen zu tun, sondern nur mit ihr selbst. Ich war sehr erschüttert. Es erinnerte mich an meine eigene Verzweiflung über die Gruppe von Menschen, der ich angehöre.»

«Sie sind Priester, nicht wahr?»

Hubertus errötete leicht, schloss die Augen.

«Woher wissen Sie das? Hat Katharina es Ihnen erzählt?»

«Nein. Ich dachte es nur.»

«Warum? Sieht man es mir an? Bin ich so etwas wie ... ein Gezeichneter?» Er lachte kurz auf, schüttelte den Kopf, machte ein paar Schritte vor und zurück. «Was ist es? Sagen Sie mir, was es ist?»

Pucci drehte noch immer an irgendwelchen Knöpfen. Das Pfeifen wurde schwächer.

«Hören Sie, Hohenstein. Man sieht es Ihnen nicht an.

Sie sehen aus wie ein ganz normaler, sehr netter Mann. Was Sie verrät, das ist diese gewisse Unschuld, die Sie ausstrahlen. Sie machen auf mich den Eindruck eines Menschen, der sich im Leben nur begrenzt auskennt, als hätten Sie lange Zeit auf einem anderen Planeten gelebt … oder in einer Einsiedelei.»

Hubertus ging noch immer auf und ab, hielt plötzlich inne.

«Und das sieht man mir so deutlich an? Ich bin wirklich so anders?» Er atmete schwer.

«Sie müssen sich nicht darüber aufregen», sagte Laura. «Vielleicht sollten Sie es sogar schätzen. Wer aus einer Einsiedelei in die Welt der anderen kommt, kann vielleicht genauer sehen. Mit den Augen eines Unschuldigen … Ich wüsste gern, was Sie gesehen haben.»

Er senkte den Kopf.

«Wollen Sie das wirklich wissen? Ich … ich halte mich nicht für sehr kompetent.»

«Das gerade macht Sie vielleicht besonders kompetent. Ich möchte wirklich wissen, was Sie hier erfahren haben.»

Pucci fing an, laut in das Gerät zu sprechen. Quäkende Stimmen antworteten, es rauschte, pfiff.

«Sie haben noch nichts gefunden!», rief Pucci, um die Nebengeräusche zu übertönen.

«Das dachte ich mir!», nickte Laura, unterdrückte ein Lächeln. «Also?» Sie wandte sich wieder dem Priester zu. Dachte einen Augenblick lang an Sofia, sehnte sich nach ihr und gleichzeitig nicht.

Hubertus schüttelte den Kopf, begann wieder mit seiner ruhelosen Wanderung vor dem Jeep.

«Was habe ich erfahren? Vor allem, dass ich anders bin, dass alle mich als anders empfunden haben. Sie selbst haben es mir gerade bestätigt!»

«Ich meine nicht so sehr Ihre Erfahrungen über sich selbst. Was mich interessiert, sind Ihre Eindrücke von den anderen.»

Er schüttelte den Kopf.

«Die sind nur vage. Ich war noch nie so nahe mit anderen Menschen zusammen. Vor allem mit Frauen. Ich bin erschüttert über das Leid. Über die innere Verzweiflung, die ich bei allen gespürt habe.»

«Bei allen?»

«Ja, bei allen», sagte er langsam. «Sogar bei Katharina. Ich glaube nicht, dass sie eine sehr glückliche Frau ist. Sie hat glückliche Momente, dann sieht sie plötzlich wie ein junges Mädchen aus, bekommt ein strahlendes Lächeln, ganz klare Augen … es ist wie ein Aufblühen. Aber dann verfällt sie wieder und verwandelt sich in eine alte Frau. Ich habe noch nie einen Menschen getroffen, der sich in kurzer Zeit so stark verändern kann.»

Erneut entfesselte Pucci ein wahnwitziges Konzert aus Rauschen, Pfeifen und Quäken. Laura runzelte die Stirn.

«Ist das nötig?», fragte sie ungeduldig.

«Wenn ich mit den Suchtrupps Kontakt halten will, dann ist es sogar sehr nötig!» Pucci war beleidigt.

Laura zuckte die Achseln und wandte sich wieder Hubertus zu.

«Diese Beschreibung war außerordentlich genau und interessant. Könnten Sie mir vielleicht auch Ihre Eindrücke von Carolin Wolf, Rosa Perl und Rolf Berger verraten?»

Hohenstein wiegte den Kopf.

«Ich komme mir schlecht dabei vor», murmelte er. «Wie ein Verräter … Sehen Sie, eine Gruppe wie diese ist eine Familie auf Zeit. Man muss zusammenhalten.»

Laura nickte.

«Ja, natürlich. Das verstehe ich. Aber wenn in einer Familie ein Mord geschieht, dann müssen die Mitglieder auch aussagen. Es gibt natürlich Familien, die den Täter verstecken und decken. Aber ich weiß nicht, ob das wirklich eine Lösung ist … Ich verlange von Ihnen nicht, dass Sie jemanden verdächtigen. Ich wünsche mir nur ein paar Sätze, die ich meinen eigenen Beobachtungen hinzufügen kann.»

Hubertus seufzte schwer.

«Impressionen. Gut, Sie bekommen Impressionen. Ganz subjektiv. Carolin hat mir Angst gemacht. Sie brannte. Ich konnte ihr nichts entgegensetzen. Einmal hat Katharina uns beide in der Mitte des Kreises arbeiten lassen. Es war … sie hatte einen Blick, der mich völlig hilflos machte. Provozierend, ohne Respekt … ich fühlte mich nackt vor ihr.» Er betrachtete verlegen seine Füße, die, ebenfalls nackt, in braunen Ledersandalen steckten.

«Interessant!», sagte Laura. «Und Rosa Perl?»

«Eine verlorene Seele. Ich empfinde Mitleid mit ihr, weil sie so schreckliche Angst hat. Aber daneben erscheint sie mir auch rücksichtslos. Sie ist schwach, vielleicht sogar dem Tode nahe und greift nach dem Leben wie eine Ertrinkende. Ich hatte immer ein Gefühl, als verletze sie sich selbst, wie jemand, der freiwillig über glühende Kohlen läuft. Eigentlich hat auch sie mir Angst gemacht, wenn ich jetzt darüber nachdenke …»

«Und Rolf Berger?»

«In unserem gemeinsamen Zimmer habe ich manchmal länger mit ihm gesprochen. Aber ich habe ihn nicht wirklich verstanden. Er ist, wie soll ich es ausdrücken … irgendetwas stimmt mit seinen Gefühlen nicht. Er ist unerträglich sentimental … das ist vielleicht zu hart ausgedrückt!» Der Priester sah erschrocken aus. «Ich wollte eigentlich nur sagen, dass er ohne wirklichen Anlass zu weinen beginnt. Wenn er die Sterne sieht oder bei Sonnenaufgang. Nicht wie jemand, der tiefe Liebe zur Welt empfindet, sondern wie jemand, der … die Welt benutzt, um zu zeigen, wie tief er empfinden kann. Es klingt umständlich, aber ich kann keine anderen Worte dafür finden. Er hat mich umarmt, als ich der Gruppe gesagt habe, dass ich Priester bin. Mit Tränen in den Augen hat er mich umarmt, als wir allein im Zimmer waren. Es hat mich angeekelt. Mir kam es vor, als hätte er mir einen wichtigen Teil meiner selbst weggenommen und für sich benutzt … Wahrscheinlich werden Sie mein krauses Gerede nicht verstehen, aber ich kann es nicht anders beschreiben.»

Laura schüttelte den Kopf.

«Es ist nichts Krauses an Ihrer Beschreibung. Im Gegenteil! Haben Sie schon einmal in Erwägung gezogen, dass Sie vielleicht Ihren Beruf verfehlt haben? Dass Sie besser Schriftsteller oder Therapeut geworden wären?»

Hubertus lächelte.

«Ich bin gerade dabei, einen neuen Weg zu suchen. Das hier ist ein Anfang. Aber ich wäre schon ganz zufrieden, wenn ich einfach ein Mann sein könnte. Alles andere kommt später.» Er wurde ein bisschen rot.

«Danke für Ihre Offenheit. Sie werden mich für aufdringlich halten, aber ich habe noch eine Frage …»

In diesem Augenblick rollte Guerrinis Wagen in den Hof und hielt knapp neben Puccis Jeep.

«Ja?», fragte Hubertus, doch Laura beachtete ihn nicht mehr. Sie beugte sich zum Seitenfenster des Wagens hinab und forschte in Guerrinis Gesicht. Er nickte ihr zu und hob kurz den Daumen seiner rechten Hand.

Er ist in Sicherheit, dachte Laura, und ein Stück Anspannung löste sich in ihrem Körper. Giuseppe ist in Sicherheit. Guerrini sprang aus dem Wagen und beugte sich zu dem Jeep.

«Schon was gefunden?»

«Nein, Commissario!», knurrte der Maresciallo. «Übernehmen Sie jetzt das Kommando?»

«Warum? Hat es die deutsche Kollegin nicht gut gemacht?»

Pucci streifte Laura mit einem vorsichtigen Blick.

«Doch, doch. Aber sie hat mir verboten, ein paar Leute zu den Ranas zu schicken. Das werden wir jetzt sofort nachholen, Commissario. Jetzt, wo Sie da sind!»

«Oh», machte Guerrini. «Und warum, wenn ich fragen darf?»

«Weil Rana gefährlich ist! Das kann doch kein Zufall sein! Kaum ist der aus dem Knast, fehlt hier schon wieder einer!» Pucci zog ein wenig die Nase hoch, unterstrich damit seine Überlegenheit.

Guerrini zuckte die Achseln.

«Ich sehe da nicht unbedingt einen Zusammenhang, Pucci. Sie sind doch ein erfahrener Beamter. Glauben Sie nicht, dass jemand die Freilassung Ranas benutzt haben könnte, um ein neues Verbrechen zu begehen?»

«Das müsste ein verdammt raffinierter Bursche sein, Commissario. Solche gibt's nicht oft. Ich hab jedenfalls noch keinen kennengelernt.»

«Tja», murmelte Guerrini. «Ich kenne viel raffiniertere. Außerdem steht noch nicht fest, ob überhaupt ein Verbrechen vorliegt!» Er unterdrückte ein Lächeln und zwinkerte Laura zu. Pucci konnte dieses Zwinkern nicht sehen, doch Hubertus nahm es wahr und errötete. Laura stieß ihn leicht an und flüsterte: «Zwinkern ist eine Art Kommunikation. Unter Priestern unbekannt?»

Hubertus Hohenstein hob ratlos die Arme.

«Ich würde vorschlagen, dass Sie nun auch ein bisschen meditieren oder sich einfach ausruhen. Das hier ist jetzt Polizeiarbeit!» Laura nickte dem Priester freundlich zu.

«Kann ich wirklich nicht helfen?»

«Nein, im Augenblick nicht. Sie haben mir mit Ihren Impressionen schon viel geholfen.»

«Ja, dann ...» Hubertus wandte sich unschlüssig um, stolperte beinahe, ging endlich.

Aus der Ferne drang Hundegebell herüber. Das Funkgerät knatterte. Pucci blies die Backen auf und wischte sich über die Stirn.

«Warten Sie!» Laura rannte über den Hof, holte Hubertus unter den Arkaden ein. Erstaunt wandte er sich um.

«Ich hab noch etwas vergessen. Der Kommissar kam dazwischen. Eine Impression fehlt mir noch.»

Hubertus nickte und presste die Lippen zusammen.

«Darf ich raten? Sie wollen wissen, was ich von Susanne halte – die anderen interessieren Sie nicht, hab ich Recht?»

«Fast!», sagte Laura.

«Ich weiß nicht. Es geht mir nicht gut dabei. Ich finde, dass es genug ist. Wer bin ich, dass ich über andere urteilen darf?»

«Klingt sehr nach Priester!»

«Ach, hören Sie auf!»

«Wenn Sie ein normaler Mann sein wollen, dann müssen Sie sich daran gewöhnen, dass man Sie auch so behandelt!»

Hubertus legte eine Hand an die raue Mauer, fuhr sacht an ihr entlang. Feiner Sand rieselte zu Boden.

«Sind Sie so, weil Sie Polizistin sind, oder ist es einfach Ihre Art?»

«Wahrscheinlich beides!»

«Also gut! Diese Susanne ist schön. Ich finde sie anziehend, vielleicht, weil sie mir so unerreichbar erscheint. Unerreichbare Menschen machen mir weniger Angst. Eine kalte Heilige, die trotzdem ein inneres Glühen hat? Eine Wahrheitssucherin, die sich auch von Katharina nicht einschüchtern lässt? Sie beobachtet, um Menschen zu begreifen. Wenn sie etwas sagt, dann trifft es meist den Punkt. Bei mir war es auch so.»

«Puh», machte Laura und empfand einen leichten Schmerz entlang der Wirbelsäule. «Das klingt fast poetisch. Ein bisschen in Richtung Berger, finden Sie nicht? Sind Sie verliebt?»

«Ich …», stammelte Hohenstein, «… ich finde, diese Frage gehört nicht zu Ihren Ermittlungen!»

«Nein, wahrscheinlich nicht. Entschuldigen Sie.»

«Es … ist schon in Ordnung. Kann ich jetzt gehen?»

Laura schaute zu Guerrini und Pucci hinüber.

«Ja, gleich. Nur noch eine winzige Frage. Warum glauben Sie, dass ich mich für die andern nicht interessiere?»

«Weil sie harmlos sind. Zu sehr mit sich selbst beschäftigt, um anderen Schaden zuzufügen.»

«Einer bleibt aber noch übrig. Sie selbst. Gibt's da auch Impressionen?»

«Das ist unfair. Fragen Sie Katharina oder Susanne oder sonst wen.»

«Ich wollte Sie nur fragen, ob Sie Neid auf die anderen empfinden oder sogar Zorn?»

«Neid, Zorn, Wut, Abscheu, Unverständnis, Liebe. Alles, was Sie wollen», antwortete Hubertus heftig. «Aber deshalb würde ich nicht jemanden umbringen. Verzweiflung über versäumtes Leben, so könnte man es zusammenfassen! Noch was?»

Sie schüttelte den Kopf.

Laura stand unter der Dusche und dachte nach. Noch war Berger nicht gefunden. Er konnte auf einem Hügel sitzen und übers Land schauen, die Aufregung genießen, die sein Verschwinden verursachte. Er würde wissen, dass alle wie verrückt nach ihm suchten. Würde wissen, dass er Panik auslöste. Strafe für Katharina und die anderen, die ihn nicht so liebten, wie er es brauchte?

Doch er konnte auch tot sein. War er in der Lage, sich selbst umzubringen? Laura zweifelte daran. Aber wer hatte ein Motiv, ihn umzubringen?

Vermutlich seine Ehefrau, dachte Laura, drehte das Wasser ab, wickelte sich in ein großes Badetuch, rannte auf bloßen Füßen zurück in ihr Zimmer und griff nach dem Telefon. Es klingelte zwei-, drei-, viermal.

Wo ist er denn?, dachte sie ungeduldig.

Endlich meldete sich Peter Baumann. «Das ist ja 'ne Überraschung! Ich hab schon gedacht, dass du das nächste Opfer der Psychogruppe bist!»

«Bitte mach jetzt keine Scherze. Ich muss unbedingt wissen, ob du die Ehefrau von Rolf Berger schon vernommen hast!»

«Na, deshalb hab ich ja schon mindestens viermal auf deine Mailbox gesprochen. Aber du legst ja keinen Wert auf Zusammenarbeit mit deinem Dezernat! Übrigens, Warnung: Der Chef hat heute Morgen auch versucht, dich zu erreichen! Er ist stinksauer!»

«Es tut mir Leid, Peter. Hier geht alles drunter und drüber. Letzte Nacht sind ein paar Leute völlig ausgeflippt, und jetzt ist Berger verschwunden. Die Carabinieri haben Suchtrupps zusammengestellt. Ich konnte mich einfach nicht melden! Und ich hab auch jetzt nicht viel Zeit.» Laura übertrieb ohne einen Funken schlechten Gewissens.

«Na ja, das musst du dem Chef selbst erklären. Hier in Kürze die letzten Entwicklungen: Bergers Ehefrau sitzt in Untersuchungshaft. Sie ist bei der Befragung ganz schnell zusammengeklappt und hat zugegeben, dass sie Iris Keller in die Isar gestoßen hat. Aber sie sagte auch, dass sie es eigentlich nicht wollte. Es ist bei einem Streit passiert, die beiden Frauen sind offensichtlich tätlich geworden. Die Berger hat uns ein paar halb vernarbte Kratzer gezeigt, die sie selbst abbekommen hat. Angeblich hat sie sich gegen die Angriffe der anderen gewehrt und sie zurückgestoßen, und dabei muss Iris Keller über das Geländer gefallen sein. Die Berger sagte, dass sie danach in Panik weggelaufen sei und gehofft habe, dass die andere allein aus dem Wasser finden würde.»

Laura klemmte das Handy zwischen Schulter und Wange, angelte nach ihrer Unterwäsche und versuchte sich anzuziehen.

«Klingt ziemlich abenteuerlich, was?», murmelte sie angestrengt.

«Bist du noch da? Was machst du denn, zum Teufel?»

«Ich? Nichts. Glaubst du die Geschichte?»

«Ich glaube gar nichts. Aber es gibt keine Zeugen, und die Keller ist tot.»

«Dann war Bergers Frau überhaupt nicht im Urlaub!»

«Nein!»

«Reicht das nicht als Beweis, dass sie den Mord an Iris

Keller geplant hat?» Laura zog ihr Unterhemd über den Kopf und legte deshalb den Hörer eine Sekunde lang aufs Bett.

«He, ich glaube, wir wurden irgendwie unterbrochen. Kannst du mich wieder hören? Ich hab deine Antwort nicht verstanden!»

«Laura! Du machst irgendwas! Das war keine Unterbrechung!»

«Doch! Also, was hast du gesagt?»

«Ich habe gesagt, dass es noch kein Beweis ist. Frau Berger hatte die Reise gebucht, aber nicht angetreten, weil sie ihrem Mann in die Toskana nachfahren wollte. Sie wollte ihn in flagranti ertappen.»

«Und ist sie ihm nachgereist?» Laura unterbrach ihre akrobatischen Ankleideversuche.

«Nein. Nachdem Iris Keller in die Isar gefallen war, hat sie der Mut verlassen.»

«Ist das durch Zeugen belegt?»

«Ja, durch mehrere!»

«Mist!»

«Was?»

«Mist, habe ich gesagt! Wir brauchen hier eigentlich dringend den großen Unbekannten, der in den Wäldern auf Mitglieder dieser Psychogruppe lauert. Wir kommen nicht richtig weiter.»

«Liegt das vielleicht an dem Commissario mit dem interessanten Namen? Ich sag dir eins, Laura, wenn ihr nicht bald Ergebnisse liefert, habt ihr ein Rudel Reporter am Hals. Was ist mit diesem Berger? Ist er abgehauen oder was?»

«Ich weiß es nicht.»

«Weißt du sonst was?»

«Nur dass es hier ein fürchterliches Durcheinander

von Gefühlen und Verbindungen gibt. Hast du noch was über diese Steuerinspektorin rausgekriegt?»

«Nein.»

«Und über den Priester?»

«Er soll angeblich eine Freundin haben. Aber das ist nicht sicher, und niemand kennt sie.»

«Muss ich ihn selbst fragen?»

«Ist wohl das Klügste.»

Laura stieg mit einem Fuß in ihren Slip.

«Deinem Alten Herrn geht's übrigens ganz gut. Er gewinnt jeden Abend beim Kartenspielen und trinkt beachtliche Mengen Rotwein. Aber er ist sauer auf dich, weil du dich nicht meldest.»

«Es tut mir Leid. Ich werde es heute nachholen.»

«Du klingst irgendwie anders. Ist alles in Ordnung?»

«Ja.»

«Gut, dann vergiss nicht, den Chef anzurufen ...» Baumann zögerte.

«Gibt's noch was?» Laura zog den Slip nach oben.

«Nein. Also dann ... mach's gut.»

«Du auch. Und danke für die Beaufsichtigung meines Vaters.»

Baumann hatte aufgelegt. Laura warf das Telefon aufs Bett und zog schnell eine frische Hose und ein T-Shirt an, schlüpfte in leichte Lederstiefel und bürstete ihr Haar. Es war schon fast trocken. Ein bisschen Creme, ein Hauch Lippenstift und Wimperntusche. Fertig. Sie schwitzte schon wieder.

Unten rief Angelo nach ihr.

«Commissaria Gottberg!»

Laura musste lachen. Commissaria Gottberg! Sie lief zum Fenster, stieß es auf und beugte sich hinaus.

«Ja, Commissario Guerrini?», antwortete sie laut.

Er sah zu ihr hinauf und verzog das Gesicht.

«Würden Sie bitte kommen! Es sieht so aus, als hätte einer der Suchtrupps Signor Berger gefunden.»

«Lebt er?»

Guerrini schüttelte den Kopf.

Rolf Berger lag knapp unterhalb einer Hügelkuppe im dürren Gras, lag auf dem Rücken, Arme und Beine weit von sich gestreckt, den Kopf zur Seite geneigt. Sein Mund stand offen, als staune er, seine Augen waren geschlossen. Ströme getrockneten Bluts führten von seiner Nase über das Kinn, hatten auf seinem Hemd häßliche schwarze Flecken hinterlassen. Die rechte Schläfe und der obere Teil seines Schädels waren zertrümmert. Dicke Fliegen umschwirrten die verkrusteten Wunden.

Laura wandte sich ab und kämpfte gegen eine Welle von Übelkeit, ließ ihre Augen über das Land wandern, redete sich selbst gut zu. Nicht schlappmachen! Die Carabinieri beobachten dich. Du bist Anblicke dieser Art gewöhnt!

Doch der Kampf zwischen Kopf und Magen war noch nicht entschieden. Sie spürte Schweiß auf ihrer Stirn, in den Achselhöhlen und Kniekehlen, konzentrierte sich auf ein winziges Auto, das drei Hügel weiter auf einer unsichtbaren Straße dahinraste und eine Staubfahne aufwirbelte.

«Wohin schaust du?», fragte Guerrini dicht neben ihr.

«Nirgendwohin», flüsterte Laura heiser.

«Ist dir nicht gut?»

«Sag kein Wort mehr! Es geht mir hervorragend! Ich liebe den Anblick von zertrümmerten Schädeln!»

«So schlimm? Vielleicht hilft es dir, wenn ich dir sage,

dass Giuseppe in Sicherheit ist. Sein Bruder hat ihn zu einem alten Onkel in die Berge gebracht.»

«Gut. Aber bist du ganz sicher, dass er es nicht war? Kannst du dir vorstellen, dass einer aus der Gruppe Berger den Schädel eingeschlagen hat?»

«Wenn ich mir nicht sicher wäre, hätte ich ihn nicht weggebracht! Sag mir lieber, was Berger mitten in der Nacht auf diesem Hügel zu suchen hatte? Er liegt immerhin fast zwei Kilometer vom Kloster entfernt!»

Ganz allmählich ließ Lauras Übelkeit nach. Es war gut, mit Guerrini zu sprechen, verscheuchte das Bild der Fliegen auf Bergers Schädel.

«Ich versuche es mir so zu erklären …», sagte sie leise. «Berger suchte immer die Extreme. In der Sexualität und in der Natur. Vermutlich ist er letzte Nacht einfach losgerannt, und in der Dunkelheit verwandelten Angst, Wut und Verwirrung sich zu einer Art Hochgefühl. Ausgeschlossen, unverstanden, allein … wunderbar! Er brannte, lief, schrie vielleicht. Erreichte diesen Hügel, ließ sich auf den Boden fallen, spürte die Erde, schaute über das Land …»

«Und dann kam jemand und hat ihn erschlagen. Hättest du gedacht, dass er sich so leicht ergeben würde? Es gibt keine Anzeichen eines Kampfes. Er liegt da, als würde er schlafen … Ich nehme an, dass er seinen Mörder gekannt hat, dass er Vertrauen zu ihm hatte.»

«Vielleicht», murmelte Laura, «aber könnte es nicht auch sein, dass er wirklich schlief? Nach einem Rausch der Verzweiflung ist er hier eingeschlafen, tief zufrieden. Erst dann hat ihn jemand angegriffen. Für mich sieht Berger so aus, als hätte er so gut wie nichts mitgekriegt.»

Guerrini antwortete nicht sofort. Er stieß mit der Fußspitze eine dicke Distel an, räusperte sich und sagte mit belegter Stimme:

«Deine Phantasien verwirren mich ein bisschen. Wie schaffst du es, dir solche Bilder auszumalen … als wärst du dabei gewesen?»

«Quatsch!» Laura schüttelte ungeduldig den Kopf. «Ich schaue mir die Menschen an und höre ihnen zu. Mit Berger habe ich lange gesprochen, und die anderen haben mir interessante Details über ihn erzählt. So, jetzt kann ich mir die Sache genauer ansehen!» Sie atmete tief ein, zwinkerte Angelo zu und ging rückwärts in Richtung Leiche.

«Sehen Sie, Commissaria!» Es war Puccis Stimme.

Laura tat noch einen tiefen Atemzug, drehte sich dann entschlossen um.

«Ja, Maresciallo, was ist?»

«Dieser Brocken könnte es gewesen sein!» Pucci stand ein paar Meter oberhalb der Leiche und zeigte auf einen kantigen Felsbrocken. «Da sind Blutspuren dran!»

Laura und Guerrini kletterten zu ihm hinauf. Der Stein lag in einer flachen Mulde, hatte eine rötliche Maserung und ein paar schwarze Spitzen.

«Markieren Sie den Platz für die Spurensicherung!», sagte Guerrini. «Wir sollten uns den Toten noch etwas genauer ansehen, Commissaria!»

Laura nickte. Er machte es wirklich gut – diesen Wechsel vom vertrauten Gespräch zum offiziellen.

«Natürlich, Commissario!», antwortete sie. Jetzt würde es gehen. Der erste Anblick machte ihr stets zu schaffen, doch dann konnte sie auf Profi umschalten.

Ich und meine vergammelten Leichen, dachte sie und schickte einen zärtlichen Gedanken zu Luca. Ich kann ihn lieben, auch wenn er mich nicht mehr braucht. Liebe gibt Kraft. Manchmal fühle ich Vater oder Mutter hinter mir stehen und mir Kraft geben.

Dicht neben Guerrini stieg sie zu Berger hinunter. Langsam und konzentriert gingen sie immer wieder um den Toten herum, betrachteten seine Lage, seinen Gesichtsausdruck, die Hände.

«Du könntest Recht haben», sagte Guerrini. «Er liegt da, als wäre er im Schlaf überrascht worden.»

Am Fuß des Hügels hielt ein Wagen. Die kleine gebeugte Gestalt von Dottore Granelli keuchte zu ihnen herauf.

«Warum musste es noch einer sein, Guerrini?», murrte der alte Arzt und beugte sich über den Toten. Dann streifte er sich Plastikhandschuhe über die Hände und drehte Bergers Kopf ein wenig hin und her. Die Fliegen erhoben sich in brausenden Schwärmen. Diesmal schaute Guerrini übers Land und wurde merklich blasser.

«Hab dich nicht so!», knurrte Granelli. «Fliegen gehören zum Handwerk. Der hier ist eindeutig erschlagen worden. Da kann niemand sagen, dass er auf einen Stein gefallen wäre. Drei Schläge ... würde ich auf den ersten Blick sagen. Vielleicht auch vier.» Granelli besah sich Bergers geöffnete Hände.

«Hat sich nicht gewehrt, was? Na ja, da muss man sehen, ob nicht was unter seinen Fingernägeln steckt. Ist das auch ein Deutscher?»

Laura nickte.

«Scheint ja ein komischer Haufen zu sein! Selbsterfahrung, wie?» Granelli lachte kurz auf, dann ließ er den Blick über das Land schweifen und nickte. «Wunderbarer Platz, nicht wahr? Kein schlechter Ort zum Sterben. Jedenfalls besser als ein Bett im Krankenhaus. Vielleicht leg ich mich auch mal hier raus, wenn es so weit ist!»

«Sie haben einen merkwürdigen Humor, Dottore», erwiderte Guerrini und fuhr sich übers Gesicht.

«Den richtigen, Guerrini, den richtigen. Irgendwann liegen wir alle so da – erschlagen oder nicht! Schickt ihn mir rüber, wenn die Herren Techniker mit ihm fertig sind. Ich sage euch dann Bescheid.» Granelli nickte Laura zu und machte sich seufzend an den Abstieg. Kurz vor dem Wagen drehte er sich um und rief:

«Beeilt euch ein bisschen mit den Ermittlungen. Ich hab keine Lust, noch einmal auf einen Berg zu klettern!»

«Granelli», sagte Guerrini matt. «Typisch Granelli!»

Gemeinsam mit Pucci und den anderen Carabinieri suchten sie die Umgebung der Leiche ab, ohne irgendetwas zu finden. Der Boden war hart, nahm keine Fußabdrücke auf. Erst eine halbe Stunde nachdem Granelli fort war, kamen die Männer der Spurensicherung, und Guerrini fragte ärgerlich, wo sie so lange gesteckt hätten. Sie zuckten nur die Achseln und murmelten etwas von Stau.

«Cappuccino-Stau!», gab Guerrini bissig zurück.

«Niemals, Commissario! Wo denken Sie hin?»

«Ich denke direkt und logisch. Braucht ihr mich noch?»

«Nein, Commissario!»

«Dann fahre ich mit der Commissaria zum Kloster zurück. Habt ihr eigentlich den Brillenbügel weggeworfen, oder gibt's da ein Ergebnis?»

«Das hat Bastia gemacht, Commissario. Er hat heute seinen freien Tag. Aber er sagte was von verwischten Fingerabdrücken und genügend Hautpartikeln, um eine genetische Untersuchung durchführen zu können!»

«Und warum wird mir das nicht mitgeteilt?»

«Er hat's versucht, aber Ihr Handy war abgestellt, und

die Mailbox hat nicht funktioniert … und zu Hause waren Sie auch nicht, Commissario.»

Guerrini hob beide Hände zum Himmel und fluchte leise.

Zwei buckelnde Katzen flüchteten auf eine Mauer, als Guerrini auf den Klosterhof fuhr. Die Veranda war leer.

«Wo sind die denn alle?», fragte Guerrini wütend. «Meditieren sie über diesen gelungenen Mord? Was ist das eigentlich für ein Verein?»

Laura legte eine Hand auf seinen Oberschenkel.

«Reg dich nicht auf! Wir werden sie schon finden. Gruppen dieser Art bilden eine Welt für sich. Nach dem Motto: Alles ist innen, nichts ist außen!»

«Im Augenblick sind die meisten Dinge außen, Laura. Wir müssen zwei Morde aufklären, und wenn wir das nicht bald schaffen, bekommen wir beide Ärger! Ich hatte heute Morgen ein sehr unangenehmes Telefonat mit meinem Vorgesetzten. Er war nicht einverstanden damit, dass wir Rana aus dem Gefängnis geholt haben, und er unterstellt mir, die Ermittlungen nicht zügig genug durchzuführen. Außerdem hat er eine unfreundliche E-Mail von einem deutschen Kollegen bekommen.»

«Becker!», sagte Laura.

«Was?»

«Ich sagte: Becker. Das ist mein Chef!»

«Da hast du's!»

«Ja, aber es ist mir egal!»

«Mir eigentlich auch. Aber ich bin schon einmal strafversetzt worden …»

«Wegen Faulheit?»

«Nein, wegen zu erfolgreicher Arbeit!»

«Siehst du! Man muss sich Zeit lassen, um nicht falsche Schlüsse zu ziehen. Ich glaube nicht, dass wir etwas versäumt haben … bis auf letzte Nacht. Vielleicht wäre Berger noch am Leben, wenn wir nicht ans Meer gefahren wären.»

Guerrini lehnte sich zurück und schloss die Augen.

«Ich glaube nicht», murmelte er. «Hättest du ihm verboten, nachts herumzulaufen?»

«Nein», antwortete Laura leise, «aber diese Gruppensitzung hätte wahrscheinlich nicht stattgefunden. Wir hätten mit den Leuten geredet. Vielleicht wäre danach das Risiko für den Mörder oder die Mörderin zu groß gewesen!»

Guerrini massierte seine linke Schulter und verzog das Gesicht, als litte er unter Schmerzen.

«Bedauerst du, dass wir gefahren sind?»

Laura schüttelte den Kopf.

«Ich bedaure keine Minute, Angelo. Es ist nur … alles, was wir tun, hat Einfluss auf andere. Man darf nicht zu genau darüber nachdenken, sonst wird man verrückt!»

«Gut!» Guerrini richtete sich auf. «Dann lass uns diese Gesellschaft aus ihren Meditationen aufwecken. Ich bin gespannt auf die Gesichter!» Er beugte sich blitzschnell vor, küsste Laura auf den Mund und flüsterte: «Passen Sie auf, Commissaria Gottberg! Es könnte sein, dass ich Sie liebe!»

Ich dich auch, dachte Laura mit klopfendem Herzen. Aber sie antwortete nicht, zog nur die Nase kraus und lächelte. Guerrini betrachtete forschend ihr Gesicht, drehte sich um, und gleichzeitig stiegen sie aus dem Wagen. Über das Autodach hinweg begegneten sich ihre Blicke.

«Ja!», sagte Laura. «Ja, ja, ja!»

«Dann ist ja alles in Ordnung. Wo fangen wir an?»

«Wir gehen einfach ums Haus herum und sammeln sie ein.»

Blühende Rosen hingen von den Mauern, Eidechsen huschten davon. Lavendelduft stieg von den Sträuchern auf. Guerrini und Laura setzten ihre Füße behutsam, fanden Katharina Sternheim neben einem Rosmarinbusch, mit geschlossenen Augen, im Lotossitz, die Hände weit geöffnet auf den Knien.

Guerrini räusperte sich.

«Signora, ich muss Sie leider stören!»

Katharina zuckte leicht zusammen, ballte die Hände und blinzelte verwirrt in seine Richtung.

«Ja? Was ist denn?»

«Wir haben Rolf Berger gefunden», sagte Laura.

«Er ist tot, nicht wahr?»

«Ja!» Guerrini setzte einen Fuß auf die Mauer und stützte seinen Ellbogen auf den Oberschenkel. «Woher wissen Sie das?» Er sprach Englisch.

«Ich habe es gespürt bei meiner Meditation. Ich hatte Ihnen doch gesagt, dass es Gefahren geben könnte. Dass ich Ihnen helfen könnte, die Wahrheit zu finden ...»

«Haben Sie das nicht getan, Katharina? Welchen Zweck hatte denn die Sitzung gestern Abend?» Laura beobachtete jede Regung der Therapeutin.

Katharina stöhnte leise, streckte langsam ihre Beine aus.

«Ich habe einen Fehler gemacht. Ich habe ... mich von meinem Zorn leiten lassen ...»

Die gewählte Ausdrucksweise der Therapeutin ging Laura auf die Nerven.

«Können Sie nicht einfach sagen, dass Sie wütend waren. Sie sind schon lange wütend, nicht wahr?»

Katharinas Augen verengten sich.

«Ich glaube nicht, dass ich Ihnen darüber Rechenschaft schuldig bin!»

«In gewisser Weise schon! Bitte verwechseln Sie mich nicht mit einem Ihrer Klienten. Außerdem kann ich sehr gut verstehen, dass Sie wütend sind. Ihre Arbeit wird in dieser Gruppe ad absurdum geführt!»

«Ja», wisperte Katharina. «Das ist vermutlich der richtige Ausdruck dafür … ad absurdum.»

«Gut. Gehen wir die Dinge in der üblichen Reihenfolge durch! Was haben Sie nach der Sitzung gestern Abend gemacht?»

«Ich saß noch eine Weile auf der Mauer, gleich hier, und habe nachgedacht. Es war eine sehr dunkle Nacht … und die Stachelschweine …» Katharinas Stimme war kraftlos.

«Was war mit den Stachelschweinen?»

«Sie weinten … Ich habe so etwas noch nie gehört!»

«Wie lange saßen Sie hier?»

«Ich weiß es nicht.»

«Sind Sie anschließend sofort in Ihr Zimmer gegangen?»

«Ja. Ich habe mich angezogen aufs Bett gelegt und mir die Ohren verstopft, weil diese entsetzlichen Traktoren mir Angst machten und ich die Stachelschweine nicht mehr hören wollte.»

«Seltsam», sagte Laura.

«Was?» Katharina fuhr auf.

«Wir müssen sie knapp verfehlt haben. Wir sind gegen zwei Uhr nachts zurückgekommen. Ich habe keine Stachelschweine gehört. Nur Rosas Schreie und die Traktoren.»

Katharina wiegte sich hin und her, begann leise zu summen.

Guerrini warf Laura einen irritierten Blick zu.

«Als Sie auf der Mauer saßen, Katharina, haben Sie da jemanden gesehen? Einen Menschen, der das Kloster verließ?»

Das Summen verebbte.

«Rolf ging sofort nach der Sitzung. Er stürzte noch zwei Gläser Rotwein runter ... dann war er fort.»

«Glauben Sie, dass jemand ihm folgte? Bitte, Katharina, es ist wirklich sehr wichtig!» Laura beugte sich vor.

«Zwei waren noch auf der Veranda, als ich hinters Haus ging», antwortete Katharina langsam.

«Wer?» Laura ärgerte sich über die Ungeduld in ihrer Stimme.

«Hubertus und Susanne.»

«Wie lange war Berger da schon weg?»

Katharina runzelte die Stirn.

«Es ging ineinander über. Rolf trank den Wein und ging über den Hof. Ich folgte ihm und setzte mich auf die Mauer. Aber von der Mauer konnte ich nicht sehen, wohin er lief. Ich konnte auch nicht sehen, ob jemand ihm folgte.»

«Wo waren die anderen? Britta Wieland, Monika Raab und Rosa Perl?»

«Ich weiß es nicht. Ich habe nicht darauf geachtet. Warten Sie ... Britta und Monika haben noch eine Weile am Brunnen gesessen. Monika rauchte eine Zigarette. Ich kann mich an den glühenden Punkt erinnern. Aber Rosa ... sie verschwand nach der Sitzung auf die Toilette. Danach habe ich sie nicht mehr gesehen.»

«Es waren also alle noch irgendwohin unterwegs. Niemand zog sich sofort zurück?»

Katharina faltete ihre Hände und schüttelte den Kopf.

«Dazu waren wohl alle zu aufgewühlt. Ich selbst ja

auch … hätte mich nie einfach ins Bett legen können. Das musste langsam ausklingen, ins Gleichgewicht kommen.» Katharina sprach ebenfalls Englisch.

«Interessantes Gleichgewicht!», warf Guerrini bitter ein.

Die Therapeutin lächelte leise und sah ihn mit ihren klaren durchdringenden Augen an.

«Es mag verwirrend für Sie klingen, Commissario. Aber manchmal wird im Leben eine andere Art von Gleichgewicht hergestellt, als mit unserem Verstand vereinbar ist. Es gab einen deutschen Dichter, der dies sehr schön ausgedrückt hat. Ich kann ihn nicht wörtlich wiedergeben, nur so ungefähr. Aber der Sinn seiner Worte ist: Ein höheres Bewußtsein verwirft den Begriff der Schuldlosigkeit … Für dieses Bewußtsein gibt es keine unschuldigen Opfer, keinen sinnlosen Tod. In allem steckt allertiefster Sinn, und es ist deshalb nicht weniger tragisch!»

Laura bückte sich, hob einen runden Stein auf und legte ihn in ihre Handfläche.

«Wer war dieser Dichter?», fragte sie.

«Christian Morgenstern. Und er sagte auch, dass ein Mensch nicht schon deshalb unschuldig genannt werden darf, weil er einem Mord oder einer Katastrophe zum Opfer fällt.»

«Und deshalb sprachen Sie von Gleichgewicht?» Laura rollte den Stein in ihrer Hand hin und her.

«Nein. Ich meinte nicht den Tod von Rolf Berger. Ich meinte das Gleichgewicht in jedem Einzelnen von uns. Und … Sie werden mich vielleicht verrückt oder merkwürdig finden. Für mich ist der Tod nicht so erschreckend. Er hat häufig seine Richtigkeit, auch wenn wir es nicht erkennen.»

Laura stieß ein trockenes Lachen aus.

«Richtigkeit oder nicht! Wir müssen einen Mörder oder eine Mörderin finden. Es ist nun mal mit dem Gesetz nicht vereinbar, wenn manche Menschen ein Gleichgewicht herstellen, indem sie jemanden umbringen!»

«Ja, das ist so», murmelte Katharina kaum hörbar. «Anders könnten wir Menschen vermutlich nicht zusammenleben. Aber wie Sie wissen, gibt es genügend Ausnahmen. Töten ist nicht generell verboten. Manchmal wird es sogar offiziell erlaubt!»

«Ja, leider», erwiderte Guerrini. «Aber das hat nichts mit unserem Fall zu tun. Es gibt zwar tausend Kriege auf dieser Welt. Aber das hier ist keiner! Es handelt sich um schlichten Mord!»

«Sind Sie sicher, Commissario?» Katharina lächelte und betrachtete ihre Hände.

Guerrini schüttelte ungeduldig den Kopf.

«Macht es Ihnen eigentlich Spaß, die Dinge in mystischen Nebel zu hüllen? Wollen Sie damit jemanden schützen? Sich selbst vielleicht? Sie hätten Berger ohne Schwierigkeiten folgen können. Ich bin sicher, dass es keinen Zeugen gibt, der Sie auf der Mauer sitzen sah!»

Katharina lächelte noch immer, zupfte einen Grashalm von ihrer Hose, drehte ihn zwischen den Fingern.

«Ich habe keinen Zeugen, Commissario. Sie können mir glauben oder nicht! Aber ich habe auch kein Motiv – außer vielleicht, dass ich Rolf Berger nicht ausstehen konnte, was nicht gerade für meine emotionale Neutralität als Therapeutin spricht.»

«Haben Sie einen Verdacht?» Laura ging neben Katharina in die Hocke. «Ich bitte Sie, Katharina. Sie kennen diese Gruppe ganz genau. Sie müssten Ahnungen haben ...»

Katharina neigte den Kopf und musterte Laura von der Seite.

«Es tut mir Leid. Ich habe keine Ahnungen. Wenn Bergers Ehefrau in der Nähe wäre, dann könnte ich die Sache verstehen. Aber so ... Rosa hätte niemals die Kraft. Hubertus ... warum sollte er. Britta und Monika bestimmt nicht. Und Susanne ... ich kenne sie nicht, ich weiß nicht, was in ihr vorgeht ... aber ich habe den Eindruck, dass sie sehr weit von alldem entfernt ist.»

«Gut!», sagte Guerrini. «Dann nehmen wir uns diese Dame vor. Ich fange immer bei denen an, die am wenigsten verdächtig erscheinen! Wissen Sie, wo Susanne Fischer gerade ist?»

«Nein!», sagte Katharina. «Aber meistens sitzt sie vor dem verfallenen Bauernhaus, gegenüber vom Friedhof der Mönche.»

«Wie romantisch!» Guerrinis Stimme klang hart.

«Seien Sie nicht ungerecht, Commissario!» Auch in Katharinas Stimme lag Schärfe.

Niemand saß vor dem verfallenen Bauernhaus. Laura und Guerrini umrundeten das Gemäuer, gingen weiter zum Friedhof, kehrten zum Kloster zurück.

«Ich habe das Gefühl, dass keiner aus dieser Gruppe hier in der Wirklichkeit lebt!», sagte Laura plötzlich. «Als hätten sie sich ausgeklinkt.»

Guerrini lachte auf.

«Nicht unbedingt ein Fehler, oder? Wahrscheinlich haben sie alle jede Menge Schwierigkeiten, und das hier ist doch die ideale Insel.»

«Jajaja!», sagte Laura. Dachte, dass sie sich selbst ausgeklinkt hatte. Ein bisschen jedenfalls. Viel zu wenig. Bei all dem Hunger auf Leben. Und auf einmal waren alle wieder da, als hätte jemand Simsalabim gesagt – Monika auf dem Brunnen, eine Zigarette zwischen den Fingern, Hubertus und Rosa auf der Veranda, Britta in der Telefonzelle –, nur Susanne fehlte.

«Wir müssen es ihr sagen!»

«Was? Wem?», fragte Guerrini.

«Wir müssen Rosa Perl sagen, dass Berger tot ist!»

«Nein!» Guerrini hob entsetzt seine Hände. «Ich habe keinen Bedarf an Nervenzusammenbrüchen! Das kann die Therapeutin machen. Dazu ist sie da! Ich will mit dieser Susanne Fischer sprechen!»

«Siehst du sie irgendwo?»

«Nein!»

«Dann nehmen wir die junge Dame auf dem Brunnen. Einverstanden?»

Guerrini nickte. Langsam näherten sie sich dem Brunnen. Monika Raab saß mit dem Rücken zu ihnen, rauchte heftig. Als Laura sich räusperte, fuhr sie zusammen und drehte sich erschrocken um.

«Ach, Sie sind's!»

«Ja. Wir würden uns gern mit Ihnen unterhalten», sagte Laura.

«Mit mir? Wieso denn mit mir? Was ist denn eigentlich los? Haben Sie Rolf gefunden? Mir tut er einfach Leid, weil immer alle auf ihm rumhacken!» Sie unterbrach ihren hastigen Wortschwall und drückte die Zigarette am Brunnenrand aus.

«Rolf Berger ist tot», erwiderte Laura sanft. «Wir haben ihn gefunden.»

«Er ist was!?» Monika starrte Laura und Guerrini entsetzt an. «Wieso tot? Er kann nicht tot sein!» Mit zitternden Händen zog sie ein Zigarettenpäckchen aus ihrer

Blusentasche. Es fiel zu Boden. Guerrini bückte sich, hob es auf, schüttelte eine Zigarette heraus und hielt sie der jungen Frau hin. Sie griff danach, ohne sich zu bedanken.

«Warum kann er nicht tot sein?», fragte Laura.

«Weil, weil er heute Nacht noch gelebt hat. Weil … er hat sich umgebracht, nicht wahr? Ich hab's gewusst, dass er sich umbringt! Mein Bruder hat sich umgebracht! Er ist genauso weggelaufen wie Rolf! Ich wollte ihm nachgehen … ich wusste es!» Sie stammelte, schluchzte auf, suchte in allen Taschen nach einem Feuerzeug.

«Wem wollten Sie nachgehen?»

«Meinem Bruder! Aber ich hab's nicht getan! Ich … konnte nicht! Ich war wie gelähmt!» Endlich hatte sie ihr Feuerzeug gefunden, doch sie zitterte so sehr, dass Guerrini es ihr aus der Hand nahm und ihr half. Monika inhalierte tief, hustete ein bisschen.

«Wollten Sie auch Rolf Berger nachgehen?», fragte Laura.

«Ja! Er … rannte raus in die Dunkelheit. Ich bin ihm nach … bis zum Ende des Hofs. Aber ich … fürchte mich, wenn es so dunkel ist. Ich hab ihn gerufen, aber er ist einfach weiter … Dann hab ich mich auf den Brunnen gesetzt und eine Zigarette geraucht. Ich wollte auf ihn warten. Aber er kam nicht zurück!»

«Haben Sie einen Zeugen dafür, dass Sie ihm nicht nachgegangen sind?»

«O mein Gott! Sie werden doch nicht denken … Ist er umgebracht worden?» Monika warf die Zigarette in den Sand und bedeckte ihr Gesicht mit beiden Händen.

«Er ist erschlagen worden», sagte Laura leise. «Er hat sich nicht umgebracht.»

Die junge Frau umschlang ihren Oberkörper mit beiden Armen.

«Ich will hier weg», flüsterte sie heiser. «Ich halte das nicht mehr aus. Da ist jemand, der einen nach dem andern umbringen will. Bringen Sie mich weg! Bitte! Bringen Sie mich weg!»

«Sie müssen nicht mehr lange bleiben», antwortete Laura, versuchte ihrer Stimme einen beruhigenden Klang zu geben. «Die Ermittlungen werden bald abgeschlossen sein. Ich muss aber trotzdem wissen, ob jemand gesehen hat, dass Sie hier am Brunnen saßen.»

«Ja, natürlich … natürlich. Es ist … Britta hat bei mir gesessen. Dann sind wir schlafen gegangen. Britta war auch total aufgeregt. Ich weiß nicht, was letzte Nacht in Katharina gefahren war. Sie hat uns völlig auseinander genommen … o mein Gott! Der arme Rolf!» Monikas Schultern zuckten.

«Monika …», Laura zögerte. «Hören Sie. Ich kann verstehen, dass Sie erschüttert und durcheinander sind. Aber könnten Sie sich bitte noch einen Augenblick konzentrieren. Es ist wichtig! Hat jemand das Kloster verlassen, als Sie am Brunnen saßen? Oder haben Sie einen Schatten gesehen? Irgendwas?»

Monika wischte sich mit dem Handrücken über die Nase, schniefte wie ein kleines Mädchen.

«Katharina ist ums Haus gegangen. Eine von den Französinnen war bei ihrem Auto und hat was rausgeholt. Sonst kann ich mich an nichts erinnern.»

«Wo waren Hohenstein, Rosa Perl und Susanne Fischer?»

«Ich … warten Sie. Hubertus und Susanne standen auf der Terrasse, jedenfalls glaub ich das. Hubertus hat seine Pfeife geraucht. Aber ich hab keine Ahnung, wo Rosa war.»

«Als Sie zu Bett gingen, da mussten Sie doch durch

den Gruppenraum. Lag Rosa Perl da auf ihrer Matratze?»

Monika sah Laura aus rot verweinten Augen an.

«Ich weiß es nicht. Kann sein. Aber vielleicht war es nur ihr Schlafsack. Jedenfalls hat sie nichts gesagt, und wir dachten, dass sie schon schlafen würde.»

«Hubertus Hohenstein und Susanne Fischer waren noch auf der Veranda?»

«Nein … doch! Hubertus war noch da. Susanne hab ich nicht gesehen.»

«War sie vielleicht im Bad?»

Monika schüttelte den Kopf.

«Nein, da war sie nicht. Ich bin nämlich aufs Klo. Bad und Klo sind in einem Raum. Kann aber sein, dass sie schon in ihrem Zimmer war. Sie schlief ja allein, seit Carolin … o mein Gott, ist das schrecklich!» Wieder brach sie in heftiges Schluchzen aus. Wortlos reichte Guerrini ihr ein Papiertaschentuch.

Laura setzte sich neben die junge Frau auf den Brunnenrand.

«Sagen Sie, Monika … wie geht es Ihnen in dieser Gruppe – ich meine, abgesehen von den schrecklichen Ereignissen der letzten Tage. Kommen Sie mit den Menschen zurecht?»

«Ich?!» Monika rutschte ein Stück von Laura weg.

«Ja, Sie!»

«Es geht mir nicht besonders gut, wenn Sie das meinen. Ich … es ist das erste Mal, dass ich so eine Gruppe mitmache. Es ist ziemlich … Ach, ich weiß nicht, was ich sagen soll!»

«Vielleicht sagen Sie es ganz einfach.»

«Wenn ich hier einfach was sage, dann schäm ich mich jedes Mal. Komm mir total blöd vor!»

«Aber ich bin keine Therapeutin. Ich bin Ihnen sogar dankbar, wenn Sie sich möglichst klar ausdrücken. Sie brauchen sich kein bisschen zu schämen.»

Monika schluckte, gab sich dann einen Ruck und sagte:

«Ich mag bestimmte Sachen sehr: in der Früh meditieren und draußen rumlaufen. Ich tanze auch gern und mag die Körperübungen auch. Aber diese Gruppensitzungen ... die machen mich fertig. Das ist ... ich weiß nicht, wie ich's ausdrücken soll. Das ist wie ein schwarzes Loch, wie ein Horrorfilm! Jeder von uns hat so einen Horrorfilm in sich drin. Von außen sieht man gar nichts – aber wenn die Leute aufmachen. Ich ... ich hab drüber nachgedacht. Ganz lang! Wenn jeder Mensch so was in sich drin hat, dann ... fürcht ich mich. Vor allen Menschen ...!»

«Ja», erwiderte Laura leise, «manchmal kann man auf solche Gedanken kommen. Nur müsste man sich dann auch vor sich selbst fürchten, nicht wahr?»

«Was?» Die junge Frau runzelte die Stirn, als bereite es ihr Mühe, Lauras Worte zu verstehen.

«Na ja, wenn Sie sich vor allen Menschen fürchten, dann müssen Sie sich auch vor sich selbst fürchten. Sie gehören doch auch dazu, oder?»

Monika zog eine neue Zigarette aus der Packung.

«Es könnte so schön sein», flüsterte sie. «Die ganze Gegend hier und alles, wenn die Menschen nicht wären.»

«Oje!» Laura lächelte. «Ohne Menschen wäre es hier ziemlich einsam, und es gäbe vielleicht noch mehr Grund, sich zu fürchten!»

«Ach, Sie haben ja keine Ahnung!» Monika sprang auf, stand mit geballten Fäusten vor Laura und Guerrini, schrie plötzlich. «Keiner hat eine Ahnung! Alle reden nur verdammt schlaue Sachen, die sie wahrscheinlich selbst nicht verstehen!» Sie drehte sich um und rannte über den Hof davon, verschwand hinter dem Nebengebäude, tauchte aber gleich darauf wieder auf, lief zur Veranda hinauf, stolperte und schlug die Tür zum Gruppenraum hinter sich zu.

«Sie hat wahrscheinlich Katharina Sternheim gesehen», sagte Laura.

«Was hast du denn gemacht, dass sie so aufgeregt ist?»

«Unser Gespräch ist in eine philosophische Richtung gegangen. Sie meinte, dass man sich vor allen Menschen fürchten müsse, und ich habe geantwortet, dass man sich dann auch vor sich selbst fürchten muss!»

Guerrini lächelte.

«Ich denke, es ist genau andersrum. Wenn man sich vor sich selbst fürchtet, dann fürchtet man sich auch vor den anderen. Es hat was mit Projektionen zu tun, wenn ich mich richtig erinnere.»

«*Dio buono!*», stöhnte Laura. «Bist du ein kluges Köpfchen! Aber jetzt lass uns mal alle tiefenpsychologischen und philosophischen Gedanken vergessen. Von unserer Gruppe, die ursprünglich aus acht Personen bestand, sind noch sechs übrig. Keiner dieser sechs hat bisher einen Fluchtversuch unternommen, obwohl einige ziemlich am Ende ihrer Nerven sind. Wir haben mit allen gesprochen, außer mit Susanne Fischer, und jetzt weiß ich auch warum: Sie hat sich auf eine ganz unauffällige Weise entzogen. Sie war einfach nicht da. Und sie ist schon wieder nicht da!»

«Dann gehen wir sie suchen», antwortete Guerrini. «Sie kann sich ja nicht in Luft aufgelöst haben!»

Sie fingen in Susannes Zimmer an. Es war groß, hoch und hatte ein Fenster nach Norden. Zwei Betten standen drin, eins davon war unberührt und mit einem bunten Baumwolltuch bedeckt. Carolins ehemaliges Bett. Eine Fliege summte am Mückennetz, sonst war es vollkommen still.

Laura öffnete den alten Schrank. Ein leichter Geruch nach Mottenkugeln stieg auf, in den Fächern lagen kleine Stapel mit Unterwäsche, T-Shirts und Nachthemden. Nach einem kurzen Blick klappte Laura die Tür wieder zu. Eigentlich hatte sie kein Recht, in diesen Schrank zu sehen. Guerrini bückte sich unterdessen neben dem Bett, schaute drunter, hob ein Buch auf.

«*Zen – oder die Kunst des Bogenschießens*», buchstabierte er langsam.

«Keine schlechte Lektüre», bemerkte Laura. «Ich hab es schon ein paar Mal gelesen. Es hilft enorm, sich aufs Wesentliche zu konzentrieren.»

«Auch dabei, anderen Leuten den Schädel einzuschlagen?», fragte Guerrini.

«Vermutlich auch!», murmelte Laura. «Ich werde Rosa fragen, warum sie nicht bei Susanne schläft. Da ist immerhin ein Bett frei.»

Sie traten wieder in den dunklen Flur hinaus, der nach ein paar Metern in den Gruppenraum mündete. Laura klopfte an die Badezimmertür, sah kurz hinein. Leer. Sie klopfte an die zweite Tür. Monika Raabs erschrockene Stimme antwortete. Laura streckte nur kurz den Kopf ins Zimmer.

«Entschuldigung – wir suchen Susanne Fischer.»

«Hier ist sie jedenfalls nicht!», antwortete Monika unfreundlich. Sie lag auf einem der Betten und starrte an die Decke.

«Schon gut!» Laura ließ die Tür leise ins Schloss

schnappen. Wie große Katzen strichen Guerrini und sie durch den Gruppenraum, inspizierten die Küche, trafen sich vor dem Ausgang zur Veranda, schlüpften hinaus, überraschten Hohenstein, der dicht neben Rosa Perl saß und seine unvermeidliche Pfeife rauchte. Laura warf Guerrini einen fragenden Blick zu, er schüttelte den Kopf, sie nickte.

«Oh», rief Hohenstein. «Ich hatte gar nicht bemerkt, dass Sie ins Haus gegangen sind.»

Laura lächelte.

«Sie waren gerade nicht da, als wir hineingingen. Haben Sie zufällig Susanne Fischer gesehen?»

Hohenstein stieß runde Wölkchen aus und schüttelte den Kopf.

«Nein, ich habe sie schon eine ganze Weile nicht gesehen. Jedenfalls ist mir nicht bewusst, dass ich sie gesehen hätte … Rosa, hast du Susanne gesehen?»

«Nein.» Rosas Stimme klang heiser. «Es ist mir auch ganz egal, wo sie ist. Haben Sie Rolf gefunden?»

Laura sah Rosas geweitete Augen, kam sich feige vor, als sie den Kopf schüttelte, fragte stattdessen: «Warum schlafen Sie nicht bei Susanne Fischer? Das wäre sicher bequemer als auf der Matratze im Gruppenraum.»

Rosa schnappte entsetzt nach Luft, ihre Augen weiteten sich noch mehr.

«Im Bett einer Toten? Sie fragen mich, warum ich nicht im Bett einer Toten schlafe?» Rosa lachte plötzlich. Ein abgehacktes, irres Lachen, das atemlos wurde. «Rolf ist tot! Sie sagen es nur nicht, weil Sie mich schützen wollen! Ist es nicht so?»

Laura sah zu Guerrini hinüber, senkte den Kopf. Sie musste es sagen. Ihr grauste vor Rosas Reaktion.

«Wir wollten Sie wirklich schützen, Rosa», murmelte

sie schließlich. «Rolf Berger wurde vor zwei Stunden gefunden.»

Rosa öffnete den Mund, rang wie eine Ertrinkende um Luft, griff nach dem Arm des Priesters.

«Hat er … hat er sich …? Nein, Rolf würde sich niemals … Hat jemand ihn …? Aber wer denn, um Gottes willen?»

«Wir wissen es nicht, Rosa. Wir müssen auf die Ergebnisse des Gerichtsmediziners warten.»

Hohenstein starrte auf seine Pfeife.

«Ist das wahr? Rolf ist tot? Das … das tut mir sehr Leid. Ich weiß wirklich nicht mehr, was ich denken soll. Es ist ein bisschen viel in so kurzer Zeit.»

Laura und Guerrini schenkten ihm keine Beachtung, sie wandten keinen Blick von Rosa, die innerhalb von Sekunden zerfiel, sich krümmte und langsam zu Boden sank. Gleichzeitig sprangen sie nach vorn, stützten die Kranke, sprachen beruhigend auf sie ein. Doch Rosa nahm all ihre Kraft zusammen und schlug nach ihnen, schrie: «Weg! Lasst mich los! Ihr seid schuld! Alle seid ihr schuld! Er war das Einzige, das ich hatte. Das Einzige!»

Einer ihrer ziellosen Hiebe traf Hubertus. Seine Pfeife flog quer über die Veranda. Erschrocken sah er auf Rosa, ging langsam über die Steinfliesen, hob die Pfeife auf.

Schnelle Schritte auf der Treppe, Britta Wielands fragende Augen.

«Was … wer schreit da so?»

«Berger ist tot. Können Sie sich bitte um Rosa kümmern?»

Britta zuckte nur kurz zusammen, kniete neben Rosa nieder und legte einen Arm um sie, verwandelte sich blitzschnell in die Krankenschwester, die sie war. Froh, etwas tun zu können, dem endlosen Warten zu entkommen.

«Helfen Sie ihr!», herrschte Laura Hohenstein an, der ratlos daneben stand.

«Ja. Natürlich. Einen Augenblick …» Hubertus legte seine Pfeife zwischen die Blumentöpfe und beugte sich ebenfalls über Rosa.

«Was …?» Er schickte hilflose Blicke zu Guerrini und Laura.

«Erzählen Sie ihr was über den Sinn des Lebens oder des Todes. Das können Sie doch, oder?»

Als hätte sie ihm ins Gesicht geschlagen, wich Hohenstein kaum merklich zurück. Laura sah Schmerz in seinen Augen, empfand ebenfalls Schmerz.

Routinemäßige Verletzungen, dachte sie. Ich kann das schon verdammt gut. Immer auf Schwachstellen, um die Leute mürbe zu machen. Sie drehte sich um und lief die Treppe hinunter, halb blind, weil Tränen in ihre Augen schossen, verkrampfte den Nacken, atmete kaum, dachte: Ich weine nicht, ich weine nicht, ich weine nicht! Spürte Guerrini hinter sich, neben sich. Er darf nicht sehen, dass ich weine. Ich will es nicht! Lief weiter, über den Hof, erreichte die Arkaden, bog um das Hauptgebäude herum. Endlich konnte man sie von der Veranda nicht mehr sehen. Aber Laura lief weiter, bis Guerrinis Hand ihre Schulter griff und sie ihm zuwandte. Sie zuckte vor seinem Gesicht zurück, wie Hubertus vor ihren Worten. Erwartete einen Schlag, der sie aus ihrer plötzlichen Verwirrung aufwecken würde – doch es kam kein Schlag. Angelo hielt sie jetzt an beiden Schultern fest. Sie konnte ihn nicht deutlich sehen – diese verdammten Tränen.

«Du weinst ja!», sagte er mit erstaunter Stimme.

Das gab Laura den Rest. Tränen brachen aus ihr hervor, als öffne sich eine Schleuse und dahinter täte sich ein See auf, von dem sie nichts gewusst hatte.

Angelo zog sie fest an sich, hielt sie wie ein Kind, wiegte sie leicht, und Laura weinte, weinte, weinte. Als der Strom allmählich nachließ, füllte sich ihr Kopf mit verrückten Bildern, die sich in rasender Geschwindigkeit abwechselten. Die Fliegen um Rolf Bergers Kopf, Lucas ironisches Lächeln, Sofias fragendes Gesicht, ihr Vater, Carolins kalkweißer Fuß mit den organgefarbenen Zehennägeln.

«Du hast zu wenig geschlafen», murmelte Angelo.

Laura schüttelte den Kopf und nickte beinahe gleichzeitig.

«Viel zu wenig», stammelte sie. «Aber deshalb weine ich nicht. Ich weine über alles … einfach alles!»

«Das ist eine ganze Menge.» Er hielt sie von sich weg und betrachtete prüfend ihr Gesicht.

«Schau mich nicht an!» Laura drehte ihren Kopf weg.

Guerrini reichte ihr ein Papiertaschentuch.

«Hast du noch mehr davon?» Sie erinnerte sich daran, dass er auch Monika Raab mit Taschentüchern versorgt hatte.

«Noch vier!», antwortete er ruhig.

«Bist du immer so … so gelassen?» Laura wandte ihm den Rücken zu und schnäuzte sich.

«Nein.»

«Gott sei Dank!»

«Wieder besser?»

«Ja!» Laura machte ein paar zögernde Schritte, um herauszufinden, ob ihre Beine sie trugen.

«Danke», sagte sie dann.

«Wofür?»

«Dafür, dass du mich gehalten hast. Es ist verdammt lange her, dass mich jemand in den Arm genommen hat, wenn ich weinte.»

«Weinst du oft?»

«Nein!»

«Würdest du es als sehr indiskret betrachten, wenn ich dich nochmal frage, warum du geweint hast?»

Laura seufzte tief und spürte dem Kopfschmerz nach, der hinter ihren Augen pochte. Sie bekam immer Kopfschmerzen, wenn sie weinte.

«Ich habe geweint, weil ich Hubertus Hohenstein verletzt habe. Es war unnötig. Ich kam mir plötzlich fremd vor ... so hart und routiniert ...» Sie massierte ihre Schläfen, wartete auf Angelos Antwort. Als keine kam, drehte sie sich um.

Er stand da, beide Hände in den Taschen seiner Jeans, und schaute auf den Boden.

«Ja», murmelte er, «so geht es mir auch manchmal. Ich komme mir fremd und hart vor in diesem Job. Meine Frau hat mich immer öfter damit konfrontiert. Mir meine Ironie vorgeworfen, meine Treffsicherheit mit Worten. Sie hat gesagt, dass ich genauso gut auf sie schießen könnte ...»

Laura starrte ihn an.

«Ich kann das auch!»

«Was?» Angelo hob den Kopf und sah sie fragend an.

«Mit Worten auf andere schießen.»

Ein Lächeln glitt plötzlich über sein Gesicht.

«Dann passen wir ja ganz gut zusammen, nicht wahr!» Sein Lächeln war so offen und liebevoll, dass es auf Laura überging, obwohl ihre Augen sich schon wieder mit Tränen füllten. Sie wollte auf ihn zugehen, jetzt ihn in die Arme schließen, doch ein Ruf hielt sie zurück.

«Kommen Sie schnell! Kommissar Guerrini, Frau Gottberg! Schnell!» Britta stand an der Klostermauer und winkte heftig.

«Das gehört auch dazu!», stieß Angelo grimmig hervor. «Es gibt in unserem Beruf kaum Zeit für private Dinge. Es ist ein permanenter *interruptus*!»

Laura drückte ihre Tränen weg – irgendwie, irgendwohin. Sie rutschten in ihren Nacken, in die Kehle, machten ihre Brust eng. Aber sie waren weg!

«Was gibt's?», hörte sie sich mit fast normaler Stimme rufen.

«Susanne ist überfallen worden! Kommen Sie schnell. Es ist schrecklich!» Britta verschwand um die Hausecke.

Laura und Guerrini rannten los, erreichten den Klosterhof, hielten jäh inne und betrachteten das Bild, das sich ihnen bot. Susanne Fischer kauerte auf der Treppe zur Veranda, gestützt von Hubertus und Britta. Katharina Sternheim stand daneben, blass, mit wirren Haaren. Monika brachte gerade ein Glas Wasser.

Laura bewegte sich langsam, ihr Kopf war noch nicht ganz klar, fühlte sich an, als wäre er inwendig geschwollen, doch ihr Blick war ungetrübt. Sie sah Blut auf Susannes Stirn, auf ihren Armen, sah das zerzauste Haar, die zerrissene Bluse. Eine gelungene Inszenierung, schoss es ihr durch den Sinn. Dann: Ich schieße schon wieder auf andere. Vielleicht gibt es doch den großen Unbekannten!

Sie warf Guerrini einen kurzen Blick zu, sah, dass er die Szene mit schmalen Augen musterte, und war sicher, dass ihm ähnliche Gedanken durch den Kopf gingen.

Nebeneinander erreichten sie die Treppe, ließen keinen Blick von Susanne, die jetzt beide Hände vors Gesicht presste und ein verkrampftes Schluchzen von sich gab.

Laura beugte sich zu ihr hinunter, legte eine Hand auf ihre Schulter.

«Ist ja gut», hörte sie sich sagen. «Es kann Ihnen nichts mehr geschehen.»

Susanne zuckte zusammen. Ihre Antwort drang undeutlich zwischen den Fingern hervor, die so fest auf ihrem Gesicht lagen, als wollte sie sich selbst den Mund zuhalten.

«Niemand ist sicher. Hier ist niemand sicher. Er ... es war entsetzlich!»

«Er oder es?», fragte Laura. «Susanne, Sie müssen versuchen, genau zu antworten. Vielleicht erwischen wir den Angreifer noch.»

Während Laura sprach, betrachtete sie die Verletzungen der jungen Frau. Frische Kratzer, einige ziemlich tief. Es sah aus, als hätte Susanne Fischer mit einer großen Katze gekämpft. Konnte jemand sich selbst solch brutale Wunden zufügen?

«Es war unten am Bach. In dem Wäldchen auf der anderen Seite. Ich weiß nicht, ob es ein Mann oder eine Frau war.»

«Frag sie, ob es ein Mensch war!», sagte Guerrini.

«Sie brauchen nicht zu übersetzen. Ich kann Italienisch!» Sie lockerte die Hände. Ihre Stimme wurde deutlicher.

«Es war ein Mensch, aber vielleicht auch nicht. Es war ziemlich dunkel in dem Wald. Ich erinnere mich nur ... an langes Haar, Augen. Es war größer als ich und stärker. Ich ... ich weiß selbst nicht, wie ich es geschafft habe ... ich hab um mich geschlagen und mich losgerissen.» Ein Schauer lief durch ihren Körper. Hubertus machte eine Bewegung, als wollte er den Arm um ihre Schultern legen, doch seine Absicht erstarb bereits im Ansatz.

«Hat dieser Mensch oder dieses Wesen etwas gesagt?», fragte Guerrini.

Susanne schüttelte den Kopf.

«Woher haben Sie die Kratzer, Susanne?», fragte Laura.

Susanne schluckte.

«Ich weiß es nicht. Ich bin nur gerannt!»

Guerrini richtete sich auf.

«Also los!», sagte er. «Signora Gottberg und ich werden die Gegend um den Bach absuchen. Und ich werde einen Arzt rufen!»

Susanne schüttelte den Kopf.

«Das … das ist nicht nötig. Es sind ja nur ein paar Kratzer.»

«Auch Kratzer muss man ernst nehmen», erwiderte Guerrini. «Außerdem möchte ich, dass Sie gründlich untersucht werden. Sie haben einen Schock erlitten!»

Guerrini wählte bereits die Nummer des Arztes auf seinem Handy.

«Er wird in einer halben Stunde hier sein. Kommt aus Montalcino. Es ist ein sehr guter Arzt!» Guerrini machte Laura ein Zeichen, und sie liefen zum Wagen. Mit aufheulendem Motor verließen sie den Hof, doch außerhalb der Mauern bremste Guerrini ab.

«Ich glaube, wir müssen uns nicht beeilen», sagte er. «Wir werden vermutlich nichts finden!»

«Nachsehen sollten wir auf alle Fälle», erwiderte Laura. «Und wenn wir nur Beweise dafür finden, dass Susanne Fischer sich selbst verletzt hat.»

«Und wenn sie es nicht getan hat?» Guerrini klopfte nervös aufs Steuerrad. «Ich hatte vorhin einen total verrückten Gedanken. Ich stellte mir plötzlich vor, dass Giuseppe zu Fuß über die Berge gelaufen ist, um nach Hause zu kommen. Dass er Susanne Fischer getroffen hat und sie für eine Hexe hielt ...»

«Wie kannst du dann sagen, dass wir nichts finden werden?» Laura starrte Guerrini an.

«Weil ich nichts finden will, verdammt nochmal! Ich will nicht, dass Giuseppe etwas mit dieser Sache zu tun hat!»

«Er kann doch gar nichts damit zu tun haben. Du selbst hast gesagt, dass sein Bruder ihn zu einem Onkel in die Berge gebracht hat. Er kann schließlich nicht hierher geflogen sein.»

«Er könnte per Anhalter gefahren sein ... oder das Moped seines Onkels geklaut haben!»

«Kann er das?»

«Ja, verdammt! Das kann er!»

Als sie das Wäldchen erreichten, kam ihnen Puccis Jeep entgegen.

«Der hat mir gerade noch gefehlt!» Guerrini kniff die Lippen zusammen.

«Was willst du jetzt machen?», fragte Laura, als beide Wagen nebeneinander hielten.

«Wir müssen ihn mitnehmen. Wir brauchen ihn, um uns abzusichern, falls die Sache mit Giuseppe schief geht!»

«Keine Lust auf Strafversetzung?»

«Hör auf zu schießen!», knurrte Guerrini und sprang aus dem Wagen. Laura sah ihm zu, wie er mit Pucci sprach. Ungeduldig, mit fahrigen Handbewegungen. Nicht Giuseppe, dachte sie wieder, nicht Giuseppe. Aber sie wusste, dass es keine andere Möglichkeit gab, Giuseppe zu schützen. Sie mussten ihn und seine Familie noch einmal überprüfen.

Pucci wendete den Jeep und hielt knapp hinter dem Lancia. Dann stieg auch Laura aus und durchstreifte mit den beiden Männern das Wäldchen, hielt Ausschau nach geknickten Ästen, Dornengestrüpp, Spuren am Boden. Sie überquerten den Bach, suchten weiter. Doch der Boden war zu trocken und hart, um Fußspuren zu zeigen.

«Ah!», rief nach einer Weile Pucci aus dem Unterholz. Stolz präsentierte er Laura und Guerrini eine freie Stelle zwischen den Bäumen. Hier waren junge Bäumchen umgebrochen, Stofffetzen hingen an einer Brombeerranke.

«Hier muss es passiert sein!», sagte Pucci, und seine Stimme vibrierte voll Zufriedenheit.

«Rufen Sie die Spurensicherung!», murmelte Guerrini. «Die werden uns langsam verfluchen!»

«Ich halt die Burschen ganz gern auf Trab!», grinste Pucci. «Sitzen sowieso meistens herum und trinken Kaffee.»

Sie achteten darauf, keine Spuren zu verwischen, doch außer Stofffetzen und abgebrochenen Bäumchen fanden sie nichts.

«Jetzt zu den Ranas!», sagte Pucci und warf Laura einen triumphierenden Blick zu. Er schien auf ihren Widerspruch zu warten und war enttäuscht, als sie nur nickte.

Der einsame Hof lag so verlassen da wie beim letzten Mal. Erst halb vier. Einer der Tage, die nie vorübergehen, dachte Laura.

Giuseppes Mutter ließ vor Schreck einen Topf fallen, als sie in die Küche traten. Sie hatte Radio gehört.

«Es tut mir Leid, Signora, dass wir Sie schon wieder stören müssen. Wo ist Franco?»

«Franco?!» Die alte Frau hielt sich mit beiden Händen am Herd fest und starrte sie mit aufgerissenen Augen an. «Was hat Franco gemacht?»

«Nichts, Signora! Wir wollen nur mit ihm reden!»

«Erst nehmt ihr Giuseppe mit und jetzt Franco, was? Ihr seid wie die Faschisten! Ich lasse mir meine Kinder nicht wegnehmen! Haut ab!» Sie bückte sich erstaunlich behende, hob den Topf auf und hielt ihn wie eine Waffe vor sich. Im Radio plärrte die aufgeregte Stimme eines Werbespots.

«Wir nehmen niemanden mit, Signora! Wir wollen nur mit Franco reden.»

Signora Rana schüttelte heftig den Kopf.

«Er hat nichts zu sagen. Franco ist draußen bei den Schafen. Er war den ganzen Tag draußen. Lassen Sie ihn in Ruhe!»

Pucci räusperte sich, doch Guerrini stieß ihn warnend an.

«Gut, gut, Signora. Wir gehen, und Sie müssen sich nicht aufregen.» Wieder stieß er Pucci an und deutete mit einer Kopfbewegung zur Tür. Pucci runzelte die Stirn, zuckte die Achseln und trat zögernd den Rückzug an.

«Was soll das?», fragte er ärgerlich, als sie wieder vor dem Haus standen. «Warum haben Sie nicht nach Giuseppe gefragt? Ich wette, er steckt wieder hinter den alten Matratzen auf dem Dachboden. Soll ich ihn holen?»

«Nein!», antwortete Guerrini. «Er ist nicht hier. Franco hat mir gestern gesagt, dass er ihn zu einem Onkel bringen würde, damit er aus der Sache raus ist!»

«Ah!», stieß Pucci hervor. «Warum haben Sie mir das nicht gesagt, Commissario? Gehört das auch zu Ihren Geheimermittlungen?»

«Es gibt keine Geheimermittlungen, Maresciallo. Ich hab nur etwas dagegen, wenn man auf geistig Behinderten herumhackt, ohne einen Beweis gegen sie zu haben!»

«Für mich gibt's Beweise genug, Commissario. Kaum ist der Bursche frei, wird wieder einer erschlagen! Sie werden doch nicht im Ernst behaupten, dass diese verschreckten Deutschen eine Bande von Mördern sind? Nein, Commissario. Da steckt was anderes dahinter. Ich hab das im Gefühl! Und mein Gefühl hat mich noch nie getäuscht! Ich bin seit fast dreißig Jahren bei den Carabinieri!»

Ehe Guerrini antworten konnte, rollte Francos knatterndes Moped auf den Hof. Pucci stürzte auf ihn zu.

«Wo ist dein Bruder?», herrschte er den Bauern an.

Franco blieb auf seinem Moped sitzen, ein Bein rechts, das andere links fest auf dem Boden, zog ein wenig den Kopf ein und warf einen unsicheren Blick auf Guerrini. Der nickte kaum merklich.

«Wo ist dein Bruder, Rana!» Jetzt schrie Pucci beinahe.

Franco schluckte schwer.

«Er ... er ist bei meinem Onkel. Er ist ein freier Mann, ist er das nicht?»

«Er ist kein freier Mann!», schrie Pucci. «Er wurde unter Vorbehalt entlassen. Der Richter war sich nicht sicher! Warum hast du ihn weggebracht?»

«Nun mal langsam, Maresciallo!», sagte Guerrini. «Es gibt keinen Grund, Signor Rana anzuschreien. Signor Rana wird uns zu seinem Bruder bringen, und damit wird sich die Angelegenheit klären lassen.»

«Ich soll Sie hinbringen?» Etwas wie Entsetzen klang aus Francos Stimme.

«Ja, bring uns hin!» Guerrini nickte.

Laura beobachtete Franco Rana, der wie erstarrt auf seinem Moped hing, mit gegrätschten Beinen, die Arme irgendwie schlaff, obwohl seine Hände die Lenkstange umklammerten.

Irgendetwas stimmt nicht, dachte sie, spürte ein Ziehen in der Magengegend und in der Wirbelsäule.

«Los, mach schon!» Pucci wandte sich zum Jeep. «Er kann bei mir einsteigen!»

Guerrini warf Laura einen Blick zu.

«Ich denke, wir fahren alle vier im Jeep. Ich lasse meinen Wagen hier stehen.»

«Wieso ...», wollte Pucci hochfahren, doch Guerrini unterbrach ihn.

«Weil es Benzin spart!»

Pucci stieß einen leisen Fluch aus und warf sich auf den Fahrersitz, fuhr los, ehe sie die Türen geschlossen hatten.

Keiner sprach. Erst an der Hauptstraße gab Franco mit heiserer Stimme ein paar Anweisungen. Pucci schlug die Straße zum Monte Amiata ein. Leere Felder, aufgeworfene Erdbrocken, einsame Höfe auf flachen Hügeln. Fast eine Stunde waren sie unterwegs, bis die Straße anstieg, Bäume sich in die Landschaft schoben. Franco wies auf einen Feldweg, der in eine Schlucht führte, dann steil nach oben durch Laubwälder, die noch grün waren, obwohl der Oktober in zwei Tagen beginnen würde.

Lauras Handy durchbrach das Schweigen.

«Gottberg.»

«Hören Sie, Laura! Meine Geduld ist so ziemlich am Ende. Ich habe mehrmals versucht, Sie zu erreichen. Sie haben kein einziges Mal zurückgerufen. Sind Sie verrückt geworden?»

Laura schloss kurz die Augen. Nicht Becker und nicht jetzt!

Sie hatte ihn beinahe vergessen.

«Es tut mir Leid», sagte sie. «Hier ist in den letzten

vierundzwanzig Stunden derart viel passiert, dass ich keine Minute Zeit hatte.»

«Keine Minute? Machen Sie sich nicht lächerlich, Hauptkommissar Gottberg! Sie benehmen sich, als könnten Sie auf eigene Faust ermitteln. Das wird Konsequenzen haben. Ich muss hier eine wild gewordene Meute von Reportern davon abhalten, in die Toskana zu rasen, und Sie sagen, dass es Ihnen Leid tut. Was zum Teufel ist da unten los?»

«Wir haben einen zweiten Mordfall. Rolf Berger wurde tot aufgefunden.»

«Was, noch einen? Obwohl Sie in diesem verdammten Kloster wohnen? Warum weiß ich nichts davon? Was machen Sie eigentlich? Genießen Sie die toskanische Küche und den Rotwein, oder was?»

«Wir haben noch keine konkreten Ergebnisse. Der Fall ist kompliziert. Mehr kann ich Ihnen nicht sagen! Aber ich würde Ihnen empfehlen, den Reportern erst mal nichts über den neuen Mord zu erzählen.»

«Sie haben mir gar nichts zu empfehlen, Laura. Die Reporter werden es wahrscheinlich blitzschnell rauskriegen. Was soll ich denen denn sagen?»

«Sagen Sie ihnen, dass wir unter Hochdruck ermitteln, dass es Verdachtsmomente gibt. Dass aber noch nichts Genaues mitgeteilt werden kann, weil man Unschuldige schützen muss. Tun Sie einfach genau, was Sie immer machen!»

«Werden Sie nicht unverschämt, Hauptkommissar! Ich erwarte noch heute Abend einen Anruf, in dem Sie mir ganz genau mitteilen, was da unten passiert. Um sieben Uhr im Büro!»

«Warten Sie ...», rief Laura. Doch Becker hatte aufgelegt.

«Dein Chef?», fragte Guerrini und verzog das Gesicht.

Laura nickte, starrte aus dem Fenster. Gespräche wie dieses gehörten zu ihrem Leben, seit sie bei der Polizei war. Immer wieder wurde ihr eigenmächtiges Handeln vorgeworfen. Wäre sie nicht so erfolgreich in ihrer Arbeit, hätte man sie vermutlich längst suspendiert oder gar entlassen. Aber sie hasste es, abgekanzelt zu werden wie ein Schulmädchen. Noch immer konnte sie nicht begreifen, warum Vorgesetzte kein Vertrauen in ihre Mitarbeiter hatten. Für die Aufklärung eines Verbrechens benötigte man Phantasie, Zeit, Raum, Geduld, Neugier. Becker hatte nichts davon. Er war ein Bürokrat, der sich hochgedient hatte.

Laura ließ ihre Augen über die Hänge des Monte Amiata wandern. Becker spielte keine Rolle, eigentlich. Nur: Er hatte Macht über sie. Er konnte sie um ihre Existenz bringen. Konnte er wirklich? Gab es, verdammt nochmal, nicht auch andere Möglichkeiten, als Polizeikommissarin zu spielen? Sie könnte beispielsweise eine europäische Detektei gründen, mit Guerrini als Verbindungsmann in Italien. Laura musste über ihre eigenen Gedanken lächeln. Sie war doch die Tochter ihres Vaters! Nie aufgeben, immer Auswege finden! Das Leben träumen, wie es sein könnte!

Plötzlich wurden die Wiesen links und rechts der Straße wunderbar grün. Mittendrin, geschützt von drei großen Edelkastanien, ein Haus, klein, grau, zusammengefügt aus Steinen. Neben dem Haus ein Ziehbrunnen, Ziegen mit großen gebogenen Hörnern, ein kleiner Hund, der bellend dem Wagen entgegenlief.

«Halten Sie an!», sagte Franco heiser. «Es ist besser, wenn ich erst mit meinem Onkel rede. Er ist es nicht gewöhnt, dass die Polizei zu ihm heraufkommt. Er könnte Angst bekommen und …»

«Was und?» Pucci drehte sich heftig um.

«Nichts … nichts und. Es wäre nur besser, Maresciallo, besser, wenn ich Sie ankündige.»

«Gehen Sie, Franco!», sagte Guerrini.

«Ich weiß nicht, ob …» Pucci gab nicht auf.

«Ich trage hier die Verantwortung, Maresciallo!» Guerrinis Stimme klang scharf, und Laura war froh, dass er nicht von Befehlsgewalt, sondern von Verantwortung sprach. Auch dafür konnte sie ihn lieben.

Franco Rana stieg langsam aus dem Wagen und ging auf das Haus zu. Der Hund begrüßte ihn, folgte ihm zur Tür. Beide verschwanden. Fünf Minuten vergingen, zehn.

«Tja», murmelte Guerrini, «dann sollten wir vielleicht nachsehen.»

«Verdammt gute Idee, Commissario. Ich dachte schon, Sie würden nicht von selbst draufkommen.»

Guerrini lächelte.

«Wissen Sie, Pucci, Ihre jungen Kollegen haben sehr gute Umgangsformen und sie würden am liebsten ständig vor mir strammstehen. Ich halte ja nicht viel von solchen Dingen, aber wenn Sie so weitermachen, dann werde ich Sie strammstehen lassen!»

Pucci zog leicht den Kopf ein, und Laura beobachtete, wie sich in seinem Nacken eine Speckrolle bildete. Er antwortete nicht, sondern öffnete die Wagentür und hatte gerade einen Fuß auf den Boden gestellt, als ein Schuss durch das Tal dröhnte und vom gegenüberliegenden Berghang zurückgeworfen wurde. Erschrocken zerrten die Ziegen an ihren Stricken.

«Dio buono!», fluchte Pucci, zog sein Bein wieder zurück und starrte zum Haus hinauf. Ein kleiner alter Mann stand in der Tür, schwenkte ein Gewehr, drohte mit der Faust.

«Haut ab!», schrie er. «Verschwindet! Ihr werdet ihn

nicht kriegen! Einen Rana sperrt ihr nicht ein! Nie wieder!»

Pucci ging hinter seinem Steuerrad in Deckung.

«Gratuliere, Commissario!», murmelte er.

Guerrini beachtete ihn nicht. Er lehnte sich aus dem Seitenfenster des Jeeps und rief:

«Wir wollen Giuseppe nicht einsperren, Signor Rana. Wir wollen nur mit ihm reden!»

Der alte Mann machte zwei Schritte auf den Wagen zu, das Gewehr im Anschlag.

«Mit Giuseppe kann man nicht reden! Niemand kann mit ihm reden! Er ist verrückt, *matto*! Haut schon ab!»

«Wo ist Franco?» Guerrini beugte sich weiter vor. Da gab der Alte einen zweiten Schuss ab – einfach in den Boden, knapp vor dem Jeep. Ein bisschen Staub wirbelte auf, Guerrini zuckte zurück.

«Wo ist Franco?», wiederholte er.

«Bei seinem Bruder!», brüllte der Alte. «Beim nächsten Schuss ziele ich höher! Verschwindet endlich!»

«Fahren Sie weiter!», sagte Guerrini und kurbelte sein Fenster hoch.

«Was?» Pucci kauerte schräg auf dem Fahrersitz, bemüht, seinen Kopf möglichst tief zu halten.

«Fahren Sie langsam auf das Haus zu!»

«Ich bin doch nicht lebensmüde. Wir sollten Verstärkung anfordern, ehe wir hier irgendwas unternehmen. Diese Ranas sind alle verrückt!»

«Ich habe gesagt, Sie sollen auf das Haus zufahren, Pucci! Langsam! Und passen Sie auf, dass Sie den alten Mann nicht verletzen!»

Laura lugte zwischen den Sitzen hindurch. Das Haus war ungefähr fünfzig Meter entfernt. Der Alte stand auf dem Weg, als forderte er sie auf, ihn zu überrollen.

«Ist das Ihr Ernst, Commissario?»

«Fahren Sie schon!»

Pucci behielt den Kopf unten, legte aber den ersten Gang ein und fuhr zögernd an. Der Alte riss den Mund auf, doch sie konnten ihn nicht verstehen, der Motorenlärm verschluckte seine Stimme. Nur den dritten Schuss hörten sie. Er traf den Kühler des Jeeps. Pucci fuhr schneller. Der alte Mann fuchtelte wieder wild mit Armen und Gewehr, stolperte rückwärts zum Haus, erreichte die Tür und schlug sie zu.

«Fahren Sie ganz dicht ans Haus!», sagte Guerrini.

Pucci bog kurz vor dem Haus nach links, setzte zurück und parkte den Wagen so nah an der Hauswand, dass Guerrini die Tür gerade noch öffnen konnte.

«Wartet!» Laura hielt Guerrini an der Schulter zurück.

«Was ist?» Er wandte sich um.

«Ich habe das Gefühl, dass wir gar nicht so bedroht sind. Ich glaube, Giuseppe Rana ist in viel größerer Gefahr!»

«Das ist im Augenblick meine geringste Sorge!», knurrte Pucci. «Meinetwegen kann der Alte dem Kerl eine Kugel in den Schädel jagen. Ich habe drei Kinder, fünf Enkel und eine alte Mutter. Für diesen Verrückten werde ich meinen Kopf nicht hinhalten, ganz bestimmt nicht. Sie können reingehen, wenn Sie wollen. Ich bleibe im Wagen und rufe Verstärkung!»

«Fertig?», fragte Guerrini mit ruhiger Stimme.

«Was?»

«Ich will nur wissen, ob Sie fertig sind, Pucci.»

Der Maresciallo seufzte.

«Ja, ich bin fertig.»

«Sie werden uns Deckung geben, Pucci. Die Commissaria und ich versuchen, ins Haus zu kommen. Aber ich verbiete Ihnen, Verstärkung zu rufen. Es ist vollkommen schwachsinnig, eine Armee gegen diesen alten Mann aufmarschieren zu lassen. Geben Sie der Commissaria Ihre Pistole und nehmen Sie Ihre Schnellfeuerwaffe!»

Pucci zögerte.

«Ich trenne mich nicht gern von meiner …»

«Her damit!» Guerrini streckte die Hand aus.

Pucci nahm umständlich die Pistole aus dem Halfter und reichte sie ihm. Laura beobachtete das Haus. Nichts rührte sich. Der Wagen stand genau zwischen den kleinen Fenstern, gut geschützt. Wahrscheinlich konnte der Alte sie nicht einmal sehen. Sie versuchte sich vorzustellen, was hinter den Steinmauern vor sich ging. Warum war Franco nicht mehr aufgetaucht? Als Guerrini ihr Puccis Waffe in die Hand drückte, sah sie ihn fragend an.

«Glauben Sie wirklich, dass wir eine Waffe brauchen, Commissario?»

«Das werden wir sehen. Es ist immerhin besser, eine zu haben, Signora Commissaria!»

«Und jetzt?», fragte Pucci.

«Jetzt kriechen wir ums Haus herum. Ich links herum, die Commissaria rechts. Vielleicht finden wir einen Eingang. Sie bleiben im Wagen und passen auf … wegen der Enkelkinder und all den andern!» Guerrini zwängte sich nach draußen, wartete neben der Haustür, den Rücken an die Mauer gepresst. Laura folgte ihm, stellte sich so dicht hinter ihn, dass sie die Wärme seines Körpers spürte.

«Also los!», sagte er leise. «Und pass auf!»

Geduckt schlich er zwischen Wand und Jeep weiter, kroch unter dem Fenster durch und verschwand um die Hausecke. Laura wandte sich um und lief in die andere Richtung. Von drinnen war kein Laut zu hören. Die Ziegen rissen noch immer an ihren Stricken, stießen mit den

Köpfen und meckerten aufgeregt. An der Seitenwand des Hauses war keine Tür. Nicht einmal ein Fenster. Ein paar Hühner scharrten unter den Kastanien, hatten die Schüsse schon vergessen. Laura kroch durch einen Gemüsegarten und erreichte die nächste Hausecke.

Hinterm Haus lagen noch zwei kleine Gebäude, Schuppen und Ställe, aus groben Steinen zusammengefügt. Dazwischen verrostete Gerätschaften, das Skelett eines Cinquecento. Es erinnerte Laura an ein vergessenes Spielzeug, und gleichzeitig mit diesem Gedanken wuchs ihre Sorge um Giuseppe. Sie richtete sich auf, bewegte sich langsam an der Mauer entlang, die Waffe im Anschlag. Auf der anderen Seite tauchte Guerrini auf. Von zwei Seiten näherten sie sich der schmalen Treppe, die vom Haus in den Hinterhof führte. Es waren nur drei Stufen aus rissigem Beton. Guerrini ging zuerst hinauf, untersuchte die Holztür, drückte langsam die Klinke. Die Tür war offen. Er nickte Laura zu. Lautlos stand sie gleich darauf hinter ihm.

Die Tür knarrte, als Guerrini sie aufschob, doch drinnen rührte sich nichts. Sie fanden eine Art Rumpelkammer, feucht und dunkel, eine zweite Tür, die offensichtlich zu den Wohnräumen führte. Guerrini stieß einen Plastikeimer um, fluchte kaum hörbar. Auch die zweite Tür war nicht abgesperrt. Zentimeter für Zentimeter drückte Guerrini sie auf. Sie konnten einen finsteren Flur sehen, einen Schrank, Zwiebelkränze an den Wänden, schlichen auf Zehenspitzen weiter, standen lauschend, wagten kaum zu atmen. Zwei Türen gingen von dem winzigen Flur ab. Kein Laut war zu hören. Drei, vier Minuten verharrten sie, dicht hintereinander, dann hob Guerrini eine Hand. Stimmen. Von links. Sie konnten jedes Wort verstehen, denn die Tür hatte breite Ritzen.

«Wo zum Teufel sind die?» Das war der alte Mann.

«Du bist verrückt, Onkel! Gegen die Polizei hast du keine Chance! Wenn die wollen, kommen sie mit hundert Mann!»

«Halt den Mund, Franco! Giuseppe hat der Familie schon genug Ärger gemacht!»

«Was hat das damit zu tun?»

«Darum geht's, Franco. Genau darum!»

«Ich versteh dich nicht! Giuseppe ist ein guter Junge! Vielleicht wollen sie wirklich nur mit ihm reden!»

«Dummes Zeug! Du bist genauso verrückt wie dein Bruder! Glaub denen kein Wort. Kein Wort!»

Laura und Guerrini bewegten sich behutsam zur Tür, pressten sich links und rechts davon an die Wand.

«Wir warten, bis einer rauskommt!», wisperte Guerrini.

Hoffentlich macht Pucci keine Dummheiten, dachte Laura. Es roch nach Ziegen und Zwiebeln. Die Stimmen hinter der Tür waren verstummt. Giuseppe war anscheinend nicht in dem Raum. Oder verhielt er sich völlig still? Das konnte sich Laura nicht vorstellen. Giuseppe würde die Anspannung, die in der Luft lag, spüren und zumindest summen. Vielleicht hatte der Alte ihn in einem der Schuppen eingesperrt.

Schritte näherten sich der Tür. Lauras Muskeln spannten sich.

«Muss mal pinkeln!» Das war Franco.

«Pinkel in den Eimer hinten im Flur! Geh ja nicht raus!»

«Jaja!»

«Warte! Ich komm mit!»

«Wieso denn? Meinst du, ich kann nicht allein pinkeln?»

«Ich trau dir nicht, Franco! Du hast Angst vor der Polizei! Vielleicht läufst du durch die Hintertür raus, um denen zu zeigen, was für ein braver Junge du bist!»

Guerrini nickte Laura zu. Die Tür ging auf, Franco stolperte über die hohe Schwelle, stützte sich mit den Händen an der gegenüberliegenden Wand ab. Laura und Guerrini rührten sich nicht. Franco wandte sich nach rechts, hatte die beiden Polizeibeamten noch nicht bemerkt. Jetzt erschien der Lauf eines Gewehrs in der Tür. Laura steckte gleichzeitig mit Guerrini ihre Waffe weg, gleichzeitig griffen sie zu, drückten den Lauf nach unten. Der Schuss dröhnte in ihren Ohren, der alte Mann starrte sie mit weit aufgerissenen Augen an, versuchte die Waffe aus ihrem Griff zu befreien, kämpfte mit aller Kraft, stand endlich mit hängenden Armen da. Jetzt sauste der kleine Hund auf den Flur, knurrte, kläffte, drehte sich um sich selbst und wusste nicht, wohin er sich wenden sollte.

Laura warf einen schnellen Blick auf Franco. Der war herumgefahren und hatte sich in eine Ecke geduckt. Plötzlich erinnerte er Laura an seinen Bruder.

«Lass los, Rana!», sagte Guerrini leise.

Der Alte schüttelte den Kopf. Noch immer hielt er sein Gewehr mit beiden Händen fest.

«Nehmen Sie es ihm weg, Commissario!», flüsterte Franco heiser. «Nehmen Sie es weg! Er will Giuseppe erschießen!»

Laura löste eine Hand vom Gewehr und schlug mit der Handkante auf den Unterarm des alten Mannes. Er stöhnte auf, sein Griff lockerte sich, Guerrini riss die Waffe an sich, warf sie auf den Boden, drehte einen Arm des Alten nach hinten und drängte ihn zurück in den Raum. Laura zog Puccis Pistole aus dem Hosenbund und richtete sie auf Franco.

«Los!», sagte sie. «Steh auf und geh da rein!»

Franco legte beide Hände schützend über seinen Kopf, als erwarte er Schläge. Der kleine Hund klemmte den Schwanz ein und näherte sich knurrend Lauras Beinen.

«Mein Gott, Franco! Ich tu dir nichts! Geh einfach da rein!» Laura wies auf die Tür, hinter der Guerrini und der alte Mann verschwunden waren.

Gebückt schlich Franco an ihr vorüber, noch immer mit den Händen seinen Kopf schützend. Laura folgte ihm, schubste ihn sanft auf einen Stuhl neben dem Fenster. Es waren nur zwei Stühle in dem kleinen Raum. Auf dem zweiten saß bereits der alte Rana. Außer den Stühlen gab es einen Tisch, einen Schrank und einen großen eisernen Herd. Guerrini lehnte mit dem Rücken am Schrank, die Arme vor der Brust verschränkt. Seine Pistole steckte im Schulterhalfter.

«Wo ist Giuseppe?», fragte er.

Laura betrachtete den Alten. Er glich einem knochigen Gnom mit zu langen Armen. Das einzig Üppige an ihm war sein dichtes weißes Haar. Die Augen waren klein, kaum zu sehen hinter einem Wulst von Falten und beschattet von borstigen Brauen.

«Geht euch gar nichts an», murmelte der alte Rana.

Franco hob den Kopf.

«Er ist hinten im Ziegenstall.»

«Halt den Mund, du Trottel!», zischte der Alte.

«Danke, Franco!», sagte Guerrini und zog ein kleines Funkgerät aus der Tasche. «Pucci?» Es knatterte, pfiff, dann antwortete Pucci undeutlich.

«Commissario?»

«Kommen Sie ums Haus herum, Pucci. Wir haben alles unter Kontrolle. Sie können durch den hinteren Eingang rein.»

«Zu Befehl, Commissario!»

«Jetzt ist er übergeschnappt!», murmelte Guerrini und lächelte Laura zu, wurde gleich darauf wieder ernst und wandte sich an den alten Rana.

«Wie zum Teufel kommen Sie auf die Idee, mit einem Gewehr auf Polizeibeamte zu schießen, Rana?»

Der alte Mann antwortete nicht. Er umklammerte seine Oberschenkel und starrte auf den Boden. Der Hund saß zu seinen Füßen und winselte leise.

«Es ist besser, Sie antworten mir, Rana. Maresciallo Pucci wird gleich hier sein, und er ist nicht so geduldig wie ich.»

Der Alte zuckte die Achseln. Franco wollte etwas sagen, doch Guerrini schnitt ihm mit einer Handbewegung das Wort ab.

«Ich möchte es von ihm selbst hören!»

Hinter dem Haus rumpelte es.

«Los, Rana. Pucci wird gleich da sein.»

Der Hund sprang auf, stürzte aus der Tür und bellte schrill. Sie hörten Pucci fluchen, und Laura unterdrückte ein Lächeln. Jetzt jaulte der Hund. Da fuhr der alte Rana auf.

«Wenn er Chicco was tut, dann dreh ich ihm den Hals um!»

«Pucci! Lassen Sie den Hund in Ruhe!», rief Guerrini.

«Dann sagen Sie dem verdammten Vieh, dass es mich in Ruhe lassen soll!», brüllte Pucci zurück.

«Chicco! Komm her!», schrie der Alte.

«Ruhe!», donnerte Guerrini.

Der kleine braunweiße Hund trippelte über die Schwelle und setzte sich hechelnd und knurrend neben den alten Rana.

«Also, was ist jetzt?», fragte Guerrini.

«Ich … ich hätte nicht auf Sie geschossen, Commissario. Ich wollte Sie nur erschrecken.»

«Und was ist mit Giuseppe?»

Da barg der alte Mann das Gesicht in seinen Händen und fing an zu weinen. Pucci erschien in der Tür, doch Guerrini hob abwehrend einen Arm und bedeutete ihm, draußen zu bleiben.

«Was ist mit Giuseppe?», wiederholte Guerrini leise.

Die schmalen Schultern des alten Mannes zuckten.

«Er hat viel Unglück über die Familie gebracht!» Ranas Stimme war undeutlich, heiser, unterbrochen von kurzen Schluchzern.

«Welches Unglück?»

«Mein Bruder ist gestorben, weil der Junge so verrückt war. Er hat es nicht ausgehalten! Und er bringt Unglück über seine Mutter und Franco. Er belästigt Frauen, und die Leute fürchten sich vor ihm, weil er singt. Er singt dauernd, Commissario. Man kann nicht mit ihm reden. Er sitzt unter einem Baum und singt. Wenn man ihn was fragt, dann singt er einfach. Er ist komplett verrückt. Ich … ich hab deshalb oft schon gedacht, es wäre besser …»

«Was wäre besser?» Guerrinis Stimme klang sanft.

Der alte Rana schüttelte den Kopf.

«Sie können das nicht begreifen, Commissario. Wir sind nur arme einfache Bauern. Wir arbeiten hart. Wir können nicht dauernd auf einen Verrückten aufpassen … Sie sehen ja, was er anrichten kann …»

«Wir wissen nicht, ob er überhaupt etwas angerichtet hat, Rana. Sie haben immer noch nicht gesagt, was besser wäre!»

Der alte Mann sah plötzlich auf. Sein Gesicht war rot, verschwollen. Seine rechte Hand tastete nach unten, traf auf den kleinen Hund, strich über Kopf und Rücken des Tiers.

«Ich dachte, es wäre besser, wenn Giuseppe nicht da wäre», flüsterte er kaum hörbar.

«Was?» Pucci schob den Kopf vor, doch Guerrini scheuchte ihn wieder in den dunklen Flur zurück.

«Solche Gedanken kommen vor», sagte Guerrini. «Wir alle wünschen uns manchmal, dass ein anderer nicht da sein sollte. Wenn man es genau betrachtet, könnten wir alle Mörder sein. Aber es kommt darauf an, ob wir es tun oder nicht – jedenfalls vor dem Gesetz, Rana … Wollten Sie Giuseppe wirklich umbringen? Hätten Sie es fertig gebracht, auf ihn zu schießen, wenn er vor Ihnen in einer Ecke sitzt und singt?»

Der alte Mann drückte den kleinen Hund an sich. Ein Zittern lief durch seinen Körper, dann schüttelte er den Kopf.

«Nein!», flüsterte er. «Nein, ich glaube nicht, dass ich es geschafft hätte. Er hat so ein … Gesicht. Manchmal sieht er aus wie ein Engel …»

«Ja», sagte Guerrini langsam, «manchmal sieht er aus wie ein Engel.» Er wandte sich zur Tür. «Maresciallo Pucci!»

Puccis Gesicht tauchte aus der Dunkelheit auf, schwebte beinahe körperlos zwischen den Türstöcken.

«Passen Sie auf den alten Herrn auf!», befahl Guerrini. «Franco! Du kommst mit uns!»

Franco zuckte zusammen, erhob sich, lief gebückt zur Tür, zuckte noch heftiger zusammen, als er plötzlich Lauras Hand auf seinem Rücken spürte.

«Warum gehst du nicht aufrecht?», fragte sie.

Franco Rana verharrte, als hätte sie ihn mit einem Zauberstab berührt.

«Was?»

«Ich habe dich gefragt, warum du nicht aufrecht gehst?»

Rana starrte auf die dunkle Türöffnung, auf Pucci, schrie unvermutet los:

«Weil ich Angst habe! Es ist besser, wenn man sich dann duckt, nicht wahr? Wenn man keine Macht hat, ist das besser, oder? Soll ich lieber singen? Wäre Ihnen das lieber? Lassen Sie mich in Ruhe, Commissaria!»

Laura zog ihre Hand zurück. Ihr war, als hätte Franco sie geschlagen. Und er hatte Recht.

«Gehen wir», sagte Guerrini.

Pucci und sein Schnellfeuergewehr füllten die kleine Küche. Der kleine Hund knurrte, der Alte hielt ihn fest und starrte auf den Boden.

«Gehen wir!», sagte Guerrini ein zweites Mal. Sie bewegten sich langsam durch den Flur, durch die dunkle Kammer zum Hinterausgang, überquerten den Hof, vorüber am Skelett des Cinquecento, erreichten den Ziegenstall.

«Mach auf!», sagte Guerrini.

Franco hob zögernd die Hand und schob den eisernen Riegel zurück. Ein paar Sonnenstrahlen fielen in den stockfinsteren Stall, der scharf nach Ziegen roch. Der Boden war mit Stroh bedeckt, Stroh, gemischt mit Ziegenkot. Als sich ihre Augen an die Dunkelheit gewöhnt hatten, entdeckten sie Giuseppe in der hintersten Ecke des Stalls, und Laura dachte, dass er dort genauso angstvoll kauerte wie im Gefängnis von Siena. Zorn stieg in ihr auf und Mitleid. Diesmal packte sie Francos Schulter, riss ihn zu sich herum.

«Warum habt ihr ihm das angetan?», fragte sie leise, um Giuseppe nicht noch mehr zu erschrecken. Sie zog Franco zurück, ließ Guerrini allein. «Warum?»

Franco keuchte, riss sich los und lehnte sich mit dem Rücken an die Stallmauer. Laura beugte sich vor und versuchte seinen Blick festzuhalten, seine Augen, die umherirrten, nach rechts, nach unten, über Lauras Schulter hinweg ins Nichts.

«Ich war es nicht ...», stammelte Franco endlich. «Mein Onkel war es! Er hat gesagt, dass wir die Familie vor Giuseppe schützen müssen. Dass er Unglück über uns bringen wird.»

«Und du hast nichts dagegen gesagt? Er ist dein Bruder, Franco!»

«O Madonna! Was für ein Bruder! Seit ich denken kann, passe ich auf ihn auf. Immer war ich für ihn verantwortlich. Immer hab ich Prügel gekriegt, wenn er etwas Verrücktes gemacht hat!»

«Glaubst du, dass dein Bruder jemanden umbringen könnte?»

Franco Ranas Augen wanderten.

«Ich weiß nicht», antwortete er leise. «Ich glaube nicht. Er ist so sanft mit den Lämmern und all den anderen Tieren. Sogar sanft mit den Pflanzen und Bäumen. Er singt für sie ...»

«Magst du es, wenn er singt?»

Franco stöhnte.

«Manchmal mag ich es. Wenn er für die Tiere und Pflanzen singt. Wenn er singt, weil er etwas nicht hören will, dann macht es mich wütend. Ja, manchmal macht es mich wütend!»

Aus dem Stall summte es, lauter und lauter, unruhig, aufschreckend.

«Jetzt macht es mich wütend», flüsterte Franco. «Nein, nicht wütend, mehr unruhig, irgendwie verrückt. Es ist wie das Schreien der Perlhühner, wenn Sie das kennen,

Commissaria. Oder das Weinen der Stachelschweine. Es … es kündigt Schrecken an.»

«Wo war Giuseppe letzte Nacht, Franco?» Laura stützte einen Arm an die Stallwand.

Zum ersten Mal traf sie Francos Augen. Kurz nur.

«Er war zu Hause. Schlief in seinem Bett. Ich habe die ganze Nacht aufgepasst, Commissaria. Ich dachte, wenn er wieder wegläuft, dann kann ich ihn nicht mehr beschützen.»

«Bist du ganz sicher?»

«Ganz sicher, Commissaria. Meine Mutter hat auch nicht geschlafen. Sie saß in der Küche und hat gebetet. Die ganze Nacht hat sie gebetet! Dieser Mann, der in der Abbadia wohnte … meine Mutter hat gesagt, dass er von den Hexen ermordet wurde.»

Laura verzog das Gesicht.

«Lassen wir die Hexen, Franco. War Giuseppe den ganzen Tag in diesem Ziegenstall eingesperrt?»

«Den ganzen Tag, seit ich ihn hergebracht habe, Commissaria. Mein Onkel hat ihn gleich eingesperrt, damit nichts passieren kann!»

Laura lächelte, dann lachte sie.

«Ich bin froh, Franco! Richtig froh!»

Francos unruhige Augen blieben auf ihrem Gesicht stehen.

«Warum sind Sie froh, Commissaria?»

«Weil ich Angst hatte, dass Giuseppe doch etwas mit den Morden auf der Abbadia zu tun haben könnte.»

«Sie hatten Angst, Commissaria? Sie sind doch Polizistin! Warum machen Sie sich Gedanken um Giuseppe?»

«Weil ich ihn mag, Franco. Wir haben zusammen gesungen, und das war schön.»

«Sie haben mit ihm gesungen?» Franco starrte Laura an, sein Mund stand ein wenig offen. «Ich hätte nie gedacht, dass jemand mit ihm zusammen singen würde!», murmelte er.

«Der Commissario hat auch mit ihm gesungen, Franco.»

«Der Commissario?»

«Ja.»

Franco senkte den Kopf, als schämte er sich.

«Ich habe auch schon mit ihm gesungen», sagte er mit stockender Stimme. «Manchmal singen wir alle drei. Ich, Giuseppe und Mama. Ich ... ich habe es noch nie jemandem gesagt ... weil sie uns sonst alle für verrückt erklären würden.»

«Ich werde es niemandem weitersagen, Franco. Nur dem Commissario, wenn du es erlaubst.»

Franco nickte und lächelte so unmerklich, dass es Laura wehtat, körperlich wehtat. Wie ein Stich, der von der Wirbelsäule ausging, Lunge und Herz traf. Sie wandte sich ab und schaute über die Hänge des Monte Amiata auf die flachen Hügel der Crete hinaus.

Der Himmel verfärbte sich bereits rötlich, als sie endlich Giuseppe in den Jeep locken konnten. Mit Händen und Füßen hatte er sich gewehrt, so laut gesungen, dass Franco sich die Ohren zuhielt. Maresciallo Pucci wollte den alten Rana mitnehmen und einsperren, doch Guerrini untersagte es ihm. Pucci kochte vor Empörung.

«Dieser Mann ist eine Gefahr für die Öffentlichkeit! Er schießt auf Polizeibeamte!», schnaufte er.

«Er hat nicht *auf* uns geschossen, sondern daneben!», erwiderte Guerrini.

«Aber Commissario! Wo kommen wir hin, wenn diese Leute anfangen zu schießen. Es verstößt gegen das Gesetz!»

«Jaja», sagte Guerrini. «Kümmer du dich lieber um die Mafia. Dieser alte Mann ist keine Gefahr. Wenn er ein mächtiger Mafiaboss wäre, dann hättest du schon lange den Schwanz eingekniffen!»

Pucci blies die Backen auf und knallte die Wagentür zu.

«Wenn dieser Idiot da hinten nicht aufhört zu singen, dann können Sie fahren, Commissario!»

«Gern», sagte Guerrini sanft.

Da ließ Pucci den Motor an und fuhr mit quietschenden Reifen los. Giuseppe saß hinten zwischen Franco und Laura. Er war schmutzig, roch scharf nach Ziegen und sang.

Er sang, bis sie den Hof der Ranas erreichten, stieg dann aus, als wäre es ganz selbstverständlich. Seine Mutter umarmte ihn, dankte wieder den Heiligen und verschwand mit ihm im Haus. Nur Franco stand mit hängenden Schultern neben dem Jeep und sah den beiden nach. Als Laura ihm die Hand hinstreckte, dauerte es eine Weile, ehe er zugriff.

«Wissen Sie, Signora», sagte er langsam. «Ich werde nie eine Frau bekommen. Keine Frau kommt in ein Haus wie dieses. Ich werde mein ganzes Leben lang für diesen Bruder und meine Mutter sorgen. So ist es.»

Guerrini hatte mitgehört.

«Vielleicht», sagte er, «vielleicht gibt es eine Möglichkeit, Giuseppe in einem Heim unterzubringen. Ich werde mich umhören, Franco.»

Franco schüttelte den Kopf.

«Glauben Sie, dass es ein Heim gibt mit Schafen, Kühen, Bäumen? Ich werde es nicht zulassen, dass sie ihn einsperren.»

«Vielleicht gibt es ein Heim mit Schafen und Kühen und Bäumen», antwortete Guerrini.

«Wenn es das gibt, Commissario, dann hat es der Herr da oben selbst geschaffen. Glauben Sie daran?»

«Ich weiß nicht, Franco. Ich hoffe es nur!»

Franco lächelte wieder auf diese kaum wahrnehmbare Weise, die Laura ins Herz schnitt, und wandte sich um.

«Nicht einmal bedankt hat er sich, dieser Bauer!», sagte Pucci mit gepresster Stimme.

Weder Laura noch Guerrini gaben ihm eine Antwort.

«Ich meine, es wäre immerhin anständig gewesen, wenn er sich bedankt hätte! Wir hätten sie alle miteinander einsperren können, diese Ranas!»

«Fahren Sie zur Abbadia, Pucci!», erwiderte Guerrini müde. «Da gibt's jemanden, den wir einsperren müssen!»

«Was?»

«Sie haben richtig gehört. Wir müssen einen Mörder abholen!»

Pucci fuhr langsam an, strich mit einer Hand über seinen Schnurrbart.

«Würden Sie mir verraten, wen Sie in Verdacht haben, Commissario?»

Guerrini lächelte.

«Ich weiß es noch nicht, Pucci. Aber einer von denen muss es ja sein, oder?»

«Wenn Sie mich fragen, Commissario, dann halte ich inzwischen alle für verrückt. Die Ranas und die Leute auf der Abbadia. Eigentlich passen sie ganz gut zusammen.» Pucci fuhr so schnell, als sei er begierig, endlich zuzugreifen. Als sie den Hügel zur Abbadia hinaufrasten, klingelte Lauras Handy.

«Gottberg!»

«Gottberg!»

«Papa, ich kann jetzt wirklich nicht. Wir haben ein wichtiges Verhör vor uns!»

«Mit dem Mörder?»

«Vermutlich.»

«Wie geht's dir?»

«Ich weiß nicht.»

«Klingt nicht gut!»

«Ist nicht schlecht!»

«Was ist passiert?»

«Zu viel, um es zu erzählen. Ziemliches Chaos.»

«Ach, weißt du, mein Kind. Leben ist Chaos! Wir Menschen sind ständig damit beschäftigt, die Katastrophen einzudämmen, die Menschen anrichten.»

«Noch mehr weise Sprüche?»

«Es reicht doch, oder? Weiser geht's nicht! Ich wär ganz froh, wenn's bei mir ein bisschen mehr Chaos gäbe!»

«Reicht Baumann nicht?»

Der alte Gottberg lachte.

«Doch! Er ist nett. Außerdem glaube ich, dass er dich mag!»

«Ich weiß!»

«Magst du ihn auch, Laura?»

«Als Kollegen.»

«Nur als Kollegen?»

Der Jeep hielt auf dem Klosterhof.

«Vater, ich muss jetzt Schluss machen.»

«Das musst du immer, wenn es brenzlig wird, Laura!»

«Es ist nicht brenzlig! Ich muss mich nur konzentrieren, verstehst du das?»

«Natürlich, mein Kind. Konzentrier dich! Wann kommst du wieder?»

«Bald, Vater.»

«Wie bald?»

«Ich weiß es nicht!»

«Ist da was? Ich meine, ein Mann?»

«Bitte, Vater!»

«Was bitte?»

«Du weißt genau, was ich meine!»

«Ach so! Ich soll mich nicht in die Angelegenheiten meiner Tochter einmischen. Ist es das?»

«Du hast es erraten.»

«In wessen Angelegenheiten sollte ich mich denn sonst einmischen, mein Kind? Ich liebe dich nämlich!»

«Ich dich auch.»

«Laura ... ich mach mir Sorgen!»

«Mach dir keine, Papa. Spiel Karten mit Baumann!»

«Laura ... ich weiß, dass du ...»

«Ciao, Papa. Ich muss wirklich aufhören!»

Laura drückte entschlossen auf den Knopf, der das Gespräch beendete. Erschrocken wurde sie sich der Tatsache bewusst, wie weit weg von ihrer Familie sie sich fühlte. Innerhalb weniger Tage, ja Stunden, hatte sich plötzlich die Möglichkeit eines anderen Lebens aufgetan.

«Kommen Sie, Commissaria», hörte sie Guerrini sagen. «Jetzt beginnt die eigentliche Arbeit!»

Mühsam ihre Gedanken ordnend, stieg sie aus dem Jeep, folgte Guerrini über den Hof, stieß geistesabwesend gegen ihn, als er am Fuss der Treppe unvermittelt stehen blieb.

«Wir sprechen mit dieser Susanne Fischer, einverstanden?»

«Ja, natürlich.»

«Du bist auch der Meinung, dass dieser Überfall vorgetäuscht war?»

Laura nickte.

«Dann los!»

Guerrini lief die Stufen zur Veranda hinauf.

Wir haben keine Zeit, dachte Laura, als sie ihm folgte. Diese Beziehung hat keine Bodenhaftung. Und wieder spürte sie diesen schmerzhaften Stich.

Sie fanden die Gruppe in der großen Klosterküche. Vereinzelt, als gehörten sie nicht zueinander, obwohl sie gemeinsam das Abendessen zubereiteten. Kerzen brannten auf dem Tisch und in den Fensternischen. Leise Musik erklang aus einem Kassettenrecorder.

«Ja?» Katharina Sternheim sah nur kurz von den Artischocken auf, deren Stiele sie gerade entfernte.

«Wir würden gern mit Susanne Fischer sprechen», sagte Laura. «Wegen des Überfalls am Nachmittag.»

«Es geht ihr nicht gut», murmelte Katharina. «Der Arzt hat ihr eine Tetanusspritze gegeben, trotzdem hat sie Fieber bekommen.»

«Wo ist sie?»

«In ihrem Zimmer. Sie versucht zu schlafen. Wahrscheinlich wäre es besser, wenn Sie erst morgen mit ihr reden würden.» Katharina strich mit dem Unterarm ihre Haare zurück.

«Ich glaube, es ist besser, wenn wir sofort mit ihr sprechen», erwiderte Laura.

Katharina warf ihr einen seltsamen Blick zu, umfasste eine Artischocke mit beiden Händen. Die anderen sagten nichts, verharrten nur, als hätte jemand die Zeit angehalten.

Die Blicke aller im Rücken, verließen Laura und Guerrini die Küche, gingen durch den Gruppenraum, erreichten Susannes Tür, blieben stehen. Es war dunkel vor dieser Tür, der schwache Lichtschein aus der Küche erhellte nur einen kleinen Ausschnitt des Flurs, der nach rechts abbog und in einer schwarzen Höhle zu enden schien. Guerrini umfasste Lauras Schultern.

«Wie geht es dir?», fragte er leise.

«Seltsam.»

Sie spürte sein Lächeln in der Dunkelheit.

«Gut! Dann können wir anfangen!»

«Was?»

«Alles!»

«Alles?»

«Ja, alles.»

Er klopfte an die Tür, erhielt keine Antwort, klopfte wieder. Lauter dieses Mal. Noch immer blieb es still. Da drückte er sacht auf die Klinke, öffnete die Tür einen Spaltbreit.

«Signora, dürfen wir eintreten? Wir würden uns gern nach Ihrem Befinden erkundigen.»

Ob sie die Falle spürt?, dachte Laura. Seltsam, dass ich meistens Mitleid mit Tätern habe, ehe ich sie überführen kann. Sie kommen mir vor wie Tiere in einem Käfig. Plötzlich sind sie in der Rolle ihrer Opfer, ohne Ausweg. Immerhin gibt es noch eine winzige Möglichkeit, dass sie es nicht war …

«Kommen Sie rein», antwortete Susanne mit matter Stimme. «Ich kann leider nicht aufstehen. Der Arzt hat geraten, dass ich liegen soll, bis das Fieber runter ist.»

Sie ruhte beinahe malerisch auf einem der schmalen Betten, Verbände und Pflaster bedeckten ihre Arme, ihre Stirn, ihr Dekolleté. Eine weiche hellblaue Decke hüllte ihren Körper ein, und sie richtete sich mühsam ein wenig auf, stöhnte kaum hörbar.

«Es tut uns wirklich Leid», murmelte Guerrini, «aber wir müssen Ihnen einige Fragen stellen, die sehr wichtig sind.»

«Könnten Sie mit Ihren Fragen nicht bis morgen warten? Mir geht es wirklich nicht besonders gut. Ich habe Fieber und Kopfschmerzen. Vermutlich habe ich die Tetanusimpfung nicht vertragen.» Susanne lehnte sich in die Kissen zurück und schloss ihre Augen.

Wieder hatte Laura den Eindruck, einem perfekten Schauspiel zu folgen, und sie fragte sich, warum sie nicht schon längst mit Susanne gesprochen hatte. Auf ähnlich perfekte Weise wie jetzt die Opferrolle hatte sie zuvor die Rolle der unauffälligen Beobachterin gespielt.

Laura räusperte sich und trat neben das Bett. Guerrini zog zwei Stühle heran.

«Es geht leider nicht anders. Wir müssen jetzt miteinander sprechen, Susanne. Ich darf Sie doch so nennen?», sagte Laura, und ihre Stimme klang unbeabsichtigt hart.

«Wenn ich Sie Laura nennen darf …», erwiderte Susanne und verzog das Gesicht, als litte sie Schmerzen.

«Sagen Sie ruhig Laura, das ist in Ordnung. Erzählen Sie bitte noch einmal ganz genau, was heute Nachmittag geschehen ist.»

Susanne riss kurz die Augen auf, schloss sie wieder.

«Ich … ich weiß nicht, ob ich das kann. Ich versuche gerade zu vergessen, was ich erlebt habe. Es war … so furchtbar. Ein Albtraum. Wie in einem Horrorfilm …»

«Ich kann es Ihnen leider nicht ersparen. Wir müssen herausfinden, was hier vor sich geht. Zwei Menschen sind gestorben. Sie hätten das nächste Opfer sein können, deshalb sind wir auf Ihre Beobachtungen angewiesen!» Laura beugte sich ein wenig vor, beobachtete jede Regung im Gesicht der jungen Frau. Doch Susannes Züge glichen einer Maske. Lange antwortete sie nicht, endlich wisperte sie:

«Ja, ich weiß … ich hätte das dritte Opfer sein können. Wenn ich nicht so schnell gewesen wäre …»

«Wie sah er aus?»

«Ich kann mich nicht erinnern», flüsterte Susanne. «Nur an einen Schatten … einen Schatten mit einem Engelsgesicht. Ja, das war es. Ein Engelsgesicht mit langen Haaren. Aber etwas stimmte nicht mit diesem Gesicht … ich weiß nicht … es ging so schnell. Diese dunklen Augen, sie starrten mich an!» Susanne warf den Kopf hin und her.

«Hatten Sie dieses Gesicht schon einmal gesehen?»

Susanne atmete schwer.

«Ja», stöhnte sie. «Ich hatte es schon einmal gesehen. Es gehört einem jungen Mann, der mir unten am Bach begegnet ist. Bei einem Spaziergang am frühen Morgen. Ich … wollte mir einen Platz zum Meditieren suchen … da stand er plötzlich zwischen den Bäumen.» Sie legte einen Arm über ihre Augen.

«Was hat er gemacht?»

«Gar nichts. Er starrte mich nur an, aus diesen dunklen Augen. Dann drehte er sich um und lief weg.»

«War das vor oder nach Carolins Tod?»

«Ich … ich weiß es nicht. Dieses Fieber … ich habe die ganze Zeit das Gefühl, als würde ich träumen.»

Laura legte ihre Hand auf Susannes Stirn, ihren Hals. Handgriffe einer erfahrenen Mutter.

«Sie haben höchstens erhöhte Temperatur», sagte sie dann. «Ich wäre Ihnen dankbar, wenn Sie uns kein Theater vorspielen würden!»

Susanne lag einen Augenblick ganz starr, dann öffnete sie langsam die Augen.

«Versuchen Sie sich zufällig in der Rolle der Therapeutin? Davon habe ich inzwischen genug! Lassen Sie das gefälligst!»

«Ich versuche mich in gar nichts, Susanne. Es geht hier um ein Verhör, falls Ihnen das nicht bewusst sein sollte.»

Susanne richtete sich halb auf.

«Ein Verhör? Dass ich nicht lache! Weshalb sollten Sie mich verhören? Sie haben diesen Verrückten laufen lassen, und er hat Rolf umgebracht. Jetzt versuchen Sie die Sache wieder auszubügeln, nicht wahr? Sie brauchen dringend jemand anderen, dem Sie die Sache in die Schuhe schieben können, damit die Polizei nicht dumm dasteht. So ist es doch! Aber ich stehe dafür nicht zur Verfügung, Frau Kommissarin!»

Guerrinis Fuß stieß gegen Lauras Knöchel. Erst jetzt wurde ihr bewusst, dass sie mit Susanne Deutsch gesprochen hatte. Aber es ging nicht anders – nicht in diesem Augenblick. Sie hob leicht die Hand, spreizte die Finger.

«Sie stehen ganz genauso unter Verdacht wie alle anderen hier im Kloster!», erwiderte Laura. «Mit allen habe ich bereits gesprochen, jetzt sind Sie an der Reihe. Kommen wir also zur Sache. Jemand hat beobachtet, dass Sie Rolf Berger folgten, als er in der Nacht seines Todes die Abbadia verließ. Dieser Jemand ist Ihnen sogar ein Stück nachgegangen, um sicher zu sein!»

Susanne ließ sich wieder zurückfallen und schüttelte den Kopf, heftig. Wut sprühte aus ihren Augen.

«Wer ist dieser kleine Denunziant, ha? Die edle Therapeutin selbst, um von sich abzulenken? Der feine Priester, die frustrierte Krankenschwester oder gar die leidende Künstlerin? Niemand hat mich gesehen! Absolut niemand, weil ich Berger nicht gefolgt bin! Ich war hier in meinem Bett!»

Laura versuchte ganz ruhig zu atmen: Keinen Fehler machen … den Bluff bis zum Ende durchhalten. Er schien zu greifen …

«Es war keiner von denen», sagte sie kühl. «Es war eine vollkommen zuverlässige Person, die außerhalb der Gruppe steht!»

Laura konnte sehen, wie es in Susanne arbeitete, wie sie alle Menschen durchging, die in der Umgebung des Klosters lebten. Sie warf den Kopf auf den Kissen hin und her.

«Niemand», flüsterte sie endlich, «es kann niemand gewesen sein. Es ist ein Trick. Sie werden doch nicht glauben, dass ich auf so einen billigen Trick hereinfalle. Warum sollte ich Berger folgen? Er war ein Nichts, eine lächerliche Figur, die jeden Rock anbaggerte. Was sollte ich mit ihm zu tun haben?» Jetzt lächelte sie plötzlich.

Laura erwiderte das Lächeln, beschloss gleichzeitig, den nächsten Bluff zu versuchen.

«Ich kann Ihnen sagen, warum Sie Berger nachgegangen sind. Sie hatten eine Beziehung mit ihm. Eine lange Beziehung. Sie haben an dieser Gruppe teilgenommen, um diese Beziehung zu klären oder sich zu rächen.»

Susannes Augen weiteten sich.

«Ich? Eine Beziehung zu Berger?» Sie hustete, lachte. Zu laut.

«Meine Kollegen in München haben genau recherchiert. Es tut mir Leid, Susanne.»

«Leid? Es tut Ihnen überhaupt nicht Leid. Sie schauen begeistert zu, wie Sie Ihrem Ziel näher kommen. Sie sind eine Sadistin. Sie prüfen meine Temperatur wie eine gute Mutter. Sie entschuldigen sich dauernd, genau wie Ihr netter italienischer Kollege, mit dem Sie so nebenbei eine Affäre angefangen haben. Aber Sie wissen gar nichts. Es ist nur ein schmutziger Trick, nichts als ein schmutziger Trick!» Wieder versuchte sie zu lachen, doch diesmal wurde ein ersticktes Schluchzen daraus.

Laura wechselte einen Blick mit Guerrini, nickte leicht. Er hob seine Augen zur Decke, zuckte die Achseln. Laura wandte sich wieder an Susanne, wach und gespannt.

«Was würden Sie sagen, wenn eine der Französinnen Sie gesehen hätte?»

«Die Hühnerweiber?» Susanne schreckte hoch.

«Die Hühnerweiber», wiederholte Laura. «Ich werde versuchen, Ihre Geschichte mit meinen Worten zu beschreiben. Hören Sie einfach zu … Sie sind eine einsame Frau, lernen Rolf Berger irgendwo kennen. Er ist interessant, kein einfacher Mensch, braucht Zuwendung, Bestätigung. Ganz wie Sie. Er schildert seine unglückliche Ehe, seine unglückliche Kindheit – sein Sarkasmus ist Ausdruck einer verletzten Seele. Sie verstehen das, neigen selbst zu Sarkasmus. Er ist wie ein Seelenbruder – ähnliche Verletzungen, ähnliche Bedürfnisse. Es ist wunderbar. Sie sind vorsichtig … zunächst. Gebranntes Kind … kein Vertrauen. Aber dann verlieben Sie sich, beginnen an die Seelenverwandtschaft zu glauben. Geben sich hin, soweit es Ihnen möglich ist … Vielleicht weiter? Sie sind verletzlich, doch ein paar Monate läuft alles wunderbar. Dann dämmert Ihnen allmählich, dass Berger seine Frau nicht verlassen wird. Aber das ist erst der Anfang. Berger hat andere Beziehungen. Sie spionieren ihm nach …»

Susanne fuhr so plötzlich auf, dass Laura ein bisschen zusammenzuckte.

«Hören Sie auf!» Susanne schrie. «Hören Sie auf, nehmen Sie Ihren Papagallo und verlassen Sie mein Zimmer! Was fällt Ihnen ein?!»

Laura atmete behutsam ein, nahm alle Kraft zusammen.

«Sie spionieren ihm nach und finden heraus, dass er

viele Geliebte hat. Frauen wie Sie, aber auch ganz andere, jüngere. Sie stellen ihn zur Rede. Er lügt, erfindet alle Arten von Ausreden. Sie rasen vor Eifersucht, alte Wunden brechen auf. Sie werfen ihn raus. Er kommt zurück. Sie wollen ihn nicht verlieren. Er fängt eine Therapie an. Sie glauben, dass er sich ändern will. Und dann erzählt er Ihnen, dass er ein Selbsterfahrungsseminar mitmachen will.»

«Nein! Hören Sie auf! Sie sind noch verrückter als alle andern hier! Hören Sie auf!» Susanne packte ein Kissen und schleuderte es so blitzschnell auf Laura, dass diese nicht ausweichen konnte. Das Kissen traf Lauras Gesicht mit solcher Wucht, dass sie auf dem rechten Auge dunkle Punkte sah. Vorsichtig strich sie mit zwei Fingern über ihr Augenlid. Guerrini hob das Kissen auf.

«Signora», sagte er. «Wenn Sie eine Polizeibeamtin verletzen, können Sie große Schwierigkeiten bekommen!»

«Ach, lassen Sie mich in Ruhe!» Susanne rollte sich zusammen.

«Warum haben Sie an diesem Seminar teilgenommen?», fragte Laura, die noch immer dunkle Punkte sah.

«Ich habe jedes Recht der Welt, an diesem Seminar teilzunehmen, oder? Sie hätten sich auch anmelden können!»

«Natürlich», antwortete Laura sanft. «Aber es ist doch ungewöhnlich, dass Sie sich für ein Seminar anmelden, an dem Ihr Exliebhaber teilnimmt. Ich glaube nicht, dass ich so etwas tun würde, außer …»

«Was außer!» Susanne wälzte sich auf den Rücken.

«Außer ich hätte bestimmte Pläne … zum Beispiel meinem Ex zu zeigen, was für ein mieser Typ er ist. Oder ihn vor allen anderen lächerlich zu machen oder … mich an ihm zu rächen.»

Susanne lag mit geschlossenen Augen da, sehr blass, schwer atmend. Trotzdem zuckte ein spöttischer Ausdruck um ihren Mund.

«Ich musste mich gar nicht bemühen, ihn lächerlich zu machen. Das hat er ganz allein geschafft. Glauben Sie, dass die andern nicht gemerkt haben, was hier lief? Alle haben diese Geschichte mit Carolin mitgekriegt, und dann hat er noch mit dieser Rosa rumgemacht, so getan, als würde er ihre hysterischen Anfälle ernst nehmen.» Sie lachte leise. «Niemand konnte ihn leiden, nicht mal Katharina. Sie hat ihn aus der Gruppe ausgeschlossen. Das hat ihn tief getroffen, wo er doch von allen geliebt werden wollte. Sie hat ihn einen Psychopathen genannt … ich selbst habe nicht viel übrig für Katharina und ihren esoterischen Hokuspokus, aber in diesem Augenblick habe ich sie bewundert. Er hat bekommen, was er verdiente!»

«Reichte das nicht?» Lauras Muskeln spannten sich an.

Susanne warf ihr einen kurzen Blick zu, unruhig, abschätzend.

«Ich weiß genau, welche Antwort Sie jetzt erwarten, Frau Kommissarin! Sie erwarten, dass ich sage: Nein, es reichte nicht! Sie erwarten, dass ich zusammenbreche und sage: Ich habe ihn umgebracht!» Höhnisch verzog sie das Gesicht. «Aber ich sage es nicht!, Kommissarin Laura!»

Laura reagierte nicht. Sie blieb still sitzen und horchte in sich hinein. Sie schaute Guerrini an, durch ihn hindurch, dachte an Ronald. Hatte er sie so verletzt, dass sie ihn hätte umbringen können? Beinahe – eher virtuell. Laura hatte sich vorgestellt, dass er einen Unfall haben könnte. Ein Lastwagen, ein Frontalzusammenstoß. Wann war das gewesen? In einem Augenblick des Hasses, der

Ausweglosigkeit. Als er ihrem Leben im Weg stand, ihr und den Kindern. Wo war Susannes Schwachstelle?

«Sie wurden ebenfalls von der Gruppe ausgeschlossen, Susanne», sagte Laura langsam.

«Woher wissen Sie das?» Susannes Stimme klang scharf.

«Ich habe mich umgehört.»

«Katharina ist Therapeutin. Sie darf nicht über ihre Klienten sprechen!»

«Sie darf. Unter bestimmten Umständen darf sie. Ich versuche mir gerade vorzustellen, was dieser Ausschluss für Sie bedeutet hat, Susanne. Berger ging Ihnen während dieses Seminars aus dem Weg. Sie selbst isolierten sich von der Gruppe, gehörten aber doch irgendwie dazu. Es war wichtig für Sie, zur Gruppe zu gehören. Sonst hatten Sie ja niemanden. War es nicht so? Und dann werden Sie ausgeschlossen. Wieder konnten Sie Berger die Schuld zuschieben. Seine Schuld war es ja auch, dass Carolin Wolf sterben musste. Nur seine, nicht wahr? Berger war dabei, Ihr Leben zu ruinieren!»

Laura wartete mit angehaltenem Atem auf Susannes Antwort. Doch Susanne lag mit geschlossenen Augen da, schien ihre Worte nicht gehört zu haben. In diesem Augenblick begann Guerrini zu sprechen.

«Signorina Carolin war sehr schön», sagte er leise. «Ich habe sie gesehen. Selbst im Tod war sie wunderschön. Sie hatte einen perfekten Körper. Es muss schwer für Sie gewesen sein, eine so starke junge Rivalin zu erleben.»

Susanne stützte sich langsam auf einen Ellbogen und starrte Guerrini an.

«Waren Sie auch geil auf Carolin? Auf eine Tote?» Ihr Italienisch war hart. Wieder lachte sie keuchend. «Euch Kerlen ist wirklich alles zuzutrauen, was? Carolin war eine Hure. Sie hätte es vermutlich auch mit dem Pfarrer getrieben, wenn der sich getraut hätte! Sie bildete sich ein, die Männer im Griff zu haben. Aber das war ein Irrtum. Ich habe ihr die Augen geöffnet: über Berger und Rosa, über Berger und mich und all die andern Weiber!»

Danke, dachte Laura, danke, Angelo!

«Wann haben Sie das gemacht, Susanne?»

«Bei einem gemeinsamen Spaziergang am Abend. Ich wollte ihr helfen, diesem dummen Ding!»

«War das zufällig der Abend, an dem Carolin ums Leben kam?»

«Ich weiß es nicht!»

«Hören Sie jetzt genau zu, Susanne! Ich habe dieses Theater satt. Sie sind eine intelligente Frau. Sie wissen ganz genau, wann Sie mit Carolin gesprochen haben. Und wir wissen, dass Sie am Tatort waren.»

Susanne begann plötzlich zu zittern. Ihre Zähne klapperten.

«Lassen Sie mich in Ruhe», flüsterte sie. «Ich bin krank! Ich wurde überfallen, und Sie behandeln mich wie eine Verbrecherin. Was für Menschen sind Sie eigentlich, Sie und Ihr feiner Commissario?»

«Wir sind Polizeibeamte, und wir versuchen zwei Morde aufzuklären. Ich sage Ihnen jetzt, was zwischen Ihnen und Carolin Wolf vorgefallen ist! Sie folgten Carolin zum Bach. Sie kannten die Stelle, an der sie sich mit Berger traf. Sie hatten die beiden beobachtet. Nicht nur einmal. Hatten vielleicht daran gedacht, beide umzubringen. Es wäre ja leicht gewesen. Menschen beim Sex kann man leicht überraschen. Sie achten nicht auf ihre Umgebung. Vielleicht hatten sie schon einen kräftigen Stein in die Hand genommen, sich vorgestellt, wie es wäre, ihn auf die Schädel der beiden zu schlagen. Aber es blieb bei der Vorstellung. Bis Sie Carolin an jenem Abend allein trafen.»

«Nein!» Susanne zitterte nicht mehr. «Carolin war schon tot, als ich am Bach ankam. Dieser Verrückte muss vor mir da gewesen sein.»

«Und warum haben Sie das der Polizei nicht gesagt?»

«Weil ... weil ich Angst hatte. Weil ich der Polizei nicht traue!»

«Dummes Zeug!», sagte Laura. «Sie haben doch eben behauptet, dass Sie Carolin die Augen über Berger geöffnet haben. Wenn sie schon tot war, dann konnten Sie das ja schlecht tun!»

Susanne setzte sich auf, strich mit der rechten Hand über die blaue Decke, als streichelte sie ein Tier. Plötzlich veränderte sich der Ausdruck ihres Gesichts. Sie lächelte hilflos, wandte sich an Guerrini, und Tränen traten in ihre Augen.

«Es war ein Unfall», flüsterte sie. «Commissario, Sie müssen mir glauben. Ich wollte dieses Mädchen nicht töten. Hören Sie nicht auf diese deutsche Polizistin. Sie versteht nichts, gar nichts. Ich habe mit Carolin gesprochen, sie vor Berger gewarnt. Junge Frauen muss man vor solchen Männern schützen, Commissario.»

Guerrini nickte. Susanne lächelte unter Tränen.

«Aber sie hat es nicht verstanden, Commissario. Sie hat gelacht, und als ich es noch genauer erklären wollte, da wurde sie wütend. Sie hat mich geschlagen, Commissario. Sie hat mich als eifersüchtige alte Hexe beschimpft.» Wieder lächelte Susanne, suchte in Guerrinis Gesicht nach Bestätigung.

Sie ist verrückt, dachte Laura. Entweder ist sie verrückt, oder sie versucht mit einem wahnsinnigen Theater ihren Kopf aus der Schlinge zu ziehen.

«Und dann, Signora, was geschah dann?», fragte Guerrini mit sanfter, verständnisvoller Stimme.

Susanne atmete tief ein.

«Ich wehrte mich. Carolin war stärker als ich, müssen Sie wissen. Stärker und jünger. Ich stieß sie zurück … und sie stolperte, stürzte und blieb liegen. Ich habe es lange Zeit nicht begriffen, dachte, dass sie mich erschrecken wollte. Aber sie rührte sich nicht. Sie muss mit dem Kopf auf einen Stein geschlagen sein. Ich geriet in Panik, als ich sah, dass sie tot war. Das verstehen Sie doch, Commissario. Was sollte ich denn tun? Ich habe sie an den Füßen gepackt und unter die Wurzeln eines Baums gelegt. Dann bin ich weggelaufen.»

«Carolin war nicht tot», sagte Laura heiser.

Susanne fuhr herum.

«Wenn Sie Hilfe gerufen hätten, wäre sie vielleicht gerettet worden. Sie hat mindestens noch zwei Stunden gelebt.»

«Woher wissen Sie das? Sie mit Ihren verdammten Tricks? Waren Sie dabei?» Susanne krümmte sich zusammen.

«Der Gerichtsmediziner hat es festgestellt. Er hat Carolins Schädel geöffnet.»

«Halten Sie den Mund! Sie verdammte Lügnerin!»

«Beruhigen Sie sich, Susanne», sagte Guerrini. «Ich glaube Ihnen, dass Sie Carolin nicht umbringen wollten. Aber warum haben Sie Rolf Berger getötet?»

Susanne zuckte zusammen.

«Weil er lachte», flüsterte sie.

«Weil er lachte?» Guerrini runzelte die Stirn.

«Er lachte. Er saß auf dem Berg und lachte. Ich wusste, dass er über mich lachte. Ich konnte das nicht zulassen, Commissario. Für jeden Menschen gibt es eine Grenze, eine Grenze der Demütigung … Ich habe gewartet, bis er schlief …»

Plötzlich wurde es still im Zimmer. Laura nahm den Geruch von Desinfektionsmitteln wahr, der offensichtlich Susannes Verbänden entströmte. Ein Nachtfalter flatterte gegen das Mückennetz vor dem Fenster.

«Ich glaube nicht, dass er über Sie gelacht hat, Susanne», sagte Laura leise. «Ich glaube, er lachte über sich selbst.»

Susannes Gesicht zuckte. Tränen liefen über ihre Wangen.

«Sie folgten Berger, weil Sie wussten, dass Rana aus der Untersuchungshaft entlassen worden war. Es war *die* Gelegenheit, mit Berger abzurechnen. Wie gut, dass er in die Nacht hinauslief, nicht wahr? Sonst wäre es schwierig geworden. So konnten Sie diesen Mord einem geistig Behinderten in die Schuhe schieben.» Laura hielt inne. Sie fühlte sich erschöpft. Susanne weinte, ohne den geringsten Laut von sich zu geben. Aber es war noch nicht zu Ende.

«Sie haben sich auch selbst überfallen», fuhr Laura fort. «Als letztes Beweismittel gegen Rana. Nicht so dumm … Aber Sie hatten keine Ahnung, dass Rana Sie gar nicht überfallen konnte, weil er vierzig Kilometer von hier im Ziegenstall seines alten Onkels eingesperrt war.»

Jetzt drang heiseres Schluchzen aus Susannes Kehle.

«Ich wollte das alles nicht», flüsterte sie. «Ich wollte es nicht. Es ist einfach so geschehen … wie ein Plan, den jemand anderes sich ausgedacht hat. Katharina sagt, dass wir alle Teil eines großen Plans sind …»

«Vielleicht», murmelte Laura. «Vielleicht sind wir alle Teil eines großen Plans. Vielleicht haben Sie sich selbst bestraft, als Sie sich diese schrecklichen Wunden beigebracht haben …» Laura erhob sich müde. «Ruf den Maresciallo, Angelo. Er soll auf diese Dame aufpassen. Wir müssen noch mit den andern sprechen.»

Abläufe. Jetzt kommen die Abläufe, dachte Laura. Sie lehnte an der Wand der Klosterküche. Pucci hatte zwei weitere Carabinieri angefordert, um Susanne nach Siena zu bringen. Guerrini war draußen und telefonierte mit dem Untersuchungsrichter. Die stark geschrumpfte Selbsterfahrungsgruppe war noch immer dabei, das Abendessen zu bereiten, und Laura hatte den absurden Eindruck, als erwachten alle erst jetzt aus einem tiefen Schlaf. Katharina war noch immer mit ihren Artischocken beschäftigt, Hubertus rückte Flaschen hin und her, Britta und Monika hackten Knoblauch und Kräuter. Rosa wusch Salat.

«Ich hätte es wissen müssen!», sagte Katharina mit tonloser Stimme. «Ich hätte Rolfs Tod verhindern können … ich hätte ihn nicht ausschließen dürfen.»

Rosa knallte die Salatschüssel auf den Tisch.

«Ich habe dir gesagt, dass du schuld bist! Du warst erbarmungslos, Katharina. Nicht nur mit Rolf, mit uns allen!»

Britta und Monika erstarrten wieder, ihre Messer senkten sich langsam auf die Kräuter und den Knoblauch, blieben stehen. Hubertus räusperte sich nervös. Katharina hob den Kopf und schaute in die Runde.

«Die Wahrheit ist meistens erbarmungslos. Würde es euch helfen, wenn ich eure Lebenslügen mitmachen würde? Wäre das Selbsterfahrung? Erwartet ihr das von mir?»

Hubertus schüttelte den Kopf.

«Nein», murmelte er. «Ich bin dir sehr dankbar für deine Arbeit.»

«Ach!» Rosa drehte sich zu ihm um. «Du bist wieder ganz Priester, nicht wahr! O Herr, vergib mir, wie auch ich vergebe meinen Schuldigern! Du kotzt mich an!»

Laura hatte genug gehört. Es reichte für diesen Tag. Sie stieß sich von der Wand ab und machte einen Schritt in die Küche hinein.

«Warten Sie! Es hat keinen Sinn, wenn Sie sich gegenseitig die Schuld für irgendwas zuschieben. Niemand hier wusste von Susannes Absichten. Niemand wusste, dass sie eine Beziehung zu Rolf Berger hatte. Nicht einmal Katharina. Und Sie, Rosa, wussten es auch nicht, obwohl Sie Berger näher standen als alle andern. Ich würde deshalb vorschlagen, dass Sie behutsamer miteinander umgehen. Verletzungen gab es hier genug.»

Alle Gesichter hatten sich Laura zugewendet, und Laura wusste, dass sie mehr erwarteten. Tröstung, eine Erklärung für das Schreckliche. Aber Laura hatte keine Kraft mehr und auch keinen Trost. Es war, wie es war. Nicht Laura, sondern Katharina Sternheim war die Therapeutin.

«Ich wollte Ihnen nur noch sagen, dass Sie abreisen können. Ich habe Ihre Anschriften und werde mich in München melden. Ihre Aussagen werden dann zu Hause aufgenommen. Ich selbst werde Susanne Fischer nach Siena begleiten. Sie wird vermutlich einige Zeit in Auslieferungshaft verbringen müssen, bis alle juristischen Fragen geklärt sind.» Laura blickte in die Runde und nickte. «Haben Sie noch Fragen?» Keine Antwort. Dornröschenschlaf.

«Dann werde ich jetzt packen.»

Abläufe. Laura ging über den dunklen Klosterhof. Zwei Katzen folgten ihr bis zum Telefonhäuschen. Die Treppe hinauf, ins Zimmer. Rosas Horrorzimmer. Laura mochte es, hatte Mühe, sich davon zu trennen. Alles ging zu schnell. Nie reichte die Zeit, um Leben in sich aufzunehmen, so viel aufzunehmen, wie man fassen konnte. Sie dachte an Angelo, und ihr Herz machte einen angstvollen Sprung. Wie viel Zeit blieb noch? Dieser Abend? Ein Tag? Sie fegte ihre Kleider aus dem Schrank und stopfte sie in den Koffer. Versuchte an Sofia und Luca zu denken. Aber es funktionierte nicht. Sie waren weit weg, Schatten hinter einer Milchglasscheibe. Angelo war näher. Seine Nähe schmerzte.

Abläufe. Die Zahnbürste, das Schminkzeug, die Schuhe. Koffer zu. Ein Blick aus dem Fenster. Die Carabinieri waren angekommen. Es wurde Zeit. Laura warf ihren Rucksack über die Schulter und griff nach ihrem Koffer, trat auf den Flur, zuckte zusammen, als Hubertus Hohenstein plötzlich vor ihr stand.

«Entschuldigung», stammelte er. «Ich wollte Sie nicht erschrecken.»

«Schon gut!», murmelte Laura.

«Ich … wollte nur wissen, wie es Susanne geht. Sehen Sie, ich kann es nicht glauben, dass diese Frau …»

«Sie müssen noch eine Menge über das Leben lernen. Wenn Sie sich wirklich hinauswagen, dann werden Sie immer wieder mit der dunklen Seite der Menschen konfrontiert werden. Überlegen Sie sich gut, ob Sie nicht in ihrer beschützten Welt bleiben wollen.»

Hubertus schaute auf den Boden.

«Es gibt keine beschützte Welt, Frau Gottberg», sagte er. «Es gibt nur verschiedene Schrecken.»

«Vielleicht.» Laura fühlte sich unzulänglich. «Ich wünsche Ihnen alles Gute und die richtige Entscheidung.» Dachte: Billig. Dachte: Ich will weg!

Hohenstein streckte ihr die Hand entgegen. Laura

drückte sie kurz, lächelte irgendwie. Dann wandte sie sich um und lief die Treppe hinunter. Vor dem Lancia stand Katharina, ein dunkler Schattenriss vor dem blauen Nachthimmel.

«Wir alle waren nicht achtsam genug», sagte sie leise.

Jajaja, dachte Laura. Es reicht!

«Trotzdem danke ich Ihnen. Sie haben diesem Albtraum ein Ende bereitet. Sie und der Commissario!»

«Es ist gut, Katharina», antwortete Laura. «Vielleicht waren wir alle so achtsam, wie wir eben konnten. Ich wünsche Ihnen alles Gute.»

Sie ging zum Wagen der Carabinieri hinüber. Susanne saß bereits auf dem Rücksitz, eingerahmt von zwei jungen Soldaten. Pucci und Guerrini warteten auf Laura.

«Alles in Ordnung?», fragte sie.

Dachte: Abläufe. Und: Nichts ist in Ordnung.

«Alles in Ordnung!», erwiderte Pucci. «Wir fahren voraus. Meinen Wagen hole ich morgen ab.» Mit einem tiefen Seufzer stieg er ein und ließ den Motor an. Laura wandte sich um und schaute zur Veranda hinüber. Am Ende der Treppe standen Rosa, Britta und Monika und blickten zu ihnen herüber. Laura hob die Hand, winkte ihnen kurz zu, doch sie winkten nicht zurück.

Als Laura die Tür des Lancia öffnete, griff Katharina nach ihrem Arm.

«Ssscht! Hören Sie?»

Laura hob den Kopf und lauschte. Ganz leise drang der Ruf einer Eule von den großen Schirmpinien herüber.

«*La civetta*», flüsterte Katharina. «*La civetta*, die Künderin des Unheils. Ich weiß nicht, was werden soll ...»

«Ich auch nicht!», erwiderte Laura, warf ihr Gepäck auf den Rücksitz und stieg ein. Guerrini fuhr los, ehe sie die Tür geschlossen hatte.

Katharina Sternheim sah den Rücklichtern der Autos nach, bis sie hinter dem östlichen Seitentrakt des Klosters verschwanden, dann horchte sie auf das Verklingen der Motorengeräusche. Endlich war es still. Nur die Zikaden lärmten durch die Nacht, doch eigentlich waren sie ein Teil der Stille. Katharina setzte sich auf die Mauer des kleinen Brunnens und sah zu den Sternen hinauf. Ihr inneres Koordinatensystem war aus den Fugen geraten. Ihr war, als fiele sie, eine taumelnde Sternschnuppe im All. Und sie flehte ihr höheres Selbst, die Götter und das Universum an, ihr den Glauben an ihre Arbeit und an die Veränderbarkeit des Menschen wiederzugeben. Vor allem aber flehte sie um die Liebe, die ihr abhanden gekommen war.

Abläufe. Auf dem Weg nach Siena telefonierte Laura mit Kriminaloberrat Becker, erklärte ihm genau, was er der Presse mitteilen konnte. Er war erleichtert, aber noch immer nicht versöhnt, befahl ihr, am nächsten Morgen mit dem ersten Flugzeug nach München zurückzukommen. Laura benötigte fünf Minuten, um ihn davon zu überzeugen, dass es unmöglich sei. Zu viele Abläufe, Bürokratie, Protokolle usw. Das Gespräch endete unfreundlich. Er gratulierte ihr nicht einmal zur Festnahme. Danach schloss Laura die Augen und lehnte sich zwei Minuten zurück.

«Ich würde gern mit dir in das kleine Restaurant gehen, das mit der dicken Köchin, den vielen Männern und dem lauten Fernseher», flüsterte sie.

«Ich auch», erwiderte Angelo. «Morgen Abend. Heute müssen wir das Protokoll aufnehmen.»

«Ich weiß, aber ich will nicht.»

«Ich auch nicht!»

«Und was machen wir da?»

«Wir nehmen das Protokoll auf, weil wir ordentliche Polizeibeamte sind.»

«Ja!», sagte Laura, machte die Augen wieder auf und griff nach ihrem Handy. «Deshalb muss ich jetzt nochmal telefonieren und dann noch ein drittes Mal, weil ich auch eine ordentliche Mutter bin!»

«Dann beeil dich und nimm meinen Apparat. Die Freischaltung ist besser für deinen Kopf!»

Laura lächelte. Dann wählte sie Baumanns Nummer. Gleich darauf füllte seine Stimme das Innere des Wagens. Laura beschrieb in Stichworten die Lösung des Falles. Baumann pfiff durch die Zähne.

«Das muss ja ein toller Hecht gewesen sein, wenn zwei Frauen zu Mörderinnen werden.»

«Aber er war nicht so toll!», widersprach Laura.

«Hast du mit ihm geschlafen?»

«Nein, du Idiot!»

«Dann kannst du's auch nicht wissen, werte Kollegin!»

«Darüber reden wir in München. Ich muss jetzt aufhören, weil wir gleich in Siena sind. Nur ganz schnell ... wie geht's meinem Vater?»

«Ausgezeichnet. Falls ich von Becker gefeuert werde, habe ich bei ihm einen sicheren Job als Mitfernseher und Kartenspieler.»

«Dann bin ich ja beruhigt! Ich danke dir, Peter. Wir sehen uns in München.»

«Warte ... ist alles in Ordnung? Du klingst irgendwie anders!»

«Es ist alles in Ordnung. Ich bin nur völlig übermüdet und muss gleich noch das Protokoll aufnehmen ...»

«... dabei würdest du lieber Rotwein trinken und ein köstliches italienisches Essen genießen.»

«Du sagst es!»

«Dann beeil dich mit dem Protokoll. Die Restaurants in Italien sind länger geöffnet als in Deutschland.»

«Irrtum, mein Lieber. Aber ich muss jetzt wirklich aufhören. Servus. Grüß alle!»

Laura drückte auf die Schlusstaste.

«Du hast noch sieben Minuten», sagte Angelo. «Wer war das?»

«Auch ein Commissario. Der Kollege, mit dem ich in München zusammenarbeite.»

«Sieht er gut aus?»

«Nicht schlecht.»

«Magst du ihn?»

«Ja, ich mag ihn. Aber nicht so sehr wie dich. Bist du eifersüchtig?»

«Ja!»

«Sehr?»

«Sehr!»

«Wunderbar!», lächelte Laura.

«Überhaupt nicht wunderbar. Eifersucht tut weh!»

Laura legte die Hand auf Angelos Knie, fuhr sanft über die Innenseite seines Oberschenkels und verharrte über seinem Geschlecht.

«Das zum Beispiel», sagte sie leise, «würde ich bei ihm nie tun!»

«Oh», murmelte Angelo. «Würdest du jetzt bitte deine Kinder anrufen, sonst fahre ich nicht zur Questura, sondern gleich zu mir, und dann bekommen wir beide Schwierigkeiten.»

Laura küsste ihn auf die Wange und wählte ihre eigene Nummer in München. Sofias klare Stimme meldete sich.

«Sofi?»

«Ja, Mama!»

«Geht's dir gut?»

«Ja, Mama. Ich hab eine Drei in Mathe, und Papa hat mir einen Goldhamster geschenkt. Eigentlich wollte ich einen Hund, aber Papa hat gesagt, dass du dann ausrastest!»

«Hat er das gesagt?»

«Ja, Mama. Würdest du ausrasten?»

«Nein, Sofi. Ich hab dich lieb!»

«Ich dich auch, Mama. Kann ich einen Hund haben, wenn du nicht ausrastest?»

«Wenn du jeden Morgen um sechs aufstehst und mit ihm Gassi gehst!»

«Oh … da reden wir noch drüber, Mama.»

«Einverstanden.»

«Kommst du bald wieder?»

«Ja, bald.»

«Hast du den Mörder?»

«Ja, ich glaube.»

«Ist er schlimm?»

«So mittel. Ist Luca auch da?»

«Nein, der ist beim Basketball.»

«Aber allein bist du nicht, oder?»

«Nein, Papa kocht gerade Nudeln und schaut dabei Fußball.»

«Dann geht's dir gut, oder?»

«Ja, Mama.»

«Sag schöne Grüße. Ich ruf Morgen wieder an, Sofi. Und schlaf gut!»

«Du auch, Mama. Soll ich meinen Hamster von dir grüßen?»

«Klar, grüß ihn von mir!»

Laura beendete das Gespräch.

«*Fine!*», sagte sie laut. «*Tutto a posto,* Angelo. Jetzt haben wir vermutlich noch zwei Minuten Zeit, um uns zu unterhalten.»

Angelo lachte leise.

«Du kannst von Glück sagen, dass ich nicht auch vier Kinder habe. Vielleicht solltest du noch deinen Vater anrufen, wenn du schon dabei bist!»

«Der hat heute Nachmittag selbst angerufen!»

«Deine Tochter hat eine süße Stimme. Wie alt ist sie?»

«Zwölf. Aber du könntest doch deinen Vater anrufen!»

«Nein! Unmöglich!», rief Angelo entsetzt. «Um diese Zeit kocht er. Wer ihn um diese Zeit anruft, muss mit üblen Beschimpfungen rechnen!»

Sie brachen beide in Gelächter aus, verstummten jedoch schnell, als ihnen bewusst wurde, dass sie bereits die engen Straßen von Siena erreicht hatten. Als Angelo den Wagen vor der Questura parkte, sagte Laura:

«Ich wünschte, wir hätten all die Zeit, die wir brauchen, um dummes Zeug zu reden. Ich liebe es, dummes Zeug mit dir zu reden und zu lachen. Das … klingt jetzt auch wieder dumm, oder?»

Angelo schüttelte den Kopf.

«Es klingt überhaupt nicht dumm. Vielleicht finden wir ja ein bisschen Zeit … irgendwo zwischen unseren Vätern, Kindern, Chefs, Mördern, Expartnern …»

Sie fanden ein bisschen Zeit, atemlos und erschöpft, um zwei Uhr nachts, aßen vertrockneten Käse in Guerrinis altertümlicher Küche und tranken Rotwein. Vor den Fenstern die Türme von Siena, schwarz und unwirklich, die Beleuchtung war längst ausgeschaltet. Sie sprachen langsam, mit schweren Zungen – vom Wein und von der

Müdigkeit –, konnten sich lange nicht von den Ereignissen der letzten Tage lösen. Susanne Fischer hatte in der Questura ihre kühle Arroganz wiedergefunden und jede Aussage verweigert. Die Analyse des Brillenbügels sprach allerdings eindeutig gegen sie. Guerrini und Laura verbrachten Stunden damit, ein Protokoll zu schreiben.

Jetzt saßen sie einander gegenüber, zu erschöpft, um schlafen zu gehen. Auch die Worte gingen ihnen aus, deshalb schauten sie sich nur noch an, und Laura dachte, dass sie für immer so sitzen bleiben könnte, um ihn anzusehen. Es machte nichts, dass die Wanduhr laut tickte. Die Sekunden und Minuten zogen an Laura vorüber, verschwanden draußen in der Nacht. Als die Uhr drei laute Schläge von sich gab, erschraken sie und mussten gleichzeitig lachen.

«Ich dachte, die Zeit wäre stehen geblieben», sagte Angelo und stand auf.

«Sie war stehen geblieben», erwiderte Laura. «Jetzt läuft sie wieder.»

Sie ging zum Fenster und lehnte ihre Stirn gegen die kühle Scheibe, spürte Watte im Kopf und in den Knien. Wie viel Zeit blieb ihnen? Nicht daran denken. Jetzt war sie hier. Die Stadt verschwamm vor ihren Augen.

«So kann man nicht wohnen, Angelo», sagte sie und lauschte ihren Worten nach. Lallte sie?

«Warum?» Er trat neben sie. Ein Hauch seiner Körperwärme erreichte sie.

«Was, warum?», fragte sie verwirrt.

«Warum kann man so nicht wohnen?»

«Ach so … Weil es unfair ist, Commissario. Weil anständige Menschen nicht in einer so wunderschönen Theaterkulisse wohnen!» Laura sprach undeutlich.

«Ach», lächelte er, «die Schönheit ist nur äußerlich.

Denk nur an die vielen Mörder, die es in dieser Stadt gegeben hat. Shakespeare hätte hier unbegrenzt Stoff für seine Dramen finden können. Die Mörder haben ganz nebenbei diese Theaterkulisse für ihre Auftritte gebaut.»

«Hör auf mit Mördern!», murmelte Laura. «Meinst du, dass man weiße Mäuse auch sehen kann, wenn man nur eine halbe Flasche Rotwein getrunken hat?»

«Siehst du welche?»

«Nein, aber ich könnte welche sehen!»

Angelo lachte leise, legte einen Arm um Lauras Schultern und führte sie in sein Schlafzimmer. Wie zwei Katzen rollten sie sich ineinander, zu müde, um sich zu lieben, zufrieden, einander zu spüren.

Sie schliefen, bis die schweren Glockenschläge des Doms sie weckten. Da war es schon heller Tag, und Tauben gurrten vor den Fenstern. Laura zählte die Schläge. Elf. Hatte sie einen zuviel gehört? Es durfte noch nicht elf sein. Der einzige Tag, den sie für sich hatten, durfte noch nicht halb vorüber sein.

Aber es war elf. Guerrini schlief, das Gesicht in den Kissen und leise schnarchend. Behutsam löste Laura sich von ihm, sie trug noch immer Jeans und Bluse, fühlte sich verschwitzt und klebrig. Auf Zehenspitzen verließ sie das kleine Schlafzimmer, schlich durch den Wohnraum auf die Dachterrasse, die sie letzte Nacht nicht entdeckt hatte. Es war ein klarer Tag, die Türme des Doms schienen zum Greifen nahe, rosa Oleander blühte in großen Kübeln. Tauben trippelten auf dem gegenüberliegenden Dach umher, Wäsche flatterte vor Balkonen, Putz blätterte. Von tief unten drangen Verkehrslärm zu ihr herauf und Gerüche aller Schattierungen. Laura lehnte sich an das breite steinerne Geländer und hielt ihr Gesicht der Sonne entgegen.

Wenn es Sofia und Luca nicht gäbe, würde ich nie wieder von hier fortgehen, dachte sie. Es ist das Land meiner Mutter, und ich liebe Angelo Guerrini. Ich werde sterben, wenn ich von hier fort muss. Ich habe noch vierundzwanzig Stunden.

Angelo Guerrini meinte zu sterben, als Laura hinter der silbern glänzenden Automatiktür verschwand, die etwas Endgültiges hatte. Menschen, die hinter solchen Türen verschwanden, kehrten meist so schnell nicht wieder. Sie flogen davon wie Vögel. Dabei hatte er mit Laura gerade noch Cappuccino vor der Loggia dei Lanzi getrunken und sie daran erinnert, wie das Pferd seine Äpfel vor ihren Füßen fallen ließ. Wie lange war das her? Fünf, sechs Tage? Er wusste es nicht, hatte sein Zeitgefühl verloren. Der letzte Tag und die letzte Nacht mit Laura waren so schnell verflogen wie ein Traum, von dem man nur Bruchstücke bewahren kann. Und doch, er hatte jeden Schritt auf den holprigen Pflastersteinen von Siena ganz bewusst erlebt. Jeder dieser Schritte hatte ihn dem Abschied entgegengeführt, manchmal hatte er sich bei ihren Spaziergängen heimlich umgedreht, den unsichtbaren zurückgelegten Schritten hinterhergeschaut – eine abschüssige Gasse hinunter, eine Treppe hinauf. Jede Umarmung hatte er in sich aufgesogen, als sei es die letzte in seinem Leben. Lag es am Alter?

Noch nie war ihm so klar geworden, dass er an der Vergänglichkeit litt, oder lag es daran, dass er so lange nicht mehr wirklich gelebt hatte? Dass er die Tage verlebt und zerlebt hatte, routiniert in bestimmten Fähigkeiten, vor allem in der Fähigkeit, fortzuschieben, was ihm Schmerzen bereitete, was ihm fehlte?

Guerrini verließ die Abflughalle und kehrte zu seinem Wagen zurück, versuchte vernünftig zu denken. Es gab Telefon, E-Mail und Briefpost. Noch drei Monate bis zum neuen Jahr. Sie würden es miteinander begrüßen – irgendwo. Laura hatte es versprochen. Doch all die Vernunft half nicht. Als er das Flugzeug aufsteigen sah, meinte er erneut zu sterben, und er saß zusammengesunken hinter dem Steuer seines Wagens, bis ein Polizist ans Fenster klopfte und um seinen Ausweis bat.

«Sie können hier nicht stehen bleiben», belehrte ihn der junge Kollege. «Hier ist noch Sicherheitszone. Wegen möglicher Terroranschläge. Man kann ja nicht wissen, ob nicht einer eine Bombe in seinem Wagen hat!»

«Jaja», murmelte Guerrini und hielt dem jungen Mann seinen Dienstausweis hin.

«Verzeihung, Commissario … aber wir haben strenge Anweisungen …»

«Natürlich!», sagte Guerrini und lächelte, als der Polizist vor ihm strammstand. «Stehen Sie bequem. Ist Ihnen eigentlich schon aufgefallen, was für ein verdammt militaristisches Land wir sind?» Er steckte seinen Ausweis zurück und fuhr los. Der junge Polizist starrte ihm mit offenem Mund nach.

Als das Flugzeug beschleunigte, spürte Laura ganz deutlich, wie ihr Körper mit der Maschine aufstieg, doch ein wesentlicher Teil ihrer selbst fehlte. Sie kauerte sich in ihrem Sitz zusammen und starrte aus dem Fenster. Das Flugzeug schwebte in einer weiten Kurve über das Arnotal, hatte schon die ersten Berge des Apennins erreicht. Dunst verdeckte bald darauf das Land. Die Maschine durchbrach die Wolkendecke und stieß zu einem klaren blauen Himmel auf. Weit unten verhüllte eine dichte Nebeldecke die Poebene.

Laura weinte. Ihr war, als strömte ihre Lebenskraft mit den Tränen unwiederbringlich davon. Neben ihr saß ein älterer Italiener. Nach einer Weile begann er, ihre Hand zu tätscheln.

«Das Leben geht weiter, Signora!», murmelte er. «Weinen Sie, weinen Sie, dann werden die Schmerzen leichter!»

Laura überließ ihm ihre rechte Hand, bis das Flugzeug zur Landung in München ansetzte. Dann versuchte sie vernünftig zu sein, schnäuzte sich, bürstete ihr Haar und schminkte verstohlen ihre Lippen. Kommissar Baumann erwartete sie. Er sollte nicht sehen, dass sie geweint hatte.

Der Herr neben ihr lächelte.

«Es hat keinen Sinn, Signora. Sie haben zu lange geweint. Jeder wird es sehen. Aber Sie sind trotzdem sehr schön.»

«Danke!», flüsterte Laura. «Sie sind sehr freundlich! Wissen Sie, ich bin irgendwie aus meinem Leben herausgefallen, und ich habe Angst, dass ich nicht mehr hineinwill!»

«Ach, Signora, das kommt ganz von selbst. Sie steigen aus dem Flugzeug, dann sind Sie wieder im Leben drin. Es liegt manchmal nur am Fliegen. Das ist ein völlig unnatürlicher Zustand.»

Die Maschine setzte hart auf, der alte Herr schloss die Augen und griff nach Lauras Hand. Erst als das Flugzeug zum Stehen kam, hob er vorsichtig seine Lider, lächelte und sagte:

«Sehen Sie, jetzt geht das Leben weiter.»

JS. 10/10 ✓

Foto: Paul Mayall

B 184/2

Felicitas Mayall

Kommissarin Laura Gottberg ermittelt

Nacht der Stachelschweine
Laura Gottbergs erster Fall.
Während deutsche Urlauber in einem italienischen Kloster Ruhe suchen, wird die junge Carolin in einem nahen Waldstück tot aufgefunden. rororo 23615

Wie Krähen im Nebel
Laura Gottbergs zweiter Fall.
Zeitgleich werden eine Leiche im Eurocity aus Rom und ein bewusstloser Mann auf den Gleisen des Münchner Haupbahnhofs gefunden. Kommissarin Laura Gottberg ist ratlos. Hängen die beiden Fälle zusammen? rororo 23845

Die Löwin aus Cinque Terre
Laura Gottbergs dritter Fall.
Eine junge Italienerin, die als Aupair in Deutschland arbeitete, ist tot. Um den Fall zu lösen, muss Laura in die Heimat des Mädchens fahren: ein kleines Dorf in Cinque Terre, wo die Frauen der Familie ein dunkles Geheimnis hüten.
rororo 24044

Wolfstod
Laura Gottbergs vierter Fall.
Ein deutscher Schriftsteller wird in seiner Villa südlich von Siena leblos aufgefunden. rororo 24440

Hundszeiten
Laura Gottbergs fünfter Fall.
In München machen Jugendliche nachts Jagd auf Obdachlose.

rororo 24623

Weitere Informationen in der Rowohlt Revue *oder unter* www.rororo.de